アジア
ビジネス法務の
基礎

西村あさひ法律事務所／編

改訂版の刊行にあたって

　この度，当事務所ベトナムオフィス設立10周年を記念して，本シリーズ「ベトナム編」の改訂版を刊行することとなった。

　リーマンショックからの回復期にあった2010年の，当事務所海外展開元年から10年にわたり，両国間の国境を越えた経済活動を通じて，両国間の関係構築の一つの側面と重要な節目に関わってこれたことは，新型コロナウィルスの影響により加速的に訪れた極めて大きな変革期を迎えるにあたり，非常に重要かつ有益な経験であった。

　現在は，新型コロナウィルスの蔓延を受け，少しずつ見通しが立ち始めつつも，世界中で人・物の移動に大きな制約が継続しており，人類の生存のあり方に対して，自然からの大きな挑戦を受けている只中にある。

　バーチャルの世界がより深く広がる一方で，物理的な世界は決定的な分断を経験したことにより，これまで以上に国や地域の成り立ちを意識しながら，戦略的かつ選択的に世界と繋がり直していく時代を迎えている。

　そのような時代の中で，日本とベトナムとが，多面的で新たな関係を構築する過程において，我々も，個々の案件や，新たな制度設計・運用といった局面で，益々貢献していけることができれば，この上なき喜びである。

2020年10月

西村あさひ法律事務所
執行パートナー
弁護士　保 坂 雅 樹

「アジアビジネス法務の基礎」シリーズ
の刊行にあたって

　日本企業にとってアジアの重要性は論を俟たない。ビジネス法務におけるサービス提供を本領とする当事務所は，アジアにおける日本企業の活動をビジネス法務面から支えることを最重要の使命の１つと位置づけている。特に2010年以降，アジア諸国にオフィスを設置し，人的・物的リソースを鋭意投入してきている。また，個々の具体的な案件におけるリーガルサービス提供に止まることなく，これらを通して獲得し蓄積した経験や知見を，世の中に還元することにより法律実務の発展に資するという事務所理念のもと，書籍や講演，ロースクールなどの教育機関での教鞭，政府委員会等へ参画など，様々な態様での活動を積極的に行ってきている。

　今般，有斐閣から「アジアビジネス法務の基礎」とのタイトルのもと，アジア諸国のビジネス法務をシリーズで提供する機会を得た。まさに，上記の当事務所の本領と理念を発揮する場となる。

　執筆は，各国のビジネス法務の実務経験豊富な者が担当する。当事務所現地オフィスに駐在，当該国の制度上の理由等から当事務所現地オフィスの設置のない国についても，現地の法律事務所に駐在したり，当事務所現地オフィスで採用したりした各国の有資格弁護士などが，現地におけるクライアントの方々の日々直面する様々なビジネス法務問題について共に取り組んだ経験と知見に裏打ちされた真に役立つシリーズを企図している。
　このシリーズがその企図通りの評価をいただけることを謙虚に信じている。
　2016年7月

西村あさひ法律事務所
執行パートナー
弁護士　保坂雅樹

目　　次

本文中のベトナムの法令について（ix）／ベトナム国家組織図（x）／執筆者一覧（xii）

I　総　　論―――――――――――――――――――――――――1
1　ベトナムの投資環境及び進出動向……………………………………2
　(1)　投資関連法令の制定，改正と外国直接投資の推移　2
　(2)　優　位　性　7
　(3)　問　題　点　10
2　法制度の特徴………………………………………………………14
　(1)　旧ソ連法の影響と英米法，日本を含む欧州大陸法の重層的な受容　14
　(2)　書面性・形式性の重視　15
　(3)　当事者間のコンセンサスの重視　16

II　進　　出―――――――――――――――――――――――――17
1　進出方法比較など…………………………………………………19
　(1)　事業体比較　19
　(2)　その他（フランチャイズ契約 BCC 等）　24
2　外　資　規　制……………………………………………………33
　(1)　外資規制の概要　33
　(2)　主要な業種別の外資規制　39
3　会社の新規設立……………………………………………………67
　(1)　会社設立手続の概略　67
　(2)　事業目的及び本社所在地の決定　68
　(3)　土地・オフィス賃貸借仮契約の交渉，締結　69
　(4)　投資登録証明書の発給　69
　(5)　企業登録証明書の発給　71

(6) 出資の期限に関する留意点　72
　　(7) 投資登録証明書，企業登録証明書の発給後の諸手続　74
 4 合　弁 ··· 75
　　(1) 合弁会社設立の手続と必要書類　75
　　(2) 合弁契約書の主要条項の概説　76
 5 ベトナム企業とのM&A取引 ·· 81
　　(1) ベトナムにおけるM&A取引の流れ　81
　　(2) ストラクチャリング　81
　　(3) DDにおける留意点　91
　　(4) M&A契約における実務上の留意事項　95
　　(5) クロージング後の対応事項　105
 6 不 動 産 ··· 109
　　(1) 土 地 制 度　109
　　(2) 建物所有権制度　114
　　(3) ベトナムにおける不動産登記制度　116
　　(4) 不動産事業に係る外資規制　121
　　(5) 不動産開発プロジェクトの実務──実務上よく問題となる法的論
　　　　点　123
 7 インフラ開発 ··· 126
　　(1) 官民連携のインフラストラクチャープロジェクトに関する法制
　　　　126
　　(2) 再生可能エネルギー（太陽光・風力）に関する規制　147

Ⅲ　現地での事業運営 ─────────────────── 151

 1 企 業 法 ··· 152
　　(1) 有 限 会 社　154
　　(2) 株式会社①──株式　173
　　(3) 株式会社②──機関設計　188
　　(4) 株式会社③──資金調達　210
 2 契約法及び為替管理 ·· 217
　　(1) 民法及び商法　217

(2)　その他の特別法　221
　3　資金調達・担保 …………………………………………………228
　　(1)　貸付に関する規制　228
　　(2)　担保及び担保登録制度　230
　4　輸出入規制 ………………………………………………………235
　　(1)　輸出入が禁止・制限される品目　235
　　(2)　外国投資企業による保税倉庫内の所有権移転販売事業の禁止　236
　　(3)　外国投資企業による三国間貿易の禁止　237
　5　労働法 ……………………………………………………………238
　　(1)　はじめに　238
　　(2)　労働関連法制の構成　238
　　(3)　労働契約と就業規則　239
　　(4)　労働時間及び休暇　248
　　(5)　労働契約の終了，懲戒処分及び損害賠償　253
　　(6)　外国人労働者　263
　　(7)　女性労働者の権利　268
　　(8)　労働組合　269
　　(9)　労働紛争　269
　　(10)　ストライキ　271
　　(11)　労働者派遣　273
　　(12)　職場における民主主義　273
　　(13)　最低賃金，賃金テーブル　274
　　(14)　労働法違反の罰則　275
　6　知的財産法 ………………………………………………………277
　　(1)　知的財産法の概要と運用実態　277
　　(2)　知的財産権の譲渡及びライセンスの付与　286
　7　税　　務 …………………………………………………………292
　　(1)　法人所得税（Corporate Income Tax）　292
　　(2)　付加価値税（Value Added Tax）　294

(3)　外国契約者税（Foreign Contractor Tax）　295
　　　(4)　その他の税制　296

Ⅳ　コンプライアンス・危機管理・紛争対応　299
1　コンプライアンス　300
　　　(1)　贈賄規制　301
　　　(2)　競争法　307
　　　(3)　個人情報保護　318
　　　(4)　サイバーセキュリティ　320
2　危機管理対応　322
　　　(1)　総論　322
　　　(2)　社内調査に関する留意点　322
　　　(3)　処分検討における留意事項　323
　　　(4)　再発防止策の策定に関する留意点　325
3　紛争解決　328
　　　(1)　ベトナムにおける紛争処理手続　328
　　　(2)　ベトナムにおける民事訴訟手続の概要　328
　　　(3)　執行手続と問題点　331
　　　(4)　ベトナムにおける仲裁　333
　　　(5)　ベトナム国外の仲裁判断　336

Ⅴ　撤退　339
1　撤退に際して考えられる選択肢　340
2　持分又は株式の譲渡　341
3　ベトナム現地法人の解散　342
　　　(1)　法人の解散事由，及び清算手続の主な流れ　342
　　　(2)　期間満了，解散決議又は出資者数要件を満たさない場合（上記(1)の(ⅰ)～(ⅲ)）の清算手続　343
　　　(3)　企業登録証明書が回収された場合（上記(1)の(ⅳ)）の清算手続　345
　　　(4)　実務上の留意点　346
4　外国法人の駐在員事務所又は支店の閉鎖　349

(1)　通　知　349
　　(2)　公　告　349
　　(3)　義務の履行　350
　　(4)　設立許可証発給機関に対する最終手続書類の提出　350
　　(5)　設立許可証発給機関による事業の終了についての公表　350
　5　労務に関する留意点……………………………………………351
　　(1)　解散解雇　351
　　(2)　労働許可証に関する手続　351
　6　倒産法制……………………………………………………………352
　　(1)　ベトナムの破産法の特徴　352
　　(2)　破産法の概要　352
　7　その他の倒産・再生手続……………………………………363
Ⅵ　終わりに────────────────────365
　　(1)　節目の年を迎えるベトナム　366
　　(2)　米中貿易摩擦，TPP11とCOVID–19　366
　　(3)　人の移動　366
　　(4)　内需に向けた海外からのM&A，農業分野への期待　367
　　(5)　インダストリー4.0，ESG対応と今後の展望　367
　　(6)　新型コロナウィルスの先の世界へ　368

　事項索引　369

Column 一覧

ベトナムにおけるフランチャイズ事業での頻発トラブル事例　29
認証と翻訳公証について　71
出資により払い込まれる通貨と投資登録証明書／企業登録証明書に表示される通貨　73
設立前の諸経費の支払　74
合弁相手方の出資払込期限の徒過と対応策　75
経営権移動のタイミング　99
譲渡代金の一部後払とエスクロー口座の利用　101
工業団地における既存の土地使用権者からの土地使用権承継　112
集合住宅の一室を購入した場合の土地使用権　115
非居住者の法定代表者　153
株式譲渡に関する特別な合意の有効性　184
審議及び採決の方法　195
取締役会議長と社長について　205
アジア諸国の汚職指数　300
季節的贈答　307
解散決議と増資　347

本文中のベトナムの法令について

- 本文中で出てくる法令名は，特にことわりのない限り，ベトナムの法令を示す。ベトナムの法令には，以下のようなルールに従って番号が付されている。

例）No. 115/2020/ND–CP は，2020 年に CP（政府）により発行された第 115 番目の ND（政令）を意味しており，No. 当該暦年中に制定された法令の通し番号/法令制定年（西暦）/法令類型–制定機関を表している。

(1) 法令類型と制定機関の例

法令類型	略称	制定機関
法律	QH	左記は制定機関である国会の略称と同じ
国会常務委員会令	UBTVQH	左記は制定機関である国会常務委員会と同じ
政令	ND	政府
通達	TT	省，最高人民裁判所，最高人民検察院
共同通達	TTLT	（複数の）省，最高人民裁判所，最高人民検察院
決定	QD	首相，人民委員会及び他の政府機関
決議	NQ	国会，国会常務委員会，人民評議会及び他の合議制の政府機関

(2) 政府機関名称と略称

政府機関名称	略称	政府機関名称	略称
国会	QH	労働傷病兵社会省	BLDTBXH
国会常務委員会	UBTVQH	天然資源環境省	BTNMT
政府	CP	科学技術省	BKHCN
首相	TTg	情報通信省	BTTTT
計画投資省	BKHDT	ベトナム国家銀行	NHNN
商工省	BCT	国家証券委員会	UBCK
財務省	BTC	人民委員会	UBND
建設省	BXD	ベトナム税関総局	TCHQ
交通運輸省	BGTVT	税務総局	TCT

- 法令の基準時については，原則として 2019 年 12 月 31 日時点とするが，その後のアップデートについて触れている箇所もある。

ベトナム国家組織図

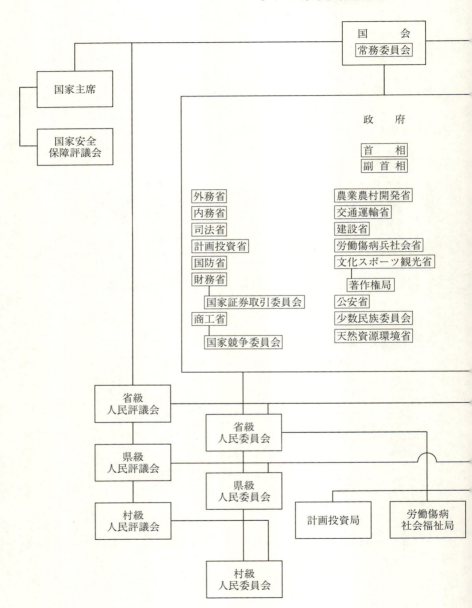

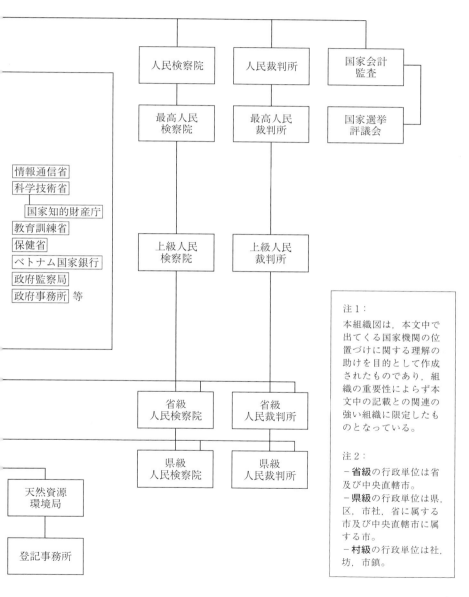

執筆者一覧

小口　光（おぐち　ひかる）　パートナー（ベトナム事務所統括パートナー）
1998 年第一東京弁護士会，2005 年ニューヨーク州弁護士，2010 年ベトナム外国弁護士登録

大矢　和秀（おおや　かずひで）　パートナー（ホーチミン事務所代表）
2004 年第一東京弁護士会（2013 年再登録），2013 年ベトナム外国弁護士登録

森田　多恵子（もりた　たえこ）　パートナー
2004 年第一東京弁護士会，2011 年ニューヨーク州弁護士登録

廣澤　太郎（ひろさわ　たろう）　パートナー（ハノイ事務所代表）
2005 年第一東京弁護士会，2013 年ベトナム外国弁護士，2014 年ニューヨーク州弁護士登録

Vu Le Bang（ヴ・レ・バン）　ベトナムパートナー
2007 年ベトナム社会主義共和国弁護士登録

Ha Hoang Loc（ハー・ホアン・ロック）　ベトナムパートナー
2008 年ベトナム社会主義共和国弁護士登録

武藤　司郎（むとう　しろう）　カウンセル
1994 年東京弁護士会，2005 年ニューヨーク州弁護士，2012 年ベトナム外国弁護士登録

平松　哲（ひらまつ　あきら）　カウンセル
2006 年第一東京弁護士会，2014 年ベトナム外国弁護士，2016 年ニューヨーク州弁護士登録

今泉　勇（いまいずみ　いさむ）　カウンセル
2006 年第一東京弁護士会，2013 年ニューヨーク州弁護士登録

執筆者一覧

Nguyen Thi Thanh Huong（グエン・テイ・タン・フォン）　カウンセル
2007 年ベトナム社会主義共和国弁護士登録

池田　展子（いけだ　のぶこ）　アソシエイト
2006 年第二東京弁護士会登録，2018 年ベトナム外国弁護士登録

村田　知信（むらた　とものぶ）　アソシエイト
2010 年第二東京弁護士会，2020 年ニューヨーク州弁護士登録，2019 年情報処理安全確保支援士登録

村田　智美（むらた　ともみ）　アソシエイト
2010 年第二東京弁護士会，2019 年シンガポール外国法弁護士登録

渡邉　純子（わたなべ　じゅんこ）　アソシエイト
2011 年第二東京弁護士会

Mai Thi Ngoc Anh（マイ・ティ・ゴック・アン）　フォーリンアトーニー
2012 年ベトナム社会主義共和国弁護士登録

羽部　紗耶香（はべ　さやか）　アソシエイト
2013 年第二東京弁護士会登録

Hoang Duy Khang（ホアン・ズイ・クーアン）　フォーリンアトーニー
2013 年ベトナム社会主義共和国弁護士登録

Pham Quoc Thai（ファム・コック・タイ）　フォーリンアトーニー
2013 年ベトナム社会主義共和国弁護士登録

Cao Tran Nghia（カオ・チャン・ギア）　フォーリンアトーニー
2014 年ベトナム社会主義共和国弁護士登録

Dinh Thi Hien Ly（ディン・ティー・ヒエン・リ）　フォーリンアトーニー
2014 年ベトナム社会主義共和国弁護士登録

長岡　隼平（ながおか　じゅんぺい）　アソシエイト
2015 年第二東京弁護士会登録

和田　賢孝（わだ　まさたか）　アソシエイト
2015 年第一東京弁護士会登録

Nguyen Tuan Anh（グエン・トゥアン・アン）　フォーリンアトーニー
2015 年ベトナム社会主義共和国弁護士登録

宮﨑　貴大（みやざき　たかひろ）　アソシエイト
2016 年第一東京弁護士会，2020 年ベトナム外国弁護士登録

Nguyen Thi Ha Thu（グエン・ティ・ハー・トゥ）　フォーリンアトーニー
2016 年ベトナム社会主義共和国弁護士登録

Tran Quoc Dat（チャン・コック・ダット）　フォーリンアトーニー
2016 年ベトナム社会主義共和国弁護士登録

Nguyen Thi Thanh Tram（グエン・ティ・タン・チャム）　フォーリンアトーニー
2016 年ベトナム社会主義共和国弁護士登録

山本　恭平（やまもと　きょうへい）　アソシエイト
2017 年第二東京弁護士会登録

Nguyen Van Trang（グエン・バン・チャン）　フォーリンアトーニー
2017 年ベトナム社会主義共和国弁護士登録

数井　航（かずい　わたる）　アソシエイト
2018 年第一東京弁護士会登録

山田　智裕（やまだ　ともひろ）　アソシエイト
2018 年第一東京弁護士会登録

執筆者一覧

Doan Thi Thanh Ha（ドァン・ティ・タン・ハー）　フォーリンアトーニー
2018年ベトナム社会主義共和国弁護士登録

Cao Bao Tran（カオ・バオ・チャン）　フォーリンアトーニー
2018年ベトナム社会主義共和国弁護士登録

I

総　論

I 総　論

1　ベトナムの投資環境及び進出動向

(1)　投資関連法令の制定，改正と外国直接投資の推移

(ア)　ドイモイ政策の採択とその成果

　市場経済を導入し，対外開放をめざすドイモイ政策が，第6回共産党大会で1986年末に採択された。翌1987年には，それを受けて，初の外国投資法が制定され，不十分ながらも外国投資家がベトナムに直接投資をする際のルールが作られた。その後の市場経済の進展と外資の流入に応じ，1996年には外国投資法が大幅に改正され，何度かの小改正を経て，2005年の投資法の制定に至っている。2005年の投資法制定に至るまでは，外国投資法が，外国投資家による企業の設立や企業の統治機構，投資の許可手続，その保護について規定し，内国投資家とは別の法律により規律されていた。

　ドイモイ政策は，実際には，1992年頃から軌道に乗り始めたと言われているが，その頃から，いわゆる第一次ベトナム投資ブームが始まり外国直接投資が増加し始めた。

(イ)　1990年初頭の第一次ベトナム投資ブームとその終焉――アジア通貨危機まで

　1990年代後半となり，ベトナムに進出した日系企業等の外資系企業から，ベトナムの投資環境について，事前に聞いていたようには整備がなされていないとの不満の声が上がり始めた。

　例えば，当時の外国投資法の実際の運用において，100％外資の現地法人の設立は，輸出加工区等の特別区以外ではほとんど認められず，現地法人を設立する際には，外資7割，ベトナム側3割の出資割合で合弁会社を設立することが事実上強制された。また内国投資家は，土地使用権を出資するのみで，必要な資金や技術は全て外資側が拠出するにもかかわらず，投資許可の付与においては，ベトナム側パートナーへの技術移転が強制される反面，外資が受けるロイヤルティの額が低く設定され，さらに，合弁会社の意思決定においては，

重要事項について全会一致による決定が法令上要求されていた。

　特に，この硬直的な全会一致原則は，資本多数決という市場経済法制の根本原則に合致せず，また実務上も役員人事，決算，配当，追加投資等の重要事項について容易にデッドロックの状況を作り出すこととなり，ベトナムに進出をした日系企業とベトナム政府との対話の場で，日系企業から改正を強く要求してきた歴史がある。

　このような投資環境の中，認可ベースの外国直接投資は，1996年に約96億米ドルのピークに達した後，アジア通貨危機の影響から減少し，1999年には，ピークの4分の1以下の約22.8億米ドルまで低下した。

(ウ) WTO加盟の準備と加盟の影響

　その後，外資に対するベトナム投資環境の改善は，2007年のベトナムのWTOへの加盟が大きな転換点となる。

　WTO加盟時に加盟国によって認められた例外を除き，内資と外資とを差別的に扱ってはならないという内外平等処遇の原則から，外国投資家の直接投資活動や，外資による現地企業の設立のみを，内資による場合とは別に規律する外国投資法を廃止する必要に迫られた。

　そのため，WTO加盟に先立ち，2005年末に，新たな投資法，企業法を制定し，2005年投資法は，内資，外資双方の投資行動を規律し，2005年企業法は，国内資本の企業，外資企業に加え，国営企業の設立，統治機構等についても規律することとなった。

　1996年の外国投資法下では，全ての投資案件について，市場や環境への影響等に関する，国家当局の厳格な投資の審査手続を経る必要があったが，2005年投資法の下では，（詳細はⅡ2で後述するが）WTOコミットメントにおける外資の出資比率規制など，外資の投資活動について特別な制限を付けることを認められた分野（通信分野など）や，銀行，証券，不動産事業など，法律によって条件が付されている分野，あるいは一定の投資金額を超える投資以外は，厳格な投資審査手続を実施する必要がなくなった。

　また，外資によって設立された現地企業においても，2005年企業法下では，企業の重要事項の意思決定において，社員の全会一致の原則が強制されず，多

Ⅰ 総　論

数決原理が導入され，2005年投資法の運用においても，通信業など，WTOコミットメントにおける例外を除き，先に述べた現地企業との合弁とすることの事実上の強制等の外国投資家にとって不利益な実務運用もなくなり，輸出加工区や，工業区以外でも外資100％出資の製造業の現地法人の設立が容易に認められるようになり，外国投資環境は大いに改善された。

　このような投資環境の改善の方向性への期待から，外国直接投資額は，WTO加盟前から急増し，2008年には，新規，拡張を含む認可ベースで過去最高の約617億米ドルまでに達した。大量の資本流入とともに，多角化経営に乗り出した国営企業や内国投資家が，一斉に不動産への投機・投資を行ったこともあり，ベトナムの不動産価格は高騰し，2009年には地価がピークを迎え，いわゆる不動産バブルを作り出した。

㈡　リーマンショック，国内不動産バブルの崩壊とその後の状況

　上述のように，ベトナムのWTOへの加盟の直前から急増していた外国直接投資の流入は，（ベトナム外国投資庁のデータをもとにジェトロが作成したデータによると）新規・拡張を含む認可ベースで2008年に約617億米ドルに達したが，リーマンショックに端を発する世界的な経済危機の影響のため，2009年には約219億米ドルまで減少し，2011年に約156億米ドルで底を打って，その後は緩やかな増加傾向にある。2018年は同認可ベースで約179.7億米ドルであった。

　日本からの投資は，上記のデータによると，新規，拡張を含む認可ベースで2008年に約63億米ドルのピークに達し，リーマンショック後は，2009年には約4億米ドルと激減したが，その後V字型に回復傾向を示し，2013年に約59億米ドルまで回復し，2018年には新規認可ベースで約65.9億ドルと，約36億ドルの韓国，約14億ドルのシンガポールを引き離し，外国投資の新規認可登録総額の約36.7％を占め，最大の直接投資供与国となった。

　なお，2018年の中国の投資は新規認可ベースで約12億ドル，香港の投資は11億ドルであったが，これは，中国本土の人件費の上昇や米中貿易戦争による米国の報復関税を回避するために，中国系の資本のベトナムの投資が増加していることを示している。

また，2011年の金融引き締め後，ベトナム国内の不動産バブルが崩壊し，金融機関の与信残高に比して公称 8.6％ という不良債権が発生した。多くの不動産開発案件が開発の途中で頓挫し，不動産投資をしていた多くの企業や個人が多大な損失を被り，不動産投資に過大な与信をしていた金融機関の不良債権が金融機関の経営を圧迫することになり，かかる一連の状況が，国内消費を冷え込ませ，国内景気の足かせとなる事態を招いた。そのため，ベトナム政府は，Vietnam Asset Management Company（VAMC）という不良債権買取公社を国家銀行の下に設立し，また，Vietnam Debt and Asset Trading Corporation（DATC）という不良債権処理機関を財務省の下に設置して，金融機関から不良債権を買い取り，さらには，財務状態の悪い銀行をより財務状態のよい銀行に合併させるという救済措置を取らざるを得なくなった。近時は，不動産の実需のためか，不動産価格は回復傾向にあり，再びバブル発生の懸念があるとして，国家銀行は，銀行等の各金融機関が中長期貸付に充当できる短期預金の上限比率を，銀行については 60％ から段階的に 40％ まで引き下げる等を内容とする通達の公布等を通じて，不動産投資への融資を抑制し，不動産バブルの再発に対して警告を発している。

㋔　2014 年末の国会における投資関連法の大改正

　ベトナム政府は，2014 年末の国会で，投資法と企業法を大改正し，両改正法とも 2015 年 7 月 1 日より施行された。この大改正により，①国会で定めた投資法のみが，禁止分野や条件付分野を設定でき，政省令や地方の規則等で追加的な制限を設定することを禁止したほか，②株式会社の株主総会において，65％ ではなく 51％ という普通決議要件を認めるなどの改正がなされた。また，同国会で改正された住宅法，不動産事業法では，延長可能な 50 年間の住宅の所有を外国の個人にも認め，外資系不動産会社にも，既存物件のサブリースを認める等，投資環境をより改善し，外資をさらに導入することによって，国内経済の再生，さらなる発展を遂げようと企図している。

㋕　CPTPP への加盟

　環太平洋戦略経済連携協定「環太平洋パートナーシップ協定（CPTPP，いわ

Ⅰ 総　論

ゆるTPP11）」が2018年12月30日に発効し，ベトナムでも2019年1月14日から発効した。

　ベトナムは，TPP11加盟各国の最大の受益者であると言われ，米国の脱退宣言後も日本と並び，TPP11の設置，加盟を積極的に推進してきた。

　TPP11は，開放される市場分野につき，すべてのサービス及び投資分野を原則として自由化の対象とし，自由化の原則が適用されず何らかの規制を課す分野や規制措置については，別途附属書に列挙されるというネガティブリスト方式を採用した。従来のWTOのサービス分野におけるコミットメントでは，ポジティブリスト方式，すなわち開放する分野とその内容について個別に列挙する方式を採っており，記載のない分野については開放するか否かはベトナム政府の裁量によるとされ，また規制の内容が不透明な状況であった。TPP11ではネガティブリスト方式が採用されたことにより，附属書に明記されていない内容については外資規制が課されないことが明確になった。これにより，ベトナム政府のTPP11加盟国の投資家の投資の許認可における裁量が制限されることによって外国投資の許認可手続がより明確になり，外国投資の環境が向上することが期待される。

　また，附属書に規定した規制措置は，各国がその判断で協定発効後に内容を変更することが可能だが，その場合でも，発効時点で採られている措置よりも後退させることはできないとの条項も規定されている（いわゆるラチェット条項，ただし，締約国中ベトナムに関してのみ，この条項の適用が発効後3年間に限り留保される）。

　TPP11の下では，ベトナムの繊維業界が最も関税上利益を受けると言われているが，繊維業以外でも，上記ネガティブリスト方式やラチェット条項によって，TPP11の加盟国である日本の投資家は，WTOの下より有利な投資条件を享受できる可能性がある。

㈱　2020年以後に意図されているさらなる経済関連法案の改正

　ベトナムの国会は，既存の法律が順調に発展しつつある経済と社会の現状に合わなくなっていることを認識し，多くの経済関連法の大改正を実施している。2019年には，証券法や労働法が改正されたが，2020年には，投資法，企業法

が改正され，官民共同でインフラストラクチャーを建設するプロジェクトにかかる Public Private Partnership（PPP）に関する法律も制定された。土地法の改正案も 2021 年の国会で審議される予定である。

(2) 優 位 性

(ア) 人材の質の良さ，豊富さ，勤勉で優秀な若年労働者の存在

　ベトナムは，フランス統治が開始された後の 1900 年代の初頭まで，科挙による高級官僚の選抜を行っていた。どんなに貧しい家に生まれても，学業が優秀で，科挙に合格すれば，大臣や知事になることも可能であり，出身の村の税金が減免されるという特典まで与えられていたため，学業に秀でた子供を，幼少の頃から村ぐるみで育てるという文化が存在していた。この文化の影響からか，今でも，ベトナム人は，都市・農村，家庭の貧富を問わず，教育に非常に熱心で，識字率は高く，教育費の出費は家計の大きな部分を占めている。

　国際数学オリンピックにおいても，ベトナム出身の学生は毎年上位 10 位以内に食い込んでおり，数学は得意分野の 1 つであるし，ベトナム語が 6 声と複雑で多数の母音を持つ言語であるためか，英語や日本語といった外国語の習得も非常に早い。これらの理由により，IT 産業や金融関係に向いている人材が多いと言われている。

　人口ピラミッド的には，約 31 歳が中央値であり，都市部においては，少子化の傾向が見られるものの，まだ若年層が多い国と言えるが，若年層の失業率が高く，近時悪化する傾向さえあること（統計総局によると，2018 年の都市部における 15 歳から 24 歳の失業率が 10.56％，平均失業率は 2％）もあり，進出した外資系企業による質のよい若年労働者の雇用は，工場団地が集積するハイフォンのような場所においても，まだ容易である。

　労働者の勤労意欲は一般に高く，労働組合との協議においては，残業代を安定的に確保するため，労働者の方から残業を求めることも多い。

　賃金については，ハノイ，ホーチミンという大都市圏でも，2019 年 1 月 1 日以降の最低賃金が 418 万ドン（約 1 万 9437 円，1 ドン＝約 0.00465 円で換算）程度にとどまっており，近時人件費が上がってきている中国の沿海部のみならず，タイやインドネシア等の東南アジアの周辺諸国と比較しても，まだ安いと

Ⅰ 総　論

言える。

⑴ 潜在的なマーケットの大きさ

　2018年のベトナム統計総局の発表によれば，総人口は約9467万人に達しており，東南アジアでは，第1位のインドネシア，第2位のフィリピンに次ぐ第3位の人口を擁する。

　現在人口統計上，中央値の31歳前後の若年層は，消費意欲が旺盛で，その所得に比して，驚くほど高価なスマートフォンや，バイクなどの耐久消費財をローンではなく，現金で購入する。

　経済成長率は，1990年代では9％，2000年から2007年は7％〜8％，2009年以後は6％前後で推移しており，2018年のGDP成長率（対前年比）が，ベトナム統計総局によって7.08％と発表されていることからわかるように，近年，堅調に成長を続けている。

　2019年5月に，格付け会社フィッチ・レーティングスが，ベトナムの長期外貨建て・自国通貨建ての発行体デフォルトの格付けを「BB」に据え置き，見通しを「ポジティブ」と格上げしていることからもわかるように，大半の欧米の格付け機関は，ベトナムの長期的な経済成長について，マクロ経済の安定や公的債務の増加の抑止等を理由に，楽観的な予想を発表している。ただし，ムーディーズは，同様の理由でベトナムの信用格付けをBa3に維持しつつも，近時，ベトナム政府が適時に予算を下位機関に配分しないため，それらがODA事業のコントラクターに対して負っている債務の履行の遅延が多数発生していることを理由にベトナムの信用格付けの見直しをなし，その結果，ベトナム政府の債務支払能力それ自体に問題はないが，政府機関間の連携や計画に構造的な脆弱性があるため公的債務が適時に支払われないリスクがあるとして，2019年12月にその見通しをネガティブに下方修正したという問題はある。

　今後順調に，経済成長が続き，前記現在30歳前後の若年層がうまく中産層になることができれば，その層が中年層になって，住宅や自動車，その他の耐久消費財の購入において相当な購買力を持ち，国内消費を牽引する勢力になるであろうことは容易に想定され，これらの財の市場に加え，消費者金融や住宅ローン事業も，それとともに伸びてゆくものと期待される。

(ウ) 治安の良さ，政権の安定

　東南アジアの近隣諸国でも，ジャカルタやマニラなど，近隣国の大都市に比べ，ハノイやホーチミンといったベトナムの大都市は格段に治安が良く，女性が夜に一人歩きができる都市とさえ言われている。

　この治安の良さは，社会主義的なセーフティーネットが未だに維持されていることが大いに寄与していると言える。すなわち，土地が全人民の所有であり，農地は自作をする農民に交付され，大地主が土地を保有しない農民を搾取する社会構造が許されていないために，農村出身の失業者らは出身地に帰れば，自給・自作的な生活を送り，維持されている大家族制の中で，衣食住はとりあえず確保されるため，食べるために犯罪を犯す必要がないという面が大きいと考えられる。

　また，ベトナムでは，共産党の一党独裁体制の下，政権が安定的であることが，タイやカンボジア等の近隣諸国と比較した場合に優位性があると考えられる。

(エ) 投資環境の改善に対して外資の意見を聞き，それを反映する姿勢が政府にあること

　日越投資協定の締結・発効以前から，日越共同イニシアティブという政府間協議の場が設定され，日越の官民双方を交え，ベトナムの投資環境の改善のために，活発な議論が行われている。年次協議の場では，要望事項に対する達成度が評価され，ベトナムの投資環境の改善に向けた，具体的且つ実務的な議論が展開されている。

　2014年末の国会会期の直前において，ベトナム日本商工会が，企業法と投資法の改正案について，意見書を提出したところ，多くの点が草案に反映され，実際に法律の条文に取り入れられたということもあり，ベトナム政府側は，外資，特に日系企業の投資環境に関する意見を非常に重視する姿勢を見せている。このような両国の官民を通じた良好且つ安定的な関係が，上記の政治的安定性とあいまって，ベトナムの魅力を大いに支えているものと言えよう。

Ⅰ　総　論

(3) 問 題 点

(ア) 法律の規定のあいまいさ，法令相互の矛盾，司法の独立性の弱さ，判決の予見可能性の低さ

　ベトナムにおける法制度はまだ整備の途上にあり，企業法，投資法，民法という投資活動にとって基礎的な法律でさえ，頻繁に改正され，あいまいな規定や，法令間で相互に矛盾する規定も多い。

　先進国であれば，日本のように立法段階で内閣法制局などの確立された制度の中でこのような矛盾がないように整備されており，また解釈上の問題等については，裁判所の判例で解決されることも可能であるが，ベトナムにおいては，2014年に人民裁判所組織法が改正され，判例の法令適用の統一機能が公認されるまでは，判決はその案件の解決にのみ意味があるとされていた。2015年になってようやく判例の選定に関する最高人民裁判所会議の決定が出されたものの，それまでは，判例の法源性が否定されていたため，裁判例の蓄積・公開もきわめて不十分であり，法令の特定の条項が，裁判所によってどのように解釈されるかは，予測がつきがたいという状況にある。

　このように，あいまいで，相互矛盾するような法令の存在は，それを解釈する権限を持つ公務員に，大きな裁量を与え，解釈が不安定となり予測が立たないという問題とともに，それが汚職・不正の温床となる可能性を含んでいる。

　そもそもベトナムの憲法上，三権分立制度は採用されておらず，憲法上，国会の下に最高人民検察院と並んで最高人民裁判所が置かれている。その長は国会によって，選任，免任，罷免され，その最高人民裁判所の下に，上級，省級，県級という下位裁判所が置かれている。最高人民裁判所は，国家機関として，国会の指導下にあり，また，共産党の指導の下にもあるのであって，組織上，三権分立制下の裁判所のような独立性を有しているわけではない。

　人民裁判所組織法上，裁判官や参審員の独立を定めた規定はあるが，実際，担当裁判官が，共産党や上層部からの影響を受けることもあり，裁判官の独立性は，必ずしも確保されているとは言いがたい状況もある。

　近時，日本の司法試験や司法研修所をモデルとして，新司法試験制度や司法研修所を設置し，法曹の資質は向上しつつあるが，以前，ソ連流の憲法を実施

していた時代に，国内の大学の法学部を廃止し，国内で法学教育が受けられない時期もあったため，法曹養成はベトナムにおける課題の1つとして挙げられる。

(イ) 土地公有制や労働者の保護制度の投資環境への影響

社会主義的な諸制度，例えば，土地は全人民が所有し国家が管理するものであり，人民・企業は，その必要に応じて土地使用権を保有するという土地公有制は，土地の特定家族，企業への過度な集中を防ぎ，富裕層による貧困層の搾取を防いで，社会を安定させるという効用があるとされる。また，年間労働時間を200時間（特別許可で300時間）に制限し，残業に対して，平日か，週休日か，祝日かに応じて，通常賃金の150％，200％，300％という高率の残業代の支払を命ずる労働法は，企業に，より多くの労働者を雇用することを促し，ワークシェアリングにより，雇用を確保するという効用が企図されている。

しかしながら，外国投資家からすれば，例えば30年という投資期間が過ぎて，その延長が認められなければ，土地使用権は失効し，土地を国家に返還しなければならないのであって，長期的な視点からの投資を設計しにくい。また，労働時間の画一的な制限により，労働組合との協議で，労働者から残業をしたいとの要求があっても応じられないといった問題や，高率の残業代は，基本給が低い国営企業の給与体系を想定した制度であるために，基本給の高いホワイトカラー職員にさらに高率の残業代を支払うとホワイトカラーの人件費が高くなりすぎるといった側面も指摘されるところである。

(ウ) 贈収賄

ベトナムは，トランスペアレンシー・インターナショナルの腐敗認知指数において，2018年は，世界180か国中117位と，ASEAN域内では，カンボジア，ミャンマー，ラオスに次ぎ，政府の汚職度について，芳しくない評価をされている。

日系企業も，ODA関連事業において，摘発例が2件あり，2014年には，ハノイ都市鉄道1号線第1期事業を受注したコンサルタント会社である，日本交通技術株式会社（JTC）が，発注者であるベトナム鉄道公社（VNR）の幹部

Ⅰ　総　論

へ賄賂を贈ったとして，東京地検特捜部が，JTC及び同社の前社長，前常務，取締役の3人を不正競争防止法違反（外国公務員への贈賄）の容疑で起訴し，同人らが容疑を認めるという事件が生じている。

　ベトナムに限ったことではないが，新興諸国においては，国内徴税が十分に確保できないために，公務員の給与が安く（公務員のランクにもよるが，公務員の給与に関する政令によれば，下級公務員の基本給は，労働者の最低賃金を定める政令が規定する労働者の最低賃金にも満たない），非公式な「手数料」を集めてこれを補塡するという側面が見られ，法令に必ずしも明文のない「手数料」等の支払を要求されることも多く，進出企業の特に現地従業員が対応に苦慮することも多い。この点について，近時，グエン・フー・チョン共産党書記長が反汚職キャンペーンを実行し，それまではアンタッチャブルであった政治局員，現職の閣僚，地方の党書記や人民委員会の委員長，公安や軍の高官等も次々と汚職を理由にして逮捕され，刑罰や党の懲戒処分に処せられており，全体としては改善傾向が見受けられるところであるが，ベトナム政府のなお一層の状況改善への努力が期待されるところである。

(エ)　裾野産業の未発達

　ベトナムにおいては，裾野産業が未熟であり，タイであれば，国内で調達できる単純な部材がベトナム国内では調達できず，輸入しなければならないため，結果的にベトナム国内で生産を行うとコスト高になって，低賃金という投資環境の妙味が，減殺されてしまうという問題がある。

　韓国のサムスンが典型であるが，工業区内の進出企業のように，関税を免除され，国外から部品を輸入して，国内で組み立てて，完成品を再輸出するというビジネスモデルでは，国内の裾野産業の未発達の影響は少ないのであろうが，ベトナム国内市場を狙う自動車産業などでは，裾野産業の未発達の影響は，コスト的に大きい。

　ASEAN域内統合において残っていた自動車関連の域内関税は，ASEAN物品貿易協定（ATIGA）の関税率引き下げスケジュールにより，2018年には撤廃された。それまで高関税で守られてきた外資系の自動車メーカーが，小規模なベトナムの自動車市場に生産拠点を置く理由が乏しくなり，裾野産業が発達し

ているタイや，市場がより大きいインドネシアに生産拠点をシフトしてゆく可能性も指摘されてきたところである。他方，2019年には国内の不動産開発業者であるビングループが，ビンファーストという国産自動車の生産を開始したが，部品は輸入品から構成されており，果たして価格競争力があるかが問われている。ベトナムにとっては，裾野産業の育成は急務である。

I 総　論

2　法制度の特徴

(1)　旧ソ連法の影響と英米法，日本を含む欧州大陸法の重層的な受容

㋐　旧ソ連法の影響

　憲法，民法，刑法，民事訴訟法，刑事訴訟法，土地法等の基礎法の多くは，旧ソ連時代のソ連法をモデルとして制定されており，その後の改正によって，日本を含む欧州大陸法や英米法の考え方を受容しつつあるが，基本的な構造や基本思想は，未だ旧ソ連法のそれを保持し続けていると言える。

　とりわけ，憲法等の公法は，未だ旧ソ連法の影響を色濃く残しており，憲法上，三権分立は認められず，最高人民裁判所と最高人民検察院という司法機関は，首相を長とする行政府とともに，最高機関である国会の下にあり，共産党が，各国家機関を指導するという一党独裁・人民社会主義制度を保持している。刑法上も，全人民の財産である国家の財産に損害を生じさせることは，社会主義的法秩序上，重大な犯罪とみなされ，重罰に処せられる。この刑法の下では，国営企業がなした投資が結果的に失敗し，投資先の企業が倒産するなどして，当該投資の損失が明らかになった場合，当該国営企業において当該投資を決定した者は，たとえ，当該投資を決定するにあたって故意・過失がなくても，結果責任として，国家財産の管理と使用に関する規則に反する罪に問われ得るとされ，経営判断原則的な発想とは相容れないため，西側先進国の投資家を驚かせることがある。

　また，裁判制度も，第一審は，基本的に，1名の職業裁判官と2名の人民参審員から合議体が構成され，職業裁判官と人民参審員が同じ権限を持って合議体による審理に参加するという旧ソ連流の人民裁判の伝統を引き継いでいる。

　私法の分野では，民法を例にとると，旧ソ連民法の下では，個人の所有権や，財貨の自由な流通が，消費や生活の場面を除き認められていなかったので，取引の安全を図るための表見代理や，信義則，エストッペルといった外形保護法理が，動産の善意取得を除いて認められていなかった。1995年に制定されたベトナム民法も，この思想を受け継ぎ，日本政府・JICAの法整備支援を通じ

て，1990年代より継続して，外形保護法理を受け入れるようにアドバイスしたにもかかわらず，2005年の民法改正においても，表見代理や信義則，エストッペルによる外形どおりの法律行為の成立を認めるという考えを受け入れなかったが，2015年の民法改正でようやく外形保護法理の1つである表見代理の規定が認められたという経緯がある。

(イ) 英米法，日本を含む欧州大陸法の影響

以上の旧ソ連法の影響とは別に，近時は，英米法，日本を含む欧州大陸法の影響も急速に強くなっている。

企業法や証券取引法，独占禁止法のように，旧ソ連法において拠るべきモデル法が存在していないような市場経済に直結する法分野においては，そもそも旧ソ連法の影響がなく，英米法，日本を含む欧州大陸法をモデルとして，立法がされている。

例えば，2014年企業法（Ⅲ1参照）においては，株式会社に関して，日本法を含む欧州大陸法系の会社法をモデルとして監査役会を置く会社を基本としつつも，一定数の独立取締役や内部監査委員会の設置を条件として，監査役会を置かず，株主総会，取締役会と社長を置く英米法系の会社の統治機構も選択的に選べるようにするなど，市場経済に直結する法律については，欧米・日本の法律の影響が強くなってきている。

また，民法を例にとると，1995年に制定された民法は，国際私法や知的財産権に関する規定も含み，旧ロシア共和国民法の変形パンデクテン方式を採用していたが，動産担保とその登録制度について，それを施行する政令において，アメリカ統一商法典の9章をモデルとしたノーティスファイリング制度を導入し，さらに，2015年に改正された民法では，旧ロシア共和国民法の影響は少なくなり，JICAによる法整備支援プロジェクトを通じて，日本の民法の考え方も大幅に受容している。

(2) 書面性・形式性の重視

法の適用において，書面や形式を重んじ，その背後にある実体に法の適用を及ぼさない傾向がある。例えば，支払を命ずる判決の名宛人である債務者が，

I 総 論

その所有の財産の名義を，自分の親族や，関連会社の名義に変更してしまうと，それだけで執行を免れることができることも多く，破産法上の否認権の対象となるような場合は別として，法人格の否認というような考え方も実務上は認められておらず，執行免脱が容易という例が挙げられる。

また，立法趣旨からすると規制の対象外であるはずの事項について，文言上規制が及ぶのであれば例外なく禁止されてしまい，立法趣旨から法令の文言を合理的に縮小解釈するということが認められない傾向がある。

(3) 当事者間のコンセンサスの重視

日本と同様，ベトナムは，伝統的に農村の中で村人が協同し，稲作をなすことに基礎を置く社会であったことの影響か，法制度上も，当事者のコンセンサスを重視し，また，各当事者のコンセンサスなしに，既になされた合意や法律を強制的に執行することを避ける傾向がある。

例えば，2014年企業法上，2名以上有限会社においては，社員総会の多数決は，定款で別の規定がされない限り，出席した社員の出資総額の65%以上（特別決議事項は75%以上）とされており，50%超という通常の多数決原則とは異なる定めになっている（Ⅲ1(1)(イ)②(b)(δ)）。これは，議決権の半分近くを保有する当事者が反対しているのに，過半数で採決を強行するのは，当事者のコンセンサスを得ることを重視する思想に反するとベトナム人が考えているものと思われる。

また，訴訟において，まずは和解を試み，和解が不成立に終わった場合に初めて，判決が下されるというシステムになっていることも，この表れといえよう。

さらに，住宅に対して判決の強制執行をしようとした際に，住宅所有者が立ち退かない場合や，競売価格に同意しない場合に，実務上，執行機関が強制執行を中止してしまうとか，インフラ建設案件や土地の開発案件において，土地の収用の責任を負う地方の人民委員会が，住宅，農地の強制収用を極力避けて，地権者と時間をかけて交渉をして同意の上で退去させることに努めるため，収用に時間がかかることが多いという点も，強制執行や強制収容手続においてさえ，執行機関が，債務者のコンセンサスを得ることを重視していることが窺われる。

Ⅱ 進出

II 進　出

　外国投資家がベトナムに進出する場合，一般的に，有限会社，株式会社，駐在員事務所又は支店のいずれかの形態で進出することが多いため，主に，これらの進出形態の特徴について解説する（有限会社及び株式会社に関する詳細については後記Ⅲ1を参照されたい。なお，後述のとおり，株式会社には最低3名以上の株主が必要であるため，日本企業がベトナムに新規設立の形態で進出する場合は，有限会社が用いられることが多い）。

　外国投資家は，これらの企業形態とは別に，一定の分野においては，事業協力契約（BCC契約），建設・運営・譲渡契約（BOT契約），建設・譲渡・運営契約（BTO契約）及び建設・譲渡契約（BT契約）の方法により投資することもできる（これらの契約による投資については後記3〔50頁以下〕を参照されたい）。

1 進出方法比較など

(1) 事業体比較

㋐ 法人格のある事業体の比較

	有限会社		株式会社
	1名有限会社	2名以上有限会社	
出資者数	1名	2名以上50名以下	3名以上
株式の発行	発行不可	発行不可	発行
株式／持分割合	1名の会社所有者（出資者）が100％の持分を保有	払込資本に応じる	保有株式数
譲渡	譲渡可。なお、会社所有者が持分の一部を1人若しくは複数名に譲渡する場合、又は持分の全部を2名以上に譲渡する場合には、2名以上有限会社（若しくは株式会社）に組織変更しなければならない。	譲渡可。但し、既存の社員（出資者）に先買権がある。	自由に譲渡できる。但し、議決権優先株式は原則として譲渡できない。また、設立時の株主が会社設立から3年以内に普通株式を他の設立時の株主以外に譲渡する場合には、株主総会決議の承認が必要。
機関構成	1. 社員が法人 ①会長（委任代表者[1]）が1名の場合）又は社員総会及び社員総会議長（委任代表者が2名以上の場合） ②社長 ③監査役（但し、2020	①社員総会及び社員総会議長 ②社長 （③監査役会。但し、国営企業又はその子会社の場合又は任意に設置する場合に限る。）	以下のいずれかを選択 1. ①株主総会 ②取締役会 ③社長 （④監査役会。但し、株主が11名未満であり、且つ、法人株

---

[1] 委任代表者（Authorized Representative）とは、出資者を代表して出資者の権利義務を行使する者をいう。

Ⅱ　進　出

	年企業法のもとでは、監査役の選任は、会社所有者が国営企業である場合を除き、必須ではない） 2. 社員が個人 ①会長 ②社長		主が総株式の50％未満を保有する場合は強制ではない。） 2. ①株主総会 ②取締役会 ③社長 但し、取締役の20％以上が独立取締役でなければならず、また、取締役会に直属する内部会計監査委員会を設置しなければならない。

(イ)　法人格のない事業体と法人格のある事業体との比較

	会　社	支　店	駐在員事務所
法人格	有り	親会社と同一の法人格とみなされる	親会社と同一の法人格とみなされる
責任の範囲	出資額の範囲	親会社が全責任を負う	親会社が全責任を負う
活動範囲	国家企業登記ポータルにおいて開示されている事業	設立許可証に記載された範囲	営業活動を行うことはできず、情報収集活動等のきわめて限定的な範囲で活動ができる

(ウ)　有 限 会 社

① 　1名有限会社

　1名有限会社は、法人又は個人が単独で所有し、当該法人又は個人がその定款資本の限度で有限会社の全ての負債その他の債務につき責任を負う。1名有限会社を法人が所有する場合、当該法人が選任する委任代表者（Authorized Representative）（以下、「委任代表者」という）の人数に応じて、機関設計が異なる。すなわち、委任代表者が1名選任される場合、1名有限会社は、会長、社長、及び監査役（但し、2020年企業法のもとでは、監査役の選任は、会社所有者が国営企

業である場合を除き，必須ではない）を設置しなければならない。委任代表者が2名以上選任される場合，1名有限会社は，社員総会（複数の委任代表者から構成される合議体），社員総会議長，社長，及び監査役（但し，2020年企業法のもとでは，監査役の選任は，会社所有者が国営企業である場合を除き，必須ではない）を設置しなければならない。1名有限会社を個人が所有する場合は委任代表者は選任されず，会長及び社長が設置される。

② 2名以上有限会社

2名以上有限会社は，2名以上50名以下の社員によって構成される。社員は，法人及び／又は個人で構成され，その出資額の限度で有限会社の負債その他の債務につき責任を負う。各社員は，他の社員又は社員以外の者に対して，その出資持分の全部又は一部を譲渡できるが，社員以外の者に譲渡する場合は，法律上，他の社員に先買権が認められる。2名以上有限会社の機関設計は，(i)社員総会，(ii)社員総会議長，(iii)社長である。これに加えて，国営企業又はその子会社の場合には，監査役会（Inspection Committee）を設置しなければならない。

(エ) 株式会社

株式会社は，その定款資本が株式という形態に分割されている会社である。法人又は個人が株主となることができる。株主は少なくとも3名必要であるが，上限の設定はない。株主は，その出資額の限度で株式会社の負債その他の債務につき責任を負う。株式は，原則として，自由に譲渡できる。株式会社は，機関設計として，以下の(i)又は(ii)のうちいずれかを選択しなければならない。

> (i) 株主総会，取締役会（Board of Management），監査役会及び社長。但し，株主が11名未満であり，且つ，法人株主が株式総数の50％未満を保有する場合は，監査役会の設置は強制ではない。
> (ii) 株主総会，取締役会及び社長。かかる場合，取締役の20％以上が独立取締役でなければならず，且つ，取締役会に直属する内部会計監査委員会を設置しなければならない。

Ⅱ　進　　出

　外国投資家がベトナムの現地企業と合弁会社を設立する場合，株式会社では最低3名の株主が必要であることから，通常，株式会社ではなく，2名以上有限会社を利用することが多い。なお，現地企業のオーナーも個人として出資する[2]ことにより，外国投資家，ベトナム現地企業及びそのオーナーが，それぞれ出資して合弁会社を設立する事例も少なからず存在する。この場合には，株主が3名以上となり，合弁会社の形態として，株式会社を選択することができる。もっとも，株式会社を選択すると，取締役会を設置しなければならず，取締役会の構成員である取締役を最低3名選任しなければならない他，通常，オーナーの出資はマイノリティ出資になるため，法人が50％以上の株式を保有することになり，監査役会を設置するか，又は，取締役のうち20％以上を独立取締役とすること等の対応も必要となる。他方，2名以上有限会社であれば，取締役会の設置は強制されず，監査役会も国営企業又はその子会社でない限り，設置は要求されない。このため，機関設計の柔軟性の観点から，仮に合弁会社に出資する者が3名以上となる場合であっても，株式会社ではなく，2名以上有限会社を利用することが実務上多いように思われる。

(オ)　支　店

　支店は，当該支店を設置した外国投資家と同一の法人格とみなされ，ベトナム国内で営利活動を行うことができる。すなわち，支店自体には，法人格はなく，支店で行った行為の効果は，支店を設置した外国投資家に帰属する。

　外国投資家である外国の親会社がベトナムで支店を開設するためには，当該親会社の所在国において，登記日から5年間以上営業活動を行っていることが条件となる。また，支店の開設が認められるのは，銀行業，保険業等の一定の業種に限定されている。法律上，支店開設許可の取得に要する期間は，申請後7日以内とされているが，実務上はこれより長い期間がかかることが多く，特に，登録する支店の事業範囲が，WTOコミットメント等でベトナムが外資に開放することを約した事業分野とは異なる場合や，外国投資家の所在国が，ベトナムと国際条約を締結していない国であるような場合には留意が必要であ

---

2) 個人投資家が株式を保有する場合，相続が発生するリスクも勘案する必要がある。

る。

　支店の活動期間は，5年間とされているが，延長することも可能である。

(カ)　駐在員事務所

　駐在員事務所は，外国投資家がベトナムへ進出するための最も簡便な形態である。駐在員事務所は，その設立許可証において指定された非営利活動のみを行うことができる。駐在員事務所には，法人格はなく，法人又は支店とは異なり，その活動が限定される。具体的には，駐在員事務所に直接利益が発生する役務，サービス，事業を行うことはできず，本社との連絡業務，市場調査，外国投資家の投資経営の機会の促進を行う[3]。

　外国投資家がベトナムで駐在員事務所を開設するためには，外国投資家が行う事業を所轄する当局の許可が必要である。法律上，駐在員事務所開設許可の取得に要する期間は，申請後7日以内とされているが，実務上はこれより長くかかることが多く，特に，登録する駐在員事務所の事業範囲がベトナムがWTOコミットメント等で外資に開放することを約した事業分野とは異なる場合や，外国投資家の所在国が，ベトナムと国際条約を締結していない国であるような場合には留意が必要である。

　駐在員事務所の活動期間は，5年間とされているが，延長申請を行うことも可能である。

(キ)　その他

① 　組合法人（Incorporate Partnership）

　組合法人は，2名以上の組合員が共同所有者となり，同じ名称の下で共同して事業を遂行する法人である（かかる組合員のことを以下，「無限責任組合員」という）。無限責任組合員に加えて，有限責任組合員を設置することもできる。無限責任組合員は，自然人でなければならず，全ての個人財産をもって，組合法人の債務について責任を負う。有限責任組合員は，自然人又は法人のいずれでよく，その出資額の限度で，組合法人の負債について責任を負う。全ての組合

---

[3]　以前は，本社がベトナム企業と締結した契約の履行状況に関する監督業務等も駐在員事務所の業務範囲に含まれていたが，2016年3月10日施行の政令07/2016/ND-CPにより制限されている。

員は，組合員総会の構成員となる。組合員総会は，その議長として無限責任組合員を選任するものとし，定款に別段の定めのない限り，議長は社長を兼任する。

② 個人事業（Private Enterprise）

個人事業とは，個人が所有する事業であり，当該個人が事業活動の全てにつき自己の全財産をもって責任を負う。個人事業は固有の法人格を有さない。

(2) その他（フランチャイズ契約 BCC 等）

㋐ フランチャイズ契約

① 概　要

ベトナムにおいて小売業や外食産業に進出することを検討する外国企業にとって，新規の法人設立を選択する場合，既に 2(2)(イ)で述べたような外資規制や実務上の障害に直面することになるが，自らをフランチャイザー，ベトナム内資企業をフランチャイジーとする，フランチャイズ方式で参入することにより，外資規制や実務上の障害をクリアできる可能性がある。

ベトナム商工省ウェブサイト[4]によれば，実際，次のような外国企業が，フランチャイズ方式で既にベトナムに参入している。

業　種	会　社　名
食品・飲料産業	Hard Rock Limited（イギリス），KFC Restaurants Asia Pte. Ltd.（シンガポール），Pizza Hut Restaurants Asia Pte.Ltd.（シンガポール），Starbucks Coffee International, Inc.（アメリカ），Lotteria Co.,Ltd.（韓国）
教育・研修関連産業	Pearson Education Limited（イギリス），Adam Khoo Learning Centre Pte. Ltd.（シンガポール），NIIT Antiles N.V.（ベネズエラ）
小売業	株式会社キャンドゥ（日本），7-Eleven, Inc.（アメリカ），株式会社ファミリーマート（日本），ミニストップ株式会社（日本），The Body Shop International Plc（イギリス），Puma SE（ドイツ）
医療関連業	Wyndham Hotel Asia Pacific Co. Limited（香港）

---

4) https://www.moit.gov.vn/nhuong-quyen-thuong-mai1

運送・物流業	Inxpress Franchising Pte. Ltd.（シンガポール），Hertz International Ltd.（アメリカ），Jetstar Airways PTY Limited（オーストラリア）
不動産業	Winn Enterprises, LLC（アメリカ），Colliers International Singapore Pte. Ltd.（シンガポール）
製造業	Sika Technology AG（スイス），Oxyplast Belgium N.V/S.A（ベルギー）
医薬品業	Galien Pharma（フランス）
エンターテイメント業	株式会社イオンファンタジー（日本）
スポーツ関連業	Curve Taiwan Co., Ltd（台　湾），Little Gym International Inc（アメリカ）
清掃業	Termicam Group Pty Ltd（オーストラリア）
インターネット関連業	WSI Emerging Markets Ltd（カナダ）

　フランチャイズ方式で参入する場合には，次の②③に述べるような，フランチャイズ事業に関する規制の適用があるものの，これらは外資規制とは別途の規制であり，例えば小売業に適用されるエコノミックニーズテストの適用はない（外資系企業が2店舗目以降の小売店舗を出店する場合には，個別に当局の認可を得る必要がある。詳細は2(2)(イ)⑤参照）。また，外食産業に関して，2015年1月11日以前は，外国投資家が外食産業に参入するためにはホテルへの投資と並行して行われる必要があるという規制があったため，現在も，投資登録証明書（Investment Regisltation Certificate）の発給手続において，実務上の不透明さや不確実性が残ると言われているが，フランチャイズ方式の場合には，このような実務上の不透明さや不確実性は払拭できると考えられる。

　したがって，ベトナム市場における小売業や外食産業への進出を検討する際，フランチャイジーとして信頼できるベトナムの事業パートナーが存在する場合には，フランチャイズ方式での参入も検討に値する。

　フランチャイズ事業に関する規制の具体的な法令として，商法284条〜291条にフランチャイズにおける章があり，当事者の権利義務などの基本的事項が定められているほか，政令35/2006/ND-CP（政令120/2011/ND-CPによる改正も含め，以下「政令35号」という）及び政令08/2018/ND-CP（以下，政令08号とい

Ⅱ　進　出

〈外国から直接フランチャイズする場合〉

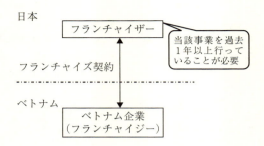

〈ベトナムに新会社を設立する場合〉

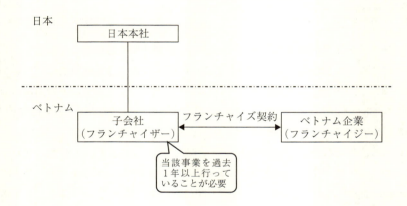

う）並びに通達 09/2006/TT-BTM（以下「通達 09 号」という）が，より詳細なルールを定めている。

② フランチャイズ事業を行うための要件

　ベトナムにおいてフランチャイズ事業を開始する場合の要件は，次のとおりである。

（ⅰ）フランチャイザーが当該事業を過去1年以上行っていること（政令 08 号 8 条）

> (ii) フランチャイズ事業の当局（ベトナム商工省）への登録が完了していること（政令35号17条1項）
> (iii) フランチャイズ事業の対象物品またはサービスが法令上禁止されていないこと（政令35号24条1項）

　なお，外国投資家ではなく，ベトナムに設立する新会社がベトナムでフランチャイザーとなる形態も可能であるが，この場合，当該子会社は，フランチャイズを事業内容とする必要がある。そのため，対象となる事業が小売業や外食産業の場合には，当該取得手続において，上記①で述べたように，実務上の投資証明書発給手続に関する不透明さや不確実性を回避することができなくなる点に留意が必要である。

　上記(ii)のフランチャイズ事業の当局への登録のための必要書類一式は，政令35号の19条に定められているが，申請書や，フランチャイザーとなる法人の存在証明等の形式的な書類のほか，フランチャイズの内容を説明する書類が含まれる。フランチャイズの内容を説明する書類の主要な記載項目は次のとおりである（通達9号別紙3）。

> - フランチャイザーに関する基礎情報
> - フランチャイズの対象とされるブランド名・知的財産権の内容
> - フランチャイズ料その他フランチャイジーが負担する費用及びフランチャイジーの義務の内容
> - フランチャイザーの義務の内容
> - フランチャイズ対象事業の市場の概要説明
> - フランチャイズ契約の概要説明

　法令上は，当局は登録のために必要な書類を受領してから5営業日以内に登録を完了することになっている（政令35号20条）。もっとも，実務上は，当局がフランチャイズの内容を説明する書類について記載情報の不足を指摘する等で，これ以上の時間を要することも多いようであるため，余裕をもったスケ

Ⅱ　進　出

ジューリングが必要である。

③　フランチャイズ事業における実務上の留意点

(a)　政令35号に基づく規制

政令35号は，主にベトナム国内のフランチャイジー保護の観点から，次のような規制を定めている。

規制の内容	政令35号の条文番号
<u>情報開示義務</u> フランチャイザーは，契約締結日の15営業日前までに， ①　フランチャイズ契約のフォーム ②　フランチャイズの内容を説明する書類 をフランチャイジーに対して提供しなければならない。	8条
<u>契約書の言語</u> ベトナム語で作成する必要がある（同時に英語や日本語で作成したとしても，ベトナム語版を正本とする必要がある）。	12条
<u>フランチャイズ契約の期間</u> 当事者が自由に合意できるが，期間途中でのフランチャイザーからの契約解除は次の場合に限定される。 ①　フランチャイジーがフランチャイズ事業に必要な許認可を失った場合 ②　フランチャイジーが倒産・解散した場合 ③　フランチャイジーがフランチャイズシステムの評判に重大な影響を与える法令違反を行った場合 ④　フランチャイジーがフランチャイズ契約に違反し，フランチャイザーからの書面による是正勧告を受け取ってから合理的期間内に是正を行わない場合	13条・16条

(b)　2店舗目以降の出店

ベトナム内資企業であるフランチャイジーが2店舗目以降の小売店舗を開設する場合，当局に対して，当該店舗を登録する必要がある。

一方，外国企業であるフランチャイザーが，複数のベトナム内資企業にフランチャイズする場合，2社目以降の会社へのフランチャイズについても当局の登録が必要か，法令上は明らかではない。この点，一部の当局は，重ねての登録は不要との見解を示しているようであるものの，事前の当局確認が必要と考

えられる。

> **Column**
>
> ### ベトナムにおけるフランチャイズ事業での頻発トラブル事例
>
> 　ベトナムでフランチャイズ事業を行うには，本文で記載したような様々な規制があるが，実務上頻発するトラブル事例及び対応策としては，次のようなものが挙げられる。
> 　①フランチャイザーは，自らのブランドを用いてベトナムでのマーケティングを行うため，フランチャイジーに対して自らの商標の利用許諾を行うケースが通常である。しかしながら，他の新興国と同様，ベトナムでも，商標権の侵害事例が多く見られるのが実情であり，フランチャイザーがフランチャイジーに対して利用許諾した商標が，第三者により，フランチャイザーの特段の許可なく実施されてしまい，ベトナムにおけるフランチャイザーのブランド価値やレピュテーションが毀損してしまうというトラブルがよく見られる。
> 　このようなトラブルに対する備えとしては，(1)フランチャイザーにおいて，自らの商標権についてベトナムの当局に対して登録を行い，商標権侵害に対して対抗措置を講じることができるようにしておく，(2)フランチャイズ契約において，フランチャイジーが商標の侵害事例を発見した場合には，速やかにフランチャイザーに報告し，フランチャイザーと協力して侵害に対応する義務をフランチャイジーに対して負わせるようにしておく，といった対応策が考えられる。
> 　②フランチャイジーは，フランチャイザーから提供されるノウハウを利用し，ベトナムにおいて事業展開を行うことになるが，フランチャイザーとベトナムのフランチャイジーとの間で，商品の品質に関する重要性に関する意識に大きな開きがあることが多く，フランチャイジーがフランチャイザーの意図や指示に反して，品質よりも利益を優先した行動に出ることもよく見られる（例えば，外食産業において，低価格・低品質の食材を調達するような事例が典型例である）。この場合も，上記①の事例と同様，ベトナムにおけるフランチャイザーのブランド価値やレピュテーションが毀損してしまう結果につながりかねない。
> 　このようなトラブルに対する備えとしては，ベトナムでの事業展開をフランチャイジー任せにせず，フランチャイザーによる定期的な品質確認の機会を設けること，事業活動のうち商品の品質に影響する部分については，詳細に指示を出し，フランチャイジーに，その合意に反する行動が見られた場合には重いペナルティを課す条項を，フランチャイズ契約に入れ込んでおく，といった対応策が考えられる。

Ⅱ 進 出

(イ) BCC

① BCC の概要

BCC（Business Corporation Contract）とは，法人を設立せずに，複数当事者間で協同して事業を行うため締結する契約をいう。

2014年投資法の28条，29条及び49条に最低限の規定（例：外国人投資家がベトナム内資企業との間でBCCを締結する場合，ベトナムに管理事務所〔Operating Office〕を設置できること等）が存在するが，他の投資方法と比較して，法律上に詳細な定めが殆ど存在しない。そのため，当事者間の権利義務等の詳細な部分を柔軟に決定できる反面，合意していない事項については，その都度，相手方との協議が必要になり，事業運営における予見可能性が低い。

なお，2020年投資法の27条，28条及び49条には，2014年投資法の28条，29条及び49条と殆ど同一の規定が定められており，以上の様な状況は，2020年投資法下においても大きく変わることはないと考えられる。

② 合弁形態との比較（外国投資家が直接，ローカルパートナーと合弁契約又はBCC契約を締結する場合を想定）

	合弁会社	BCC
法人格	あり	なし
独立性	合弁会社にて独自に事業を運営	ローカルパートナー名義で事業を運営（ライセンスの取得，従業員の雇用，対外的契約締結等を含む）
事業に関する責任	合弁会社への出資の限度での有限責任	ローカルパートナーは無限責任を負うため，その無限責任を当事者間で分担することとなる
清算	合弁当事者の清算により，自動的には清算されない	BCC当事者の清算により自動的にBCCも清算される

③ メリット／デメリット，BCCが採用される場面

以上のBCCの特徴に照らせば，BCCのメリットとしては，①柔軟に当事者間の権利義務関係を定めることができる点，②独立の法人格を有しないため，プロジェクトの清算が迅速・容易に行える点，③会社設立費用がかからない点などが挙げられる。

他方，BCCのデメリットとしては，①投資家自らが対外的な契約当事者となるため，BCCの事業に関する無限責任を負うことや，不動産を含むBCCの事業に関する資産等にかかる権利をローカルパートナー側でしか取得又は登録できない場合があること等が挙げられる。また，②実務上の問題点として，税務上のルールについて法律上に詳細な定めが殆ど存在しないため，事前に税務当局等に対する照会が必要になり，煩雑かつ予見可能性が低い（管轄当局により扱いが異なる可能性もある）点が挙げられる。なお，会計面では，BCCに係るプロジェクトのみを対象とする財務諸表を任意に（BCCの当事者間で）作成することは可能であるが，法律上の制度ではない。

なお，BCCであっても，外国投資家が契約当事者であれば，投資登録証明書の発給を受けなければならない（2014年投資法28条2項。2020年投資法27条2項）。

したがって投資登録証明書発給に要するコストの点では，合弁会社との間に差違はないと考えられる。

以上のようなメリット／デメリットに照らせば，短期間の，投資金額が少ないプロジェクトや，投資家が法人を設けることに消極的なプロジェクトに適した制度と言えよう。また，ローカルパートナー名義で事業を運営する点を活かして，外国資本の制限が厳しい分野（通信事業，石油や他の天然資源の採掘等）に関する共同事業を行う際にも用いられている。他方，これらの特定の状況下意外では，必ずしも一般的な投資方法とはいえないものと考えられる。

④ BCC契約の条項例

投資法は，BCC契約における必要的記載事項と規定している（2014年投資法29条1項，2020年投資法28条1項）。この他にも，実務上以下のような事項がBCC契約に盛り込まれることがある。

・対象プロジェクトの特定
・当事者間の役割分担，費用・利益の配分比率
・プロジェクト実施の前提条件
・当事者による表明・保証

Ⅱ 進　出

・機関（当事者が指名する委員により構成される運営委員会等の任意機関）
・プロジェクト実施上のルール（資金調達，技術移転，人事等）
・会計・税務の取扱い
・契約期間，解除，補償，競業避止義務，秘密保持，準拠法，紛争解決等

㈦　技　術　移　転

　なお，本項目記載の投資方法に付随して，外国投資家による技術移転が行われることもあり得る。ただし，その場合，①技術移転法による規制及び②知的財産法による規制があることに留意が必要となる。詳しくは，後記Ⅲ6を参照されたい。

2　外資規制

(1)　外資規制の概要

(ア)　外資規制の枠組み

　2005年投資法の下においては，外国投資家がベトナムに直接投資（Direct Investment）を行うためには，投資プロジェクトを定め，管轄当局から投資証明書（Investment Certificate）を取得する必要があった。投資証明書は，申請された投資プロジェクトに対する許可という側面を有する一方で，当該投資プロジェクトが上記1で述べたような事業体の設立を伴う場合には，事業登録証明書を兼ねることとされていたため，事業体の設立根拠書面としての意義も有していた。このような投資証明書の二面性は，特に外国投資家にとっては理解しにくいものであり，実務上の混乱の原因ともなっていた。

　これに対し，2015年7月1日施行の現行投資法（以下，「2014年投資法」又は単に「投資法」という）の下においては，外国投資家が行う投資プロジェクトについて投資登録証明書（Investment Registration Certificate），事業体の設立について企業登録証明書（Enterprise Registration Certificate）の取得が，それぞれ必要となる[5]。

　このアプローチは，2021年1月1日より施行される2020年投資法及び2020年企業法のもとでも特段変わるところはない[6]。

① 投資登録証明書の取得が必要となる場合

　投資法においては，新規設立と既存の経済組織への投資とで手続を分けて規定し，前者の方法による投資（すなわち，外国投資家及び投資法23条1項に定める外資系企業による投資プロジェクトのうち，後述する既存の経済組織への出資，株式・持分の購入を除く投資プロジェクト）について，投資登録証明書の取得が必要とされている[7]。なお，特定の投資プロジェクトについては，投資登録証明書に

---

[5]　投資法36条1項，2014年企業法17条3項等。
[6]　2020年投資法22条2項，37条1項及び2020年企業法16条3項。
[7]　投資法36条1項及び2項(c)参照。この場合，新規設立企業に対する外国投資家又は投資法23

先立ち，国会，首相，又は省級人民委員会から投資方針にかかる決定を得ることが必要である[8]。投資登録証明書の取得が必要となる場合については，現行投資法と2020年投資法とで基本的に異なるところはない。ただし，③で後述する通り，外資企業として取り扱われる範囲は変更されている。
② 投資登録証明書の取得が不要な場合

後者の，既存の経済組織への出資，株式・持分の取得の方法による投資については，投資登録証明書の取得は不要であるが[9]，投資対象の会社が外国投資家に適用される条件付投資分野での事業活動を行う経済組織である場合や投資の結果として外国投資家又は外資系企業が投資対象の会社の定款資本の51％以上を保有することになる場合には，新たに設けられた出資又は取得にかかる登録の手続を行う必要がある[10]。この手続の詳細は政令[11]により定められており，運用当初は混乱がみられたものの，既に多くの事例が蓄積され，現在は安定的に運用されている。

なお，2020年投資法では，出資又は取得にかかる登録手続自体は基本的に変更はないが，登録が必要となる条件が変更される。外国投資家は，(i)市場へのアクセス制限の適用を受ける事業を営む対象会社における外国投資家全員の出資が増加する場合，(ii)外国投資家が定款資本の50％以上を保有する場合（外国投資家の出資が50％以下から50％以上に増加する場合，及び，50％以上の資本

　条1項に定める外資企業の投資割合は問わない（外国投資家又は外資企業の新規設立企業に対する投資割合がたとえ1％であっても投資登録証明書の取得が必要になる）。なお，投資法23条1項に定める外資企業とは，①外国投資家が定款資本の51％以上を保有する経済組織，又は過半数の組合員が外国の個人である経済組織，②①の経済組織が定款資本の51％以上を保有する経済組織，又は③外国投資家及び①の経済組織が定款資本の51％以上を保有する経済組織のいずれかの経済組織をいう。

8) 投資法30条・31条及び32条。
9) 投資法36条1項(a)と同条2項(c)は，相互に矛盾するように読めるが，同法22条1項には投資登録証明書への言及がある一方で，同法24条にはそのような言及がないことなどを踏まえると，既存の経済組織への出資，株式・持分の購入については，投資登録証明書の取得を不要とする趣旨であると解釈するのが合理的であると考えられる。但し，投資法の施行直後の時期においては，既存の経済組織への出資，株式・持分の購入の場合であっても，実務上，当局から投資登録証明書の取得を求められるなどの混乱が見られた。2015年12月27日施行の政令118号（118/2015/ND-CP）では，改めて投資登録証明書の取得が不要であることが明確に規定されたため，現在は，実務上も，投資登録証明書の取得は不要とされている。
10) 投資法26条1項。
11) 政令118号45条及び46条。

を有する外国投資家の資本が増加する場合を含む），(iii)島，国境地域，沿岸地域又は国防・安全保障に影響を及ぼすその他の地域において土地使用権証明書を有する会社の株式取得を行う場合に，登録手続を実施しなければならない。

③ 外資系企業の範囲

ベトナム法に基づき設立された経済組織のうち，外国投資家と同様の規制に服する外資系企業として取り扱われる範囲は，以下のとおりである（投資法23条1項）。ただし，2020年投資法では，以下の「51％以上」は，「50％以上」に変更されている（2020年投資法23条1項）。

> (i) 外国投資家が定款資本の51％以上を保有する経済組織，又は過半数の組合員が外国の個人である経済組織
> (ii) (i)の経済組織が定款資本の51％以上を保有する経済組織
> (iii) 外国投資家及び(i)の経済組織が定款資本の51％以上を保有する経済組織

ベトナム法に基づき設立された経済組織が上記のいずれにも該当しない場合には，内国投資家と同様の投資の手続及び条件が適用される。

④ 投資登録証明書の取得手続及び出資・取得登録の手続

投資登録証明書の取得手続の詳細については後記3(4)にて，出資・取得登録の手続の詳細については後記5(4)(ア)にて，それぞれ後述する。

(イ) 投資の制限

① 条件付投資分野

条件付投資分野は，同法別表4に明記され，且つ，その条件は，各法律，国会常務委員会令，政令及び国際条約でのみ規定され，省庁，人民評議会，人民委員会その他の機関では規定できないことが明記されており，各省庁などによる恣意的な運用を防止し，透明性を確保しようとする意図が窺える。また，条件付投資分野は，2014年投資法下では，従来の386から267に削減され，更に，2017年の改正及びその後の関連法の改正により，現在の総数は244分野となっており，投資の自由化も図られている[12]。2020年投資法では，さらに

Ⅱ　進　　出

条件付投資分野を 227 分野に削減している。なお，2020 年投資法では，同法別表 4 に明記された条件付投資分野に加え，市場へのアクセス制限の対象となる投資分野を導入している。

2005 年投資法の下では，この条件付投資分野に該当する場合，通常の登録手続に比べてより時間と労力がかかる投資審査手続が強制されており，投資家にとって大きな負担となっていた。これに対し，2014 年投資法及び 2020 年投資法では，新規設立については，条件付投資分野か否かによって投資登録証明書の手続に関する規定上の差は設けられていない。また，既存の経済組織への投資については，前述のとおり，外国投資家に適用される条件付投資分野か否かによって外国投資家の投資手続に関して差異が設けられており[13]，今後の運用に注意が必要である。

② 　WTO コミットメント[14]

ベトナムは，WTO 加盟時に，一定のサービス分野を対象として段階的な市場開放を約束している。WTO コミットメントは，最低限開放されるべき条件，スケジュールを定めており，決議 71 号（71/2006/NQ-QH11）により，当該 WTO コミットメント（の一定事項）について，国内法として直接適用することが定められている[15]。領域によっては，WTO コミットメントの条件と異なる国内法上の規律が並存している分野もあり，他方，一部の分野ではベトナム国内法の規定により WTO コミットメントに先行した規制緩和の動きもあり，それらの適用関係は複雑になっている。規制の運用方針が刻一刻と変遷している事業

---

[12]　2019 年 11 月 1 日施行の保険業及び知的財産に関する法律の改正により，投資法下の条件付投資分野に保険補助サービス業が追加された。

[13]　投資法 26 条 1 項(a)に規定される「外国投資家に適用される」条件付投資分野と同法 7 条及び別表 4 に規定される条件付投資分野の関係については，同法上必ずしも明らかではなかった。その後，2015 年 12 月 27 日施行の政令 118 号 13 条により，外国投資家に適用される投資条件は，外国投資に関する国家ポータルサイト（本稿執筆時点でのアドレスは https://dautunuocngoai.gov.vn/fdi）に公開され，明確化された。

　　なお，2020 年投資法の下では，「外国投資家に適用される」条件付投資分野は，上記の市場へのアクセス制限の対象となる投資分野に置き換えられる。

[14]　WTO コミットメントは，ベトナム政府による WTO 加盟国へのコミットメントとして位置づけられる。

[15]　より正確には，ベトナム国会が 2006 年に行った決議 71 号において，同決議の Appendix で特に定めるベトナムの WTO コミットメント及び他の包括的，明確且つ詳細に規定されている WTO コミットメントについて，国内法として直接適用することが定められている。

分野も少なくない。実際に対象分野への投資を検討される際には，より具体的な事業内容に関する情報をもとに，専門家に相談されることをお勧めしたい。

③　その他の投資制限

②のほか，ベトナムにも競争法や証券法による規制が存在する[16]。

まず，ベトナムの競争法では，吸収合併（Merger），新設合併（Consolidation），企業買収（Acquisition），ジョイントベンチャー（Joint Venture），その他の形態による経済集中（Economic Concentration）を実施することは，ベトナム市場において競争を制限し又は制限する可能性がある場合には原則として禁止されている[17]。事業者は，経済集中が一定の基準値に達する場合には，当該取引の実行前に，国家競争委員会へ届出を行う必要がある。届出を受けて，当局により，許可，条件付許可，禁止のいずれかの決定が下されることになる[18]。もっとも，これらの判断基準につき競争法は具体的な指針を与えておらず，政令に委ねられている。これを受けて，2020年3月24日に政令（35/2020/ND-CP）が公布され，同年5月15日に施行された。なお，ベトナムの競争法に関する詳細については，後記Ⅳ1(2)を参照されたい。

次に，証券法及び首相決定55号（55/2009/QD-TTg）2条では，外国投資家によるベトナム公開会社[19]への出資比率の上限について，一律に49％と定めていたが，かかる規制を緩和する政令60号（60/2015/ND-CP）が2015年9月1日から施行されている。政令60号によれば，対象会社が営む事業につき，WTOコミットメントや国内法等で外資保有割合が定められている場合には，当該外資保有割合が外資系企業による出資割合の上限とされる。また，「外国投資家に適用される条件があるが，外資保有割合について特段の定めがない事業[20]」に対する外国投資家による出資については，外資保有割合の上限は49％となる。対象会社が営む事業において異なる外資保有割合が定められている複数の事業を営む場合には，最も低い割合が適用される（最も低い割合まで

---

16)　なお，以下の競争法や証券法の規制は，外資企業以外の企業にも適用される。
17)　2018年6月12日施行の競争法（23/2018/QH14）（以下「競争法」という）30条。
18)　競争法33条。
19)　公開会社の意義については，後記5(2)ウ③参照。
20)　政令60号2a1(b)。この文言は，投資法上のいわゆる条件付投資分野のことを指すものと考えられているが，解釈については実務運用に注視が必要である。

しか当該会社の株式又は持分を保有できない）。詳細については，後記 **5**(2)(ウ)②(a) にて後述する。

また，株式の取得により公開会社（上場，非上場を問わない）の株式の 5% 以上を保有することになった場合，取得の日から 7 日以内に，当該公開会社，国家証券取引委員会，及び当該株式が上場されている証券取引所又は証券取引センター（当該株式が上場されている場合）に対して報告を行う義務が生じる。

さらに，強制的公開買付規制も証券法に規定されている。2020 年証券法における基準は以下の通りである。

(i)所定の関係者と合わせて公開会社の議決権株式総数の 25% 以上を直接又は間接に保有することとなる株式の取得をしようとする場合，(ii)所定の関係者と合わせて公開会社の議決権株式総数の 25% 以上を保有する者が，さらに株式を取得して，直接又は間接の議決権所有割合が 35%，45%，55%，65%，又は 75% にそれぞれ達することとなる場合には，公開買付の方法により株式を取得しなければならない。なお，公開買付による株式取得を実施後，所定の関係者と合わせて議決権株式総数の 80% の保有割合となる場合，30 日以内に当該公開買付と同様の条件で，残りの 20% の株式を公開買付により追加取得しなければならない。

例外その他の詳細については，後記 **5**(2)(ウ)②(b)を参照されたい。

④　投資禁止分野

ベトナムにおける投資が禁止される事業分野は，2014 年投資法及びその後の改正により，従来の 51 から 7 に削減されており，麻薬・覚醒剤に関する事業，一定の有害化学物質・鉱物に関する事業，絶滅のおそれのある，希少な野生動植物の標本に関する事業，性産業，人身・人体の一部の売買，人の無性生殖に関する事業，爆竹の取引に関する事業が禁止されている。2021 年 1 月 1 日からは債権回収業も禁止されることとなる。

(ウ) 投資の優遇

投資法上，特定の「分野」，「地域」に対する投資や，大規模プロジェクト等[21]に関しては，優遇措置が規定されている。

「優遇分野」としては，新素材，新エネルギー，ハイテク製品，ハイテク技

術などが指定されている。

「優遇地域」としては，経済・社会条件が困難である地域及び経済・社会条件が特に困難である地域と，工業団地，輸出加工区，ハイテク団地，経済特区が指定されている。

優遇措置の内容としては，優遇税制，土地使用に関する優遇などが定められている。

(2) 主要な業種別の外資規制

⑦ 金融業

金融業は，ベトナムにおいても規制業種として，国家銀行（State Bank of Vietnam）の監督の下，様々な規制に服している。

① 金融機関に対する出資規制

2014年2月20日から施行された政令[22]において，外国投資家によるベトナムの株式会社形態の金融機関[23]に対する持株比率に関する制限が定められている。外国投資家が単独で保有することができる持株比率の上限と外国投資家全体による持株比率の上限がそれぞれ定められており，概要以下のとおりである。

〈外国投資家が単独で保有することができる持株比率の上限〉[24][25]
　外国個人投資家の場合　5％
　外国非個人投資家の場合　15％
　外国戦略的投資家[26]の場合　20％

---

21) 具体的には，6兆ドン以上の資本規模がある一定の投資プロジェクト，農村地帯において500人以上の労働者を使用するプロジェクトなどが定められている（投資法15条2項）。
22) 政令01/2014/ND-CP（以下，「政令01号」という）。
23) 銀行，ファイナンスカンパニー及びファイナンスリース会社をいい，保険会社は含まれない。
24) 外国投資家と，その関連当事者の持分との合算での保有持株比率の上限は20％。
25) 2017年11月27日に金融機関法（47/2010/QH12）の一部を改正する法律17/2017/QH14が公布され，2018年1月15日から施行されている（以下，2017年の改正内容を含めて「金融機関法」という）。2017年の改正では，金融機関の主要株主及び関連当事者は他の金融機関の定款資本の5％以上を所有することが禁止された。主要株主とは直接又は間接に金融機関の株式の5％以上の議決権を所有する者をいう。この制限は，外国主要株主及び内国主要株主の両方に課せられるものである。

II 進　出

〈外国投資家全体による持株比率の上限〉
　銀行に対する投資の場合　30%
　銀行以外の金融機関に対する投資の場合　上場会社及び公開会社と同じ

　「外国非個人投資家」には，(i)外国法により設立，運営される組織及びその支店，並びに(ii)ベトナムで設立，運営される組織，クローズドエンド型ファンド，メンバーズファンド（members fund），証券投資会社（securities investment company）のうち外資比率が49%を超えるものが含まれる。外国投資家の持株のみならず，ベトナム国内の外資企業の持株も，外国投資家全体による持株比率の計算において合算される場合があることに留意が必要である。

　なお，上記の出資比率制限には例外が設けられており，経営が弱体化した金融機関の再編や金融システムの安定を確保するため，首相は，外国非個人投資家，外国戦略的投資家及び外国投資家全体の持株比率につき，上記の制限を超える比率を決定することができる。

　外国投資家が単独で5%以上の株式を取得する場合（既に5%以上の株式を保有している外国投資家がさらに株式を取得する場合や，外国戦略的投資家になる場合を含む）は全て，事前に国家銀行の書面による承認を得る必要がある[27]。

　さらに，外国非個人投資家が単独で10%以上の株式を取得する場合には，以下の要件を満たす必要がある。

(i)　国際的に定評のある格付機関から安定的又はそれ以上の格付を得ていること
(ii)　株式取得のために十分な財源を有すること
(iii)　ベトナムの金融システムの安定に影響しないこと，独占や競争制限につながるものでないこと

---

26)　財務能力を有する外国組織であって，①その長期的利益をベトナムの金融機関と結合させ，②近代的な技術の移転，銀行取引に関する商品及びサービスの開発並びに管理及び財務能力の向上の面でベトナムの金融機関をサポートすることについて，権限のある者が書面で約束しているものをいう（政令01号3条6項）。
27)　5%未満の場合であっても，対象となる金融機関の株式が非上場である場合は，外国投資家（全体）による持株の上限を超えないよう，事前に当該金融機関に書類を送付して，書面で確認を得なければならない。他方，上場金融機関の株式を取得する場合は，証券法の規定に従う。

> (iv) 株式取得申請の前12か月間のうちに，本拠地及びベトナムにおいて重大な法令違反がないこと
> (v) 株式取得申請の前年の総資産が100億米ドル以上であること（銀行，ファイナンスカンパニー又はファイナンスリース会社の場合），又は資本金が10億米ドル以上であること（上記以外の組織の場合）

また，外国非個人投資家が「外国戦略的投資家」となって15%を超える株式を取得するためには，単独で10%以上の株式を取得する場合の要件（上記参照）に加えて，本拠地において銀行業務を行うライセンスを取得している外国金融機関であること，5年以上，国際的な銀行及び金融業務に従事していること，取得の前年において総資産が200億米ドル以上であること，ベトナムの他の金融機関の株式を10%以上保有していないこと，等の条件を満たす必要がある。

② 金融機関の拠点設置にかかる規制

ベトナム国内で金融業務を行うためには，国家銀行からライセンスを取得する必要がある。外国の金融機関は，ベトナム国内に駐在員事務所，支店及び現地法人を設立することができるが，現地法人は有限会社形態とする必要があり，株式会社形態は認められていない[28]。

(a) 銀 行

外国の商業銀行は，駐在員事務所，支店及び合弁会社（上限50%まで）[29]のほか，2007年4月からは，100%外国資本の銀行をベトナム国内に設立することも可能となっている。2019年6月30日時点で，9行の100%外国資本の商業銀行に対してライセンスが出されている。このうち5行に対するライセンスは2008年に出されたものであり，2009年以降しばらく100%外国資本の商業銀行のライセンスは出されていなかったが，2016年に3行，2017年

---

28) 金融機関法6条4項。既存の株式会社形態の金融機関への出資については，前記①の出資規制の範囲内で認められる。
29) 2名以上有限会社である金融機関の出資者の持分の上限は，（その関連当事者の保有分を含めて）当該金融機関の定款資本の50%までとされている（金融機関法70条）。また，出資者数の上限は5名となっている。

Ⅱ　進　出

に1行に対して新たにライセンスが出されている。

　合弁又は100％外国資本の商業銀行のライセンスを取得するためには，国際的な格付機関から安定的又はそれ以上の格付を得ていること，申請前5会計年度において利益計上していること，申請の前年度末時点の総資産が100億米ドル以上であること，ベトナムにおいて別の金融機関の設立メンバー又は外国戦略的投資家となっていないこと，等の厳格な要件を満たす必要がある[30]。

　また，ライセンス取得日から5年間は，設立メンバーは合弁又は100％外国資本の商業銀行の定款資本を他の設立メンバー以外の第三者に譲渡することはできない。

　(b)　ファイナンスカンパニー[31]

　外国のファイナンスカンパニーは，駐在員事務所のほか，合弁（上限50％まで）や100％外資でのファイナンスカンパニーを設立することができる[32]。

　ベトナム国内のファイナンスカンパニー16社（2019年6月30日時点）のうち，6社が外国資本のファイナンスカンパニー（全て100％外国資本）であり，2017年9月以降は，外国資本のファイナンスカンパニーに対する新規のライセンスは2件出されている。

　2014年5月7日，ファイナンスカンパニー及びファイナンスリース会社の業務について定める政令39/2014/ND-CP（以下，「政令39号」という）が公布され，同年6月25日より施行された。但し，政令39号には，ファイナンスカンパニーの設立に関する規定がなく，ファイナンスカンパニーを設立するための規範が存在しない状態となっていたが，2015年12月25日，ノンバンクの金融機関の設立等に関する通達30/2015/TT-NHNN（以下，「通達30号」という）が公布され，2016年2月8日より施行された。本通達によれば，合弁又は

---

30)　他にも，当該金融機関の本国の監督当局と国家銀行との間に銀行業務の調査及び監督並びに情報交換について合意が締結されており，当該銀行の業務について協同して監督を行うことについて書面による合意があること，といった要件もある。
31)　本書において，ファイナンスカンパニーとは，消費者金融等のノンバンクの金融機関（個人からの預金及び口座を介した支払を除く，金融機関法に定められた金融活動を行うことを許された金融機関）を指す。
32)　外国の商業銀行も，合弁（上限50％）や100％外資でのファイナンスカンパニーを設立することができる。

100％外国資本のファイナンスカンパニーのライセンスを取得するためには，金融機関であること，国際的な経験を有すること，国際的な格付機関から安定的又はそれ以上の格付を得ていること，申請前3会計年度において利益計上していること，申請の前年度末時点の総資産が100億米ドル以上であること，ベトナムにおいて別の金融機関の設立メンバー又は外国戦略的投資家となっていないこと，等の厳格な要件を満たす必要がある[33]。

また，ライセンス取得日から5年間は，設立メンバーは合弁又は100％外国資本の商業銀行の定款資本を他の設立メンバー以外の第三者に譲渡することはできない。

(c) ファイナンスリース会社

外国のファイナンスリース会社は，駐在員事務所のほか，合弁（上限50％まで）や100％外資でのファイナンスリース会社を設立することができる[34]。

ベトナム国内のファイナンスリース会社10社（2019年6月30日時点）のうち，2社が外国資本のファイナンスリース会社（全て100％外国資本）である。

前記(b)のとおり，2014年5月7日，ファイナンスカンパニー及びファイナンスリース会社の業務について定める政令39号が公布され，同年6月25日より施行された。政令39号には，ファイナンスリース会社の設立に関する規定がなく，ファイナンスリース会社を設立するための規範が存在しない状態となっていたが，前記のとおり，2015年12月25日，ノンバンクの金融機関の設立等に関する通達30号が公布され，2016年2月8日より施行された。合弁又は100％外国資本のファイナンスリース会社のライセンスを取得するために必要な要件は，ファイナンスカンパニーの場合とほぼ同じである[35]。また，ライセンス取得日から5年間は，設立メンバーは合弁又は100％外国資本のファイナンスリース会社の定款資本を設立メンバー以外の第三者に譲渡す

---

[33] 銀行の場合と同じく，当該金融機関の本国の監督当局と国家銀行との間に銀行業務の調査及び監督並びに情報交換について合意が締結されており，当該銀行の業務について協同して監督を行うことについて書面による合意があること，といった要件を満たす必要もある。

[34] 外国の商業銀行及びファイナンスカンパニーも，合弁（上限50％）や100％外資でのファイナンスリース会社を設立することができる。

[35] ファイナンスカンパニーと異なる点として，外国のファイナンスリース会社がベトナム国内でファイナンスリース会社を設立する場合は，本国におけるファイナンスリースの資産残高が総資産の70％以上であること，という要件を満たす必要がある。

Ⅱ 進　出

ることができない点も同様である。

③　保険会社

(a)　出資規制

有限会社形態の保険会社又は保険仲介会社に対する出資については，出資比率に関する制限は設けられていない。

また，株式会社形態の保険会社又は保険仲介会社への出資に関し，当該株式会社が非公開会社である場合には，外国投資比率の制限はない。一方で，当該株式会社が公開会社である場合，外国投資比率の合計は政府により定められるとされている（2019年証券法51条）。2020年9月現在，当該規定に基づく外国投資比率の詳細は定められていない。そのため，現在は，国家証券委員会により，総議決権の49%に上限が設けられていると解釈されている[36]。

なお，外国投資家か内国投資家かにかかわらず，定款資本の10%以上に相当する株式又は拠出資本の移転については，財務省の承認を得る必要がある（保険業法69条e）。既存の保険会社の株式又は拠出資本を取得する際は，留意が必要である。

(b)　拠点設立

外国の保険会社は，駐在員事務所及び支店のほか，合弁又は100%外国資本の保険会社を有限会社形態でベトナム国内に設立することができる[37]。但し，外国の生命保険会社は支店を設立することはできない。合弁又は100%外国資本の保険会社のライセンスを取得するためには，その本国の監督当局から保険業を行うことについて承認を得ていること，7年以上前から事業を継続していること，申請の前年末時点の総資産が20億米ドル以上であること等の要件を満たす必要がある。また，外国の非生命保険会社が支店を設立するためには，当該支店において2000億ドン以上の資本を有することその他の要件を満たす必要がある。

外国の保険仲介会社も，駐在員事務所のほか，合弁又は100%外国資本の保険仲介会社を有限会社形態で設立することができる。合弁又は100%外国

---

[36]　政令58/2012/ND-CP。もっとも，該当の文言は不明確であり，制限はないとする解釈もあり得，今後の運用を注視する必要がある。
[37]　保険業法105条，政令73/2016/ND-CP。

資本の保険仲介会社のライセンスを取得するためには、その本国の監督当局から保険仲介業を行うことについて承認を得ていること、7年以上前から事業を継続していること、申請までの連続する3年間黒字であること等の要件を満たす必要がある。

外国資本の保険会社が取り扱える業務について特段の制限は設けられていない。但し、非生命保険会社の支店は、生命保険を扱うことはできない。

④ 証券会社

(a) 出資規制

外国投資家は、ベトナムの既存の証券会社（株式会社又は有限会社）の株式又は拠出資本につき、その定款資本の49％未満まで取得すること、又は証券業を営む外資49％未満の合弁会社を設立することができる。また、外国投資家が以下の全ての要件を満たす場合は、既存の証券会社の株式又は拠出資本を49％以上最大100％まで取得すること、及び外資が49％以上100％まで保有する証券業を営む子会社を設立することができる[38]。

> (i) ライセンスを取得しており、設立、株式取得、出資のための資本拠出を行う前の直近2年間において銀行、証券、保険分野での連続した操業期間があること。
> (ii) 本国の監督当局とベトナムの国家証券委員会との間で、証券業務及び証券市場の監視及び監督に関して情報を交換し協調することについて、相互の又は多国間の協定が締結されていること。
> (iii) 設立、株式取得、出資のための資本拠出を行う前の直近2年間の事業が黒字であり、直近の年次財務諸表に無限定適正意見が付されていること。

なお、証券会社の発起人には、商業銀行、保険会社又は上記の要件を満たす外国組織が含まれている必要がある。発起人は定款資本の65％以上を保有することとされており、そのうち定款資本の30％以上は、商業銀行、保険会社又は上記の要件を満たす外国組織である必要がある（ライセンス取得日から3年

---

[38] 2019年証券法77条。

Ⅱ　進　出

間は，発起人は証券会社の定款資本を発起人以外の第三者に譲渡することはできない[39]）。また，ある証券会社の定款資本の10％以上を保有する株主（又は資本拠出者）及びその関係者は，他の証券会社の定款資本の5％超を保有することはできない[40]。また，ベトナム国内の証券会社は，原則として[41]，ベトナム国内で他の証券会社を設立するために出資したり，他の証券会社の株式や拠出資本を取得したりすることはできない[42]）。

(b)　拠点設立

外国の証券会社は，駐在員事務所及び支店のほか，上記のとおり合弁又は外資100％の証券会社を有限会社又は株式会社形態でベトナム国内に設立することができる。駐在員事務所を設立するためには，国家証券委員会に登録し，登録証明書を取得する必要がある[43]。支店又は証券会社を設立するためには，国家証券委員会から設立及び業務に関するライセンスを取得する必要がある[44]。ライセンス取得後，企業法[45]に基づき，支店は地方の計画投資局に事業の登録を行い，証券会社は企業登録証明書を取得する必要がある。なお，外国の証券会社は，1つの支店しか設立することはできない[46]）。

新規に設立される証券会社は，以下の要件を満たす必要がある[47]）。

(i)　政府によって定められた資本を有すること（証券のブローカレッジ業務については250億ドン，証券のディーリング業務については1000億ドン，証券の発行引受業務については1650億ドン，証券の投資助言業務については100億ドン）
(ii)　証券業務にふさわしい本社を有すること
(iii)　証券業務の専門的処理にふさわしい十分な施設，技術，オフィス機器及び技術

---

[39]　2019年証券法91条4項。
[40]　2019年証券法74条2項(c)・75条3項。
[41]　例外として，合併による場合や，上場されている証券会社の株式を（関係者の保有分と合わせて，当該証券会社の発行済み株式の5％未満の範囲で）取得する場合は除かれる。
[42]　2019年証券法91条6項。
[43]　2019年証券法77条。
[44]　2019年証券法70条。
[45]　2019年証券法71条1項。
[46]　2019年証券法76条3項。
[47]　2019年証券法74条。

> システムを有すること
> (iv) 社長，ライセンスを取得した各証券実務に関する証明書を取得した従業員最低3名，コンプライアンス監査を担当する従業員最低1名を有すること
> (v) 法令に則した定款草案を有すること

　外国資本の証券会社が取り扱える業務について，WTOコミットメントに明確に列挙されていない金融サービスの性質を有するサービスを除き，内国資本の証券会社と比べて特段の制限は設けられていない。WTOコミットメントに明確に列挙されていない金融サービスの性質を有するサービスについては，政府が外国投資に関する詳細な規制を設けることが想定されているが，2020年9月現在未制定である。

⑤　ファンド，証券投資会社

　ベトナムの法令上，有価証券に投資するファンドヴィークルの形態として，(i)パブリックファンドと(ii)メンバーズファンドの2つの形態がある[48]。(i)は100名以上の投資家（機関投資家を除く）を有し，上場投資信託（ETF）ではなく，500億ドン以上の資本金額を有することが必要である（2019年証券法108条）。パブリックファンドは，2015年8月31日まで公開会社の場合と同じ外資規制が適用されており，外国投資家が保有できる持分の上限は49％となっていたが，2015年9月1日以後は，かかる制限は撤廃され，外資が100％保有することも可能である。(ii)は，2名から99名までの機関投資家のみからなる私募のファンドであり，500億ドン以上の資本金額が必要であるほか，ファンド管理会社による管理及びファンド管理会社から独立した銀行への資産の預託が必要となる（2019年証券法113条）。いずれのファンド（オープン・エンド型のものを除く）も，外国投資家が51％[49]以上を保有する場合は，当該ファン

---

[48] ベトナムの法令上，ファンドは法人（corporate entity）ではなく，信託，パートナーシップ又は投資会社いずれの形態とも異なるものとされている。ファンドは取引主体となることができず，ファンドによる投資活動は，ファンドマネジメント会社が管理し実行する。また，ファンドの運営に関する権利及び義務はファンド管理会社に帰属し，ファンドの利益に対する権利及び義務は投資家に帰属するものとされている。パブリックファンド及びメンバーズファンドはいずれも，ローンや保証を提供することはできない。

[49] 政令58/2012/ND-CP。

Ⅱ　進　出

ドの投資活動に際しては「外国投資家」として扱われ，外国投資家に適用される条件・手続に従う必要がある。なお，ファンドが「外国投資家」として扱われる範囲について，2020年投資法に定める「外国投資家」の範囲と平仄を合わせるため，外国投資家が50％以上を保有する場合には「外国投資家」として扱われることとなる旨の変更が行われる可能性があるが，2020年9月現在，詳細については未制定である。

　ファンドと同じ機能を有する法人として，証券投資会社を設立することも可能である[50]。公開会社の場合，2015年8月31日までは外国投資家が保有できる持分の上限は49％となっていたが，2015年9月1日以後は，かかる制限は撤廃され，外資が100％保有することも可能である。証券投資会社も，外国投資家が51％[51]以上を保有する場合は，当該証券投資会社の投資活動に際しては「外国投資家」として扱われ，外国投資家に適用される条件・手続に従う必要がある。なお，証券投資会社が「外国投資家」として扱われる範囲について，2020年投資法に定める「外国投資家」の範囲と平仄を合わせるため，外国投資家が50％以上を保有する場合には「外国投資家」として扱われることとなる旨の変更が行われる可能性があるが，2020年9月現在，詳細については未制定である。

⑥　フィンテック

　人口の多くを占める若年層へのインターネットやスマートフォンの普及，通信インフラの整備等を背景にベトナムのフィンテック市場は急速な拡大が見込まれており，例えば，2017年時点で44億米ドルであったベトナムのフィンテック市場規模は，2020年には78億米ドルまで拡大すると予想されている[52]。

　ベトナム政府としても，フィンテックの重要性とその発展の見込みを認識しており，2016年にフィンテック分野におけるスタートアップ企業の支援方針を発表した[53]。また，2017年には，ベトナム国家銀行が，フィンテック企業

---

50)　非公開会社の場合は，ファンドマネジメント会社を利用する義務はないが，公開会社の場合は，ファンドマネジメント会社への委託が必要とされている。
51)　政令58/2012/ND-CP。
52)　シンガポールのコンサル会社ソリディアンスの調査による（Solidiance, Vietnam Fintech Report: Unlocking Growth Potential）。

の健全な成長支援及び法的枠組の整備を目的としてフィンテック運営委員会の設立を決定している[54]。

一方で，フィンテック分野における法的枠組みは未整備といってよく，電子取引法，情報技術に関する法律，サイバーセキュリティに関する法律といった既存の法律をあてはめて事業運営を行っている状況にある。したがって，フィンテック企業に対する外資規制の有無を確認するに際しても，既存のどの法律が適用されるのか，事業内容を慎重に分析する必要がある[55]。

急速な成長が見込まれるベトナムフィンテック市場への進出を企図する外資企業も多数存在するものと推察されるところ，今後は，上記フィンテック運営委員会の下で，横断的な法的枠組が整備され，外資企業にとっても規制面で投資判断が行いやすい状況となることが期待される。

(イ) 小売業

WTOコミットメントに基づき，2009年1月1日以降，外資企業に対して小売業への参入が自由化され，100％外資企業でもベトナムで小売業を行うことが可能となった。但し，小売業を行う外資企業には，以下の規制がかかることに留意する必要がある（これまで外国投資企業による販売活動は政令23号〔23/2007/ND-CP〕によって規制されていたが，2018年1月15日から，政令23号に代わる新たな政令09号〔09/2018/ND-CP〕が施行されている）。

① 品目規制

WTO加盟時には，タバコ・本・新聞・雑誌・薬品・米・砂糖等の品目がWTOコミットメントの公約から除外されており，国内法[56]においてもこれを許容していなかったため，外資企業がこれらの品目を小売りすることはでき

---

53) 2016年5月18日付首相決定844/QD-TTG。
54) 2017年3月16日付ベトナム国家銀行の決定328/QD-NHNN。
55) 例えば，電子マネーサービスはNon-Cash Paymentに関する政令（101/2012/ND-CP）の適用があると考えられ，当該サービスに対する明確な外資規制はないと考えられるところ，実際，ベトナム最大の電子マネー「MoMo（モモ）」を提供するMサービスでは，シンガポールやオランダの投資家がおり，その発行済株式の66％を外国の投資家が保有している。しかし，Non-Cash Paymentに関する新しい政令案では，例えばPayment intermediary serviceを行う企業における外資保有割合が49％までとされているところもあり，フィンテック企業に対する外資規制については今後の動向を注視する必要がある。
56) 通達34/2013/TT-BCTの別紙3参照。

なかった。しかし，政令09号では，外資企業が米，砂糖，ビデオ記録，書籍，新聞及び雑誌をスーパーマーケットやコンビニエンスストアで販売することが認められることとなった。

② トレーディングライセンス

外資企業がベトナムにおいて小売業を行う場合，トレーディングライセンスを取得する必要がある。他方，外資企業による卸売業については，油・潤滑油の卸売りを除き，トレーディングライセンスの取得は不要である。但し，個人以外への販売であっても，当該法人等による自家消費を目的とする販売は小売業に該当し，トレーディングライセンスの取得が必要となるため留意が必要である。トレーディングライセンスの有効期間は，油・潤滑油・米・砂糖・ビデオ記録・書籍・新聞・雑誌の販売等，一定の場合には最長5年であるが，それ以外は法令上上限は設けられていない。

③ 小売店設置許可

外資企業がベトナムで出店する場合，1店舗目の設置から，小売店設置許可を取得する必要がある。2店舗目以降においてこれを取得する場合，一定の例外を除き，エコノミックニーズテスト（Economic Needs Test）を実施する必要がある（下記⑤参照）。

④ 「外資企業」の範囲

政令09号及び2014年投資法[57]に基づき，トレーディングライセンス及び小売店設置許可が必要となる外資企業の範囲は以下の通りである。

- 外国投資家が持分を保有している企業（外資企業の持分比率は問わず，外国投資家が1株でも持分を保有していればこれに該当する）（以下，「第1層目外資企業」という）
- 外国投資家が第1層目外資企業の持分を51％以上保有している場合であって，当該第1層目外資企業が持分の51％以上を保有している企業又は当該第1層目外資企業と外国投資家が合わせて51％以上の持分を保有している企業（以下，「第2層目外資企業」という）

---

57) 政令09号5条5項及び6項，並びに2014年投資法23条。

現行法上，上記第2層目外資企業が持分を保有する第3層目外資企業以降については特段の規定がない。

⑤ エコノミックニーズテスト（Economic Needs Test）

外資企業が2店舗目以降の小売店を設立する場合，当該小売店がショッピングモールに設置される面積が500㎡未満の小売店の場合を除き，エコノミックニーズテスト（エコノミックニーズテストはその英単語の頭文字をとって「ENT」と呼ばれているため，以下，「ENT」という）を実施する必要がある。なお，当該小売店がショッピングモールに設置される面積が500㎡未満の小売店の場合であっても，当該小売店がコンビニエンスストア又はミニスーパーマーケットの場合には例外には該当せず，ENTを実施する必要がある。

ENTの評価基準として，以下の事項が掲げられている[58]。

- 地理的市場エリア（geographical market area）の規模に影響があるか否か
- 当該地理的市場エリアにおける現在の小売店の数
- 市場の安定性，地理的市場エリアにおける小売店及び伝統的市場へのインパクト
- 地理的市場エリアにおける交通量，環境衛生，消防に与えるインパクト
- 地理的市場エリアにおける社会経済発展への貢献度（具体的には，国内労働者の雇用創出，地理的市場エリアにおける小売業の発展及び現代化への貢献，地理的市場エリアにおける環境及び住民の生活水準の発展，国家予算への貢献度）

ENTの判断基準は必ずしも明確ではなく，販路の拡大を視野に入れる外資企業にとっては進出を躊躇する1つの要因となっていた。しかし，ベトナムは，CPTPPに加盟し，2019年1月14日から適用が始まっているところ，CPTPPにおける公約では，発効から5年後（2024年1月14日）にはENTの適用が廃止されることになっている。まだ適用廃止までは時間があるものの，今後，外資企業による小売業への進出・拡大が大きく期待できるところである。

---

[58] 政令09号23条2項。

Ⅱ 進　出

(ウ) 外食産業

　WTOコミットメントにおいて，WTO加盟時（2007年1月11日）から8年間は，外資企業による飲食サービスの提供に関する事業，すなわち外食産業への参入は，ホテルの建設・改修等に対する投資と並行して行われる場合にのみ認められるとされていた。このため，ホテル建設等に対する投資を伴わない，外食産業単体での進出ができないことが，外資企業にとってはベトナム進出の大きなハードルとなっていた。

　しかし，WTO加盟から8年間が経過した，2015年1月11日以降は，上記の外資規制は消滅しており，外食産業単体への外資による進出を制限する法的な障害はなくなっている。実際，日本企業が独資で外食産業を行う子会社をベトナムで設立し，当該子会社においてレストランを多店舗展開している例も出てきている。

(エ) 人材派遣業

① 概　要

　ベトナムでは，長年労働者派遣という概念が法定されておらず，2013年5月に施行された労働法により初めてその概念が導入された[59]。2012年労働法では，労働者派遣を利用できる業種や派遣業者のライセンスに係る詳細な条件について規定がされていなかったものの，2013年7月15日に施行された政令55号（55/2013/ND-CP）において具体的な内容が定められた。また，政令55号は，2019年5月5日に施行された政令29号[60]（29/2019/ND-CP）において改正され，労働者派遣を利用できる業種やライセンスの条件が緩和された。

　これらの政令では，労働者派遣業者につき，労働契約に基づき労働者を雇用するものの，直接その従業員を使用せず，他の使用者に対して期間を限定して労働力を供給する者と定義されている。

② ライセンスを取得するための条件

　派遣業者は，労働者派遣業を行うためにライセンスを取得しなければならな

---

[59]　労働法における労働者派遣という概念の導入前，実態としては，多数の企業が，特段の法的根拠なく人材派遣ビジネスに従事していたと言われている。
[60]　2013年7月15日に施行された政令55号（55/2013/ND-CP）の内容を変更するものである。

い。政令29号は，同ライセンスを取得するための主要な要件として以下を規定する[61]。

(i) 当該企業が20億ドン以上の金額を銀行に預託していること[62]
(ii) 当該企業の代表が労働者派遣業界において，ライセンス申請日から過去5年以内に，3年以上の実務経験があること

③ 許可業種

労働者派遣を行うことができる業種は政令55号においては次の業種に限られていた。

1. 翻訳，速記
2. 秘書，総務支援
3. 受付
4. ツアーガイド
5. 営業支援
6. プロジェクト支援
7. 製造システムのプログラミング
8. 通信，テレビ設備の製造又は設置
9. 建設用機械や製造用電気系統の運転，試験，修理
10. ビルや工場の清掃
11. 文書編集
12. 警備員やボディーガード
13. 電話による営業，顧客サービス
14. 経理税務対応
15. 自動車修理，試験

---

61) 政令55号においては，資本金や当該企業の本社オフィスについての賃貸借契約期間の制限が存在し，また，外国投資家がベトナム企業と合弁会社を設立する場合には，これらの制限に加えて，外国人投資家自身が一定の要件を満たす必要があった。しかし，これらの要件は政令29号においては撤廃されている。
62) この預託金は，派遣労働者の賃金の支払を確保することが制度趣旨であると考えられる。

Ⅱ 進　出

16. 工業デザイン，住居のインテリアデザイン
17. 運転手

　政令29号においては，上記1.から17.の業種に加えて，新たに以下の3業種が労働者派遣を行うことができる業種に追加された。

18. 船舶の管理，運転，保守，客室業務
19. 油田，ガス田における管理監督，運営，修理，保守，その他雑務
20. 航空機の運転，客室業務，航空機や設備の保守・修理，航空機の開発，航空機運行の管理，監督

④　目　的
　また，労働者派遣は以下の目的の場合に限り認められる。

(ⅰ) 特定の期間に労働力の需要が急増した場合において，その一時的な不足を補うため
(ⅱ) 産休，労働災害，病気，公的義務履行のための欠勤による労働者の代替のため 63)
(ⅲ) 技術及び職業レベルが高い労働力の必要性があるため

⑤　期　間
　労働者派遣の期間は，最長1年とされている。他方，ライセンスの有効期間は最長60か月である。ライセンスの有効期間は，何度でも延長することができ，一回の延長において，最長60か月間の延長が可能である。

---

63)　政令55号においては，労働者の勤務短縮の補填のためという目的も要求されていたが，政令29号では，かかる目的は削除された。

2 外資規制

⑥ 小 括

労働者派遣業については，近時，法令に根拠が設けられたものの，外資系企業がライセンスを取得するための要件は充足することが難しいとされていた。しかし，政令29号によって，外国投資家に対する規制が撤廃されるなど規制が緩められ，また労働者派遣が認められる事業分野が拡大されたことで，今後外資系企業の参入が増加することが期待される。

(オ) 教育分野

① 総 論

2018年8月1日に施行された外国企業による教育への投資に関する政令第86/2018/ND-CP（以下「政令86号」）においてベトナム人生徒の受け入れ規制の緩和，手続の緩和・明確化等がなされているが，具体的な事案との関係では必要な許認可等について具体的な事情を踏まえた慎重な検討が必要になる。

② 日本語教育事業

(a) 設 立

日本語教育事業を行うに際しては，産業分類上，外国投資短期訓練／教育事業（Short term training/fostering institution）として取り扱われる場合が多いため，本稿でもその前提で解説を行う。

ベトナム法上，外資企業が語学学校を設立することを制限する法令はなく，日系企業が自ら出資して完全独資の形態でベトナムに日本語学校を設立することも認められている。また，外国投資短期訓練／教育事業（Short term training/fostering institution）[64] として実施する日本語教育事業に関し，出資比率に関する規制は特段存在しないが，教育事業運営許可（省級の教育訓練局が発行する。いわゆる「教育活動許可書」）の取得及び当該教育訓練局のウェブサイトへの掲載をうけることが必要となる[65]。また，教育施設として政令86号が教育機関について定める要件[66] は充足する必要がある。

---

[64] 政令86号28条1項。
[65] 政令86号31条1項及び47条2項。
[66] 施設に関する要件（生徒1人当たり2.5㎡の面積を確保すること，教室の照明・什器・教育器具が適切であること，職員室や図書館等の設置），教員に関する要件（教員が最低でも一定の学位〔college degreeの設置〕又はこれに相当するものを保有し，担当予定の科目について訓練を受けて

Ⅱ 進　　出

　なお，同種事業を，日本国内での就労を前提として実施する場合，海外教育コンサルティングサービス業[67]登録証（省級の教育訓練局が発行する）の取得[68]が必要とされうる。

(b) 買　収

　ベトナム法上，外資企業による語学学校の買収について制限する法令はなく，取得割合の上限もないため，日系企業が既にベトナムで設立・運営されている日本語学校を100％買収することも可能である。もっとも，語学学校の設立主体が完全ベトナムローカル企業である場合と，外資企業による場合とで適用される条件が異なる。既存の語学学校の買収の場合，買収の前後で適用される法令が異なることになるが，その場合の設立許可の変更の手続方法等は法令上明確ではない。実務上は，外資企業による新規の語学学校設立と同様の申請書類を提出して対応することになると考えられるが，当該手続期間中における外資企業による日本語学校の運営継続の可否等も問題となり得るため，事前に当局に相談の上，手続の進め方を検討しておくことが必要となる。

③　技能実習生送出し事業

　近年，日本において，ベトナムからの技能実習生の受入人数は劇的に増加しており，多くの日本企業が，ベトナムからの人材の受け入れに関心を有している。このため，ベトナムにおいて，技能実習生送り出し事業を営む事業会社を設立すること，あるいは同種の事業をすでに営んでいるベトナム企業を買収することについて関心を持つ日本の企業も多い。

　もっとも，技能実習生送り出し事業は，外国資本の算入は認められていない（政令38/2020/ND-CP第6条2号）。したがって，技能実習生送り出し事業の直接の事業主体に対する国外企業のエクイティ出資は認められない。よって，ベト

　いること，生徒25人につき最低1人の教師が割り当てられること）及び設備投資に関する要件（新規に設立する場合には，生徒1人当たり2000万ドン〔土地使用料を除く〕。既存施設のリース又は取得による場合には生徒1人当たり1400万ドン〔土地使用料を除く〕）等を充足する必要があると考えられる。

67)　①大学を含む学校の選択等にかかるコンサルティング，②外国留学にかかるセミナー等の開催，③外国留学にかかる入学手続に関する事業，④外国留学を希望するベトナム人に必要な技能を訓練する事業又は⑤その他海外教育コンサルティング事業（overseas study consultancy service business）等が該当するものとされている（政令135/2018/ND-CPにより修正された政令46号106条2項）。

68)　政令46号108条1項。

ナムに在住している人材に対して日本での職業の斡旋を適法に行うには，認可を受けた，ベトナム内資の送出機関との協力が必要となる。協力には様々な方法が考えられるため，個別の事案ごとに検討が必要である。

④ 外国人子弟向け学習塾

駐在者の子弟向けにニーズのある，ベトナムにおける日本人児童のための学習塾を運営する事業（以下「外国人子弟向け学習塾事業」）について説明する。

外国人子弟向け学習塾事業については，出資比率規制は特段存在しない。

外国投資短期訓練／教育事業として，教育事業運営許可の取得及び当該教育訓練局のウェブサイトへの掲載をうけることが必要となる[69)70)]。

その他教育施設として政令86号が教育機関について定める要件も充足する必要がある[71)]。

なお，内国教育機関の設立と運営にかかる政令46の規律と外資教育機関の設立と運営にかかる政令86号の規律は異なるが，既存の内国教育機関に対して外資企業が出資する場合の扱いについては明示的な規定が置かれていないため，外資による内国教育機関への投資に際しては当該投資による許認可への影響を慎重に検討する必要があると考えられる。

(カ) 物 流 業

前述のとおり，外資系企業の出資比率規制の根拠規定には，主に，投資法をはじめとする国内法令，WTOコミットメント，CPTPPが存在する。このうち，WTOコミットメント及びCPTPPは，一部，事業分野ごとに規制内容等を定めているところ，この事業分野は，国連中央生産分類（CPCコード）により分類されている。

そこで，以下では，物流業のうち，日系企業がベトナムにおいて関与することが比較的多い事業に関して，CPCコードごとに規制内容を概説する。

---

69) 政令86号31条1項又は31条3項及び47条2項。
70) 教育活動許可書の取得に際しては，関係省庁から多くの審査を受ける必要があり，特に（日本人向けではなく）ベトナム人向けの教育を行う場合は，審査には相当の時間を要するようである。
71) 前掲注66)参照。

Ⅱ　進　　出

①　道路貨物運送サービス（CPC7123）

　外資系企業が道路を利用した貨物運送サービス（陸運業）を提供するためには，外資比率が51％を超えない範囲で，内資系企業との合弁会社を設立又は内資系企業の株式を取得する必要がある[72]。また，合弁会社において，貨物運送サービスに用いるドライバーは，全員，ベトナム人でなければならない。

②　水上貨物輸送サービス（CPC7212及び7222）

　水上の貨物輸送サービスのうち，外資系企業の参入が明確に認められている事業は，内陸水路[73]貨物運送サービス（CPC7222）及び，国内運送を除く貨物海運サービス[74]（CPC7212）である。

　外資系企業が，内陸水路運送サービスを提供するためには，外資比率が49％を超えない範囲で，内資系企業との合弁会社を設立又は内資系企業の株式を取得する必要がある[75]。

　国内運送を除く海運サービスを提供する場合[76]，ベトナムの国旗のもとで船隊を組む場合[77]を除き，外資系企業が単独で子会社を設立する又は内資系企業の株式を100％まで取得することができる[78]。

　なお，内陸水路を利用しない国内海運サービスについては[79]，当局の裁量によりライセンスの付与された場合に限り，外資系企業が行うことができる[80][81][82]。

---

72) 政令163/2017/ND-CP（以下「政令163号」）4条3項(g)。
73) なお，内陸水路とは，河川のダム若しくは滝，運河，溝又は湖，沼地，潟，入り江，湾の水路を，船舶が海岸線に沿って通過し，ベトナム社会主義共和国の内水域の島々を通過するための水路，水門又は建設物であって，航行や輸送のために管理・利用されるものをいう（内陸水路運送に関する法律3条4項）。典型例としては，輸送のために管理，使用されているベトナム国内の河川や運河などが挙げられる。
74) 例えば，ホーチミン港から日本への海上運送など。
75) 政令163号4条3項(e)。
76) 海運サービスを行う会社を設立する際の条件などの細則は，政令160/2016/ND-CPに規定されている。
77) この場合，外資比率が49％を超えない範囲で，内資系企業との合弁会社の設立又は内資系企業の株式の取得が必要である。また，外国人の船員総数は船舶の定員の3分の1を超えてはならず，船長又は第一副船長はベトナム人でなければならないという規制がある。
78) 政令163号4条3項(a)。
79) 例えば，ホーチミン港からハイフォン港への海上運送などが挙げられる。
80) 2014年5月9日付運輸省発行オフィシャルレター5220/BGTVT-VT。
81) もっとも，管轄当局の意向としては，このサービスを外資系企業へ開放する意向は有しているようである。

③ コンテナ積降サービス（Container handling Services）（CPC7411）等

実務上，上記の水上貨物輸送サービスに付随する事業として，コンテナ積降サービス，通関サービス，コンテナ集積地サービス[83]などが存在する。これらのサービスは，水上貨物輸送サービスとは別個の外資規制に服するため，本項目にて概説する。

まず，コンテナ積降サービスを提供するためには，外資系企業は，外資比率が50％を超えない範囲で，内資系企業との合弁会社を設立又は内資系企業の株式を取得する必要がある[84]。

次に，通関サービス（Customs Clearance Services）[85]を提供するためには，外資系企業は，内資系企業との合弁会社を設立する又は合弁形態で提供する必要があると考えられる（ただし，出資比率に関する制限は存在しない）[86][87]。もっとも，CPP加盟国からの投資については，単独で子会社を設立する又は内資系企業の株式を100％まで取得することができるとされている。

最後に，コンテナ集積地サービスを提供するためには，外資系企業は，単独で子会社を設立する又は内資系企業の株式を100％まで取得することができる。

④ 倉庫サービス（CPC742）

倉庫サービスを提供するためには，外資系企業は，従前は外資比率が51％を超えない範囲で，内資との合弁形態で行うことが必要とされていたが，2014年1月以降は，その規制は撤廃され，外資系企業は，単独でベトナムに

---

82) したがって，現時点では，例えばホーチミン港から日本へ貨物を輸送するサービスは100％外資へ開放されているが，ホーチミン港からハイフォン港へ貨物を輸送するサービスは，外資への開放は約束されておらず，当局によりケース毎に判断される。
83) WTOコミットメント上，コンテナ集積地サービスとは，「コンテナへの貨物搬入や搬出，コンテナの修理のため，海港においてか，内陸においてかを問わず，コンテナを集積すること」と定義されている。
84) 政令163号4条3項(c)。
85) WTOコミットメント上，通関サービスとは，「それを主たる業務として行うか，主たる業務に付随するかどうかを問わず，貨物の輸出，輸入等に関する税関手続を，当事者を代理して実施すること」と定義されている。
86) 政令163号4条3項(d)。
87) 政令163号3条6項においては，通関代理サービス（Customs agent/brokerage Services）は，通関サービスを含むと規定されているが，水上貨物輸送サービスに付随する通関サービス以外の通関代理サービスを提供する場合の外資規制は，法令上不明確であるから，外資系企業がこれを提供する場合には事前に当局へ確認することが望ましい。

Ⅱ　進　　出

おいて子会社を設立する又は内資系企業の株式を100%まで取得することができる。

⑤　貨物運送代理サービス（CPC748）[88]

貨物運送代理サービスを提供するためには，外資系企業は，単独で子会社を設立する又は内資系企業の株式を100%まで取得することができる[89]。

⑥　そのほかの物流関連サービス（CPC749の一部）[90]

外資系企業がこれらのサービスを提供するためには，内資系企業との合弁会社の設立又は合弁形態での提供が必要である（ただし，出資比率に関する制限は存在しない）[91]。

もっとも，CPP加盟国からの投資については，単独で子会社を設立する又は内資系企業の株式を100%まで取得することができるとされている。

⑦　速配（クーリエ）サービス（CPC7512）[92][93]

速配サービスを提供するためには，外資系企業は，2012年以降，単独で子会社を設立する又は内資系企業の株式を100%まで取得することができる。

(キ)　建　設　業

① 　建設業に関する規制の概要

建設業を行う場合については，WTOコミットメント上，外資系企業の出資

---

88) 　WTOコミットメント上，貨物運送代理サービスとは，貨物取扱事業（いわゆるフォワーディングサービス）を含む概念であり，荷主に代わって，輸送や関連するサービスを提供する業者を探し，貨物運送のアレンジやモニターを行い，書類の準備，事業情報の提供を行うサービスであると定義されている。
89) 　なお，政令163号の施行以前は，貨物運送代理サービスに関して，WTOコミットメント上では，外資規制が存在しなかった一方で，外資規制について定めた政令140/2008/ND-CP上では，内資系企業との合弁会社の設立を要求しているとも解釈でき（同政令5条3項(c)），実務上，規制内容が不明確であった。もっとも，政令163号により，これが明確となった。
90) 　WTOコミットメント上，「そのほかの物流関連サービス（CPC749の一部）」とは，荷主に代わって，貨物証券の監査（bill auditing），貨物運送仲介，貨物検査，重量測定，貨物受取り又は運送証券の準備を行うサービスと定義されている。
91) 　政令163号4条3項(dd)。
92) 　速配サービスは，集荷，仕分け，運送及び配達を行うサービスであり，目的地は国内及び海外のいずれであっても可能である。配達の対象物としては，信書，葉書，書籍，新聞，定期刊行物，雑誌，証明書や請求書などの商業的文書（その重量は2キログラムを超えてはならない），小包などが列挙されている。
93) 　郵便法20条2項。

比率規制が課せられていないため，内資系企業との合弁形態を取らずに，外資系企業のみで，建設業を行う会社を設立可能である。また，WTOコミットメント上，外資系企業が，その支店を設置することも認められている。さらに，下記②にて詳述するように，建設当局から建設活動許可書を受けることで，外資系企業が，ベトナム国内に法人の設立や支店を設置せずに，ベトナムにおける建設案件を請け負うことが可能である（以下，かかる建設案件を請け負う外資系企業を，「外国請負会社」という）。

② 外国請負会社に関する規制

建設活動許可書は，外国請負会社が，建設案件を受注した後，当該案件ごとに，建設当局から取得する必要がある。外国請負会社は，当該建設活動許可書を取得した後，建設活動を行うことができる。

法律上，外国請負会社が建設活動許可書の発行を受けるためには，外国請負会社が建設案件を受注したこと，建設法の規定に従い建設能力の条件を満たすこと等が必要である。また，（当該案件に関与する能力を有する内国請負会社が存在しない場合を除き）外国請負会社は，内国請負会社とパートナーシップ契約を締結するか，又は，内国請負会社を下請とする必要があり，さらに，いずれの場合でも，当該内国請負会社の業務内容を建設活動許可書の発行を受けるための申請書に明記する必要がある。建設活動許可書の取得後は，建設案件が実施される地域の人民委員会建設局等に対して，建設活動の拠点となるオペレーティングオフィス[94]の住所等を連絡する必要がある。

(ク) 医療分野

① 概要

ベトナムの保健医療分野に関する2015年の歳出額は，50.3兆ドン（約2500億円）で，全体の約7％であり，保健医療分野における歳出額は，年々，増加している[95]。2017年においても医療費支出額は引き続き増加し，161億ドル

---

[94] オペレーティングオフィスは，建設当局から建設活動許可書の発行を受けて，請負契約の受注業務を行うために，建設活動の拠点において事業を行うことを登録された外国請負会社の事業所を意味する。オペレーティングオフィスは，契約期間中にのみ存在し，契約期間満了時に解散するという特徴を有し，また，独自の印章を持つことも可能である。

[95] 経済産業省「新興国等におけるヘルスケア市場環境の詳細調査報告書　ベトナム編」。

Ⅱ　進　出

と，ベトナムの GDP の 7.5％ を占めた。2021 年には医療費支出額は 227 億ドルへ増加し，2017 年から 2021 年までの年平均成長率（CAGR）は約 12.5％ になるとの予測もある。後述の通り，進出業種毎に条件の違いはあるものの，外資企業がベトナムの医療分野で投資を行うことは可能である。特に，医療機器の市場規模は今後も加速的に拡大していくことが見込まれ，土地賃貸や税金面で優遇措置が設けられていることもあり，既にベトナムに製造拠点を置いている外資企業も複数存在する。

　以下，日本企業の関心が高い，医療機関，医療機器，製薬・医薬品の流通の三分野について解説を行う。

② 医 療 機 関

　ベトナムで外資 100％ の医療機関を設立することは可能だが，WTO コミットメントにおいて，「病院サービス」を提供するために必要となる最低定款資本金が 2000 万米ドルと定められている点に留意が必要である。また，投資登録証明書，企業登録証明書の取得に加え，医療機関への投資プロジェクトの内容に応じ，地方政府による事前認可や首相又は省級人民委員会から投資方針に係る決定を得ることが必要となる場合もある。さらに，外国人がベトナムで医療行為を行う場合には，医療行為証明書の取得が必要であるが，ベトナム語に堪能であること又は通訳の資格証明書を有する通訳者を伴うことが要件となっている。このように，ベトナム医療機関への投資は，理論上可能であるものの，入念な準備が必要となる[96]。

③ 医 療 機 器

　医療機器のベトナム国内への輸入については，当該医療機器が新品であること及び製造販売承認番号（医療機器のリスクに応じて手続が異なる）の取得が必要となっている[97]。製造販売承認番号を取得するための手続，要件，及び製造販売承認番号の有効期間は，医療機器の分類（リスクの程度によって 4 段階に分類されている）によって異なる[98]。

---

[96]　その他，総合病院の運営に関しては，最低病床数や診療科の設置（内科，外科，産科，小児科のうち少なくとも 2 つの診療科の設置が必要）等を要件とする，病院施設運営許可を取得する必要もある。

[97]　医療機器管理に関する 2016 年 5 月 15 日付政令 36/2016/ND-CP（政令 169/2018/ND-CP によるその後の改正も含め，以下「政令 36 号」という）40 条 2 項。

医療機器の製造については，主に下記のようないくつかの要件を満たす必要があるものの，外資による参入が可能となっている。

(a) 技術担当者に関する要件[99]

(i) 医療機器の準学士号又は技術，保健若しくは薬学の学士号以上の学位を有していること[100]。
(ii) 医療機器施設において24か月以上医療機器の技術分野に従事した実務経験があること。
(iii) 製造工場においてフルタイムで勤務すること。技術担当者の割当て及び任命については，書面で行われる必要がある。

(b) 医療機器製造業者の品質管理に関する要件[101]

(i) 2016年7月1日より前から医療機器製造業を営む者は，2017年7月1日より前に，医療機器製造業の適格性証明書の発行がなされている場合に限り，当該事業を継続することができる。この場合，2018年1月1日より前に品質マネジメントシステムに関するISO 9001，及び2020年1月1日より前に医療機器産業に特化した品質マネジメントシステムに関するISO 13485の適用を完了することが要件となっている。
(ii) 麻酔性物質及び医薬前駆体を用いる医療機器の製造業者は，前項の条件に加え，ベトナム国内での合法な医薬品関連活動の管理に関する2001年11月5日施行の政令80/2001/ND-CP7条に従い，麻酔性物質，医薬前駆体及びこれらを用いる医療機器の在庫を管理するための体制を整えている必要がある。

---

[98] 具体的な分類については，個々の医療機器の危険度や保健省によるガイドラインを参考に，保健省により許可を受けた機関が行うものとされている（通達39/2016/TT-BYT）。当該分類により，製造販売承認番号を取得するための手続・要件が異なるため，医療機器の輸入を行おうとする者は，製造販売承認番号の取得に先立って，当該機関に対し，当該分類を求めることとなる。
[99] 政令36号12条1項。
[100] 麻酔性物質及び医薬前駆体を用いる医療機器の製造を担当する技術者については，医療機器，保健，薬学，化学又は生物学の学士号を取得していることが要件となる。
[101] 政令36号13条。

Ⅱ 進　出

④　製薬・医薬品の流通（ドラッグストア含む）
　(a)　製　薬
　医薬品の製造を行うためには，投資家は，法令上，以下の要件を満たし，医薬品の製造条件を満たす旨の証明書を，保健省から取得する必要がある。

> (ⅰ) 医薬品・医薬原料を製造する全ての製薬業者は，製薬条件を満たす施設，工場，試験所，医薬品・医薬原料の保管場所，補助システム，設備，医薬品の製造・試験及び保管のための機械，品質管理システム，並びに技術文書及び人員を有していること [102]
> (ⅱ) 製薬業務の責任者は，医薬品の製造を行うための適当な医薬品製造業許可を取得していること [103]
> (ⅲ) 上記の製薬施設，技術，人員要件を充足しているか否かの評価が，3年ごと又は保健省若しくはベトナムが加盟している国際条約が定めるところにより随時，実施されていること [104]

　(b)　流　通
　従前，通達47/2010/TT-BYTは，ベトナム国内での医薬品製造免許を付与された外国投資企業に限り，その医薬品製造のために医薬原料を輸入することを認めていたが，それ以外の医薬品の輸入販売については，通達34/2013/TT-BCTにおいて，禁止されていた。
　2017年7月1日に施行された政令54号[105]により，ベトナム国内において，「輸入資格証明書」を取得することにより，「国内流通権」を有する卸売業者に販売することに限定して，医薬品輸入販売活動が認められたが，「輸入資格証明書」を取得した場合でも，依然として，輸入した医薬品を医療施設や小売業者に販売することはできない。但し，ベトナム国内で当該企業自身が製造した医薬品については，例外としてその流通を行うことが認められている。

---
102) 2016年薬事法（以下「新薬事法」という）33条1項。
103) 新薬事法33条2項。
104) 新薬事法33条3項。
105) 新薬事法の施行について定める2017年5月8日付政令54/2017/ND-CP（政令155/2018/ND-CPによるその後の改正も含め，以下「政令54号」という）。

その他の方法によって，外資企業が医薬品の流通を行うことは，ベトナム国内で当該企業自身が製造した医薬品を除いては，認められていない。

(ケ) その他（旅行業，広告業，商業仲介業）
① 旅行業

旅行業（ツアープログラムの一部又は全部を準備し，販売し，運営するビジネスと定義される）[106]は，国内法令，WTOコミットメント，CPTPP上インバウンド[107]，アウトバウンド[108]，国内[109]に区分され，類型毎に異なる規制が課されている。

インバウンドについては，内資との合弁形態で会社を設立することが必要であるが，外資系企業の出資比率に特に制限はない[110]。

アウトバウンドについては，外資系企業の参入は認められていない。

国内は，インバウンドサービスと一体となっている形で行われるもの[111]に限り，外資系企業の参入が認められている[112]。

② 旅行仲介業

旅行仲介業（旅行業者によって準備されたツアープログラムを旅行者に販売するビジネスと定義される）[113]は，WTOコミットメント上，内資との合弁形態で会社を設立することが必要とされ，外資系企業の出資比率に特に制限はない[114]。

③ 広告業

広告業については内資との合弁形態で会社を設立することが必要となるが，外資系企業の出資比率に特に制限はない。

一定のアルコール飲料など，広告の対象に対して規制がある点に留意が必要

---

106) 観光法（09/2017/QH14）3条8項及び3条9項。
107) 例えば，日本発ハノイへのツアー。
108) 例えば，ハノイ発日本へのツアー。
109) 例えば，ハノイ発ホーチミンへのツアー。
110) 当該合弁会社のツアーガイドはベトナム人である必要があるとされている他，当該合弁会社は国際旅行業免許（International Travel Services Business License）を取得する必要がある。
111) たとえば，日本発，ハノイ→ホーチミン→日本という行程をたどるもの。
112) WTOコミットメント及び観光法30条4項。
113) 旅行業法（09/2017/QH14）40条1項。
114) CPTPPにおいては，加盟国からの投資については制限は付されていないが，実務上，100％外資系企業が認められるかは不明である。

④ 商業仲介業

　商事仲介業[115]（商品やサービスの売買当事者の間で取引を仲介し，仲介契約に基づき，報酬を得るビジネスと解釈される）[116]は，WTOコミットメント上，外資への開放が約束されていないため，外資が商業仲介事業を行うことができるか否かについては，当局による事案毎の判断による[117]。当局により商業仲介業に従事することが認められた場合であっても，外資が商業仲介業を行うためには，Trading Licenseの取得も必要となる[118]。実際に商業仲介業を行うためにTrading Licenseが付与された事例も存在するようであるが，当局による事案毎の判断となり，必要な許認可の取得にはある程度の時間と費用が必要になると考えられる。

---

[115] 商法150条。
[116] 依頼者と，依頼者の顧客との接点を創出するビジネスという点で，広告業と類似する面があるが，広告業は依頼者の商品やサービスの紹介を目的とし，実際の商品やサービスに関する契約交渉には関与することはないのに対し，商業仲介業は依頼者と依頼者の顧客との間の商品やサービスに関する契約交渉に関与する点において異なる。
[117] これまで外資企業数社に対して，一定期間のパイロットプロジェクトとして商事仲介業が認められている。
[118] 政令09/2018/ND-CP 5条1項（g）。

3 会社の新規設立

(1) 会社設立手続の概略

　ベトナムにおいてプロジェクトを行う外国投資家は、各省の管轄当局が発行する、当該プロジェクトに関する投資登録証明書を取得しなければならない（かかる投資登録証明書には、投資家が受けられる優遇措置も記載される）[119]。投資登録証明書の取得後、外国投資家は、承認されたプロジェクトの実行のため、企業法に従って会社を設立することになる。具体的には、取得した投資登録証明書の写しを申請書類の１つとして、企業登録証明書の発給申請を行い[120]、当該企業登録証明書の発給を受ける。投資登録証明書が、外国投資家に対して交付される、対象となるプロジェクトに関する許可であるのに対して、企業登録証明書は、企業の登録証としての性質を有し、企業登録証明書の発給日が会社の設立の日とされる。

　実際の会社設立手続の概略は次頁の図のとおりである[121]。2020年投資法38条によれば、政府は投資登録証明書の発給の条件、申請書類、順序及び手続について定めることとされているが、当該詳細を定めるガイドラインは本稿執筆時点で未公表である。

　なお、設立する会社が合弁会社である場合には、合弁パートナーとの間で合弁契約書や定款の内容について協議・交渉を経た上でそれらの内容を確定するプロセスが加わることになるが、管轄当局との手続に関しては、基本的に、単独で会社を設立する場合と同じである。この場合、合弁契約書の提出は、法令

---

[119]　なお、特定のプロジェクトについては、別途、国会、首相又は省級人民委員会から、投資方針にかかる決定を得ることが必要である（2020年投資法30条・31条・32条）。
[120]　2020年企業法21条４項 c・22条４項 c。
[121]　書類の審査期間は、投資登録証明書については、十分な書類を当局が受領してから15日又は投資方針にかかる決定から５営業日（2020年投資法38条１項）、企業登録証明書については、十分な書類を当局が受領してから３営業日（2020年企業法26条５項）であるが、審査に時間を要する案件、複数の管轄当局による審査が必要な案件などは、それ以上時間がかかる場合もある。また書類の不備や不足等により書類の再提出を求められることもあるため、スケジュールにはある程度の余裕を見込む方が望ましい。

Ⅱ 進　　出

上は求められていないが，当局によっては，提出が求められる場合もあるため，事前に管轄当局に合弁契約書の提出の要否を確認する必要がある。

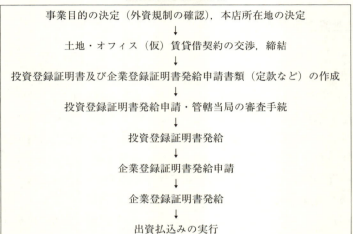

〈会社設立手続の概略〉

事業目的の決定（外資規制の確認），本店所在地の決定
↓
土地・オフィス（仮）賃貸借契約の交渉，締結
↓
投資登録証明書及び企業登録証明書発給申請書類（定款など）の作成
↓
投資登録証明書発給申請・管轄当局の審査手続
↓
投資登録証明書発給
↓
企業登録証明書発給申請
↓
企業登録証明書発給
↓
出資払込みの実行

(2) **事業目的及び本店所在地の決定**

まずは，新会社の事業目的を決定する必要がある[122]。ベトナムでは，様々な外資規制が存在しているため，想定している出資割合や事業内容を踏まえ，入念に外資規制の法令調査を行う必要がある。

また，新会社の本店の場所も事業目的と同様，初期段階で決定をする必要がある。これは，実務上，会社設立の手続や必要書類が管轄当局の担当官の裁量によって異なる場合があるため，まずは本店所在地の場所を決定し，その所在地を管轄する当局の現在の担当官に，個別具体的な手続や必要書類を確認しながら進める必要があるためである。

なお，本店所在地又は業種によっては，投資優遇措置（企業所得税，輸出入税，土地リース料，個人所得税の減免等）が受けられる場合もある。

---

122) 具体的には，企業登録証明書の申請書類において，国連中央生産分類（いわゆる CPC コード）及びベトナム標準産業分類（VSIC コード）の双方を記載することになるため，これらのコードを特定することが必要になる。

(3) 土地・オフィス賃貸借仮契約の交渉，締結

　投資登録証明書発給申請の必要書類として，新会社の本店所在地の土地やオフィスの賃貸借契約書を提出しなければならないため，投資登録証明書申請の前に，土地・オフィス賃貸借仮契約の交渉，締結を完了させておく必要がある。

　実務上は，設立申請の時点では，まだベトナム法人は存在しないことから，親会社となる出資者が仮契約という形でオフィスや土地の貸主との間で契約を締結して，仮契約書を管轄当局に提出し，その後，投資登録証明書及び企業登録証明書が発給されて子会社が設立された後，子会社と貸主との間で改めて正式契約を締結し，再度，管轄当局に提出することが多い。他方，親会社となる出資者が土地の貸主との間で締結する契約書の中で，子会社の設立後に，当該土地の借主としての地位を当該子会社が承継する旨を規定しておき，子会社の設立後に改めて契約を締結せずに済ませる方法も用いられることがある。

(4) 投資登録証明書の発給

(ア) 投資登録証明書の管轄機関

　投資登録証明書の申請先・発給機関（申請窓口）は以下のとおりである[123]。実質審査は，各事業分野を所管する監督官庁が行うため，以下の申請先・発給機関が申請を受理した後，各監督官庁に意見を求めた上で，投資登録証明書が発給されることになる[124]。

	投資登録証明書発給の申請先・発給機関
・工業団地，輸出加工区，ハイテクパーク外のプロジェクト	地方人民委員会の計画投資局
・工業団地，輸出加工区，ハイテクパーク内のプロジェクト	工業団地，輸出加工区，ハイテクパークの管理委員会

---

[123] 2014年投資法の下では，国会，首相又は省級人民委員会による投資方針決定について，プロジェクトを実施する地方の投資登録機関に申請することとされていたが，2020年投資法においては，国会又は首相が投資方針決定をする場合は，計画投資省に申請することとされた。2020年投資法の下で，国会又は首相の投資方針決定が必要なプロジェクトについて，投資登録証明書の申請を別途行う必要があるのか，投資登録証明書の申請先及び発給機関は，本稿執筆時点では明確ではない。
[124] 2020年投資法39条。

Ⅱ 進　　出

・工業団地，輸出加工区，ハイテクパークの内外の双方に位置するプロジェクト ・複数の省にまたがって実施されるプロジェクト ・管理委員会が存在しない又は管理委員会が権原を有しない工業団地，輸出加工区，ハイテクパーク内のプロジェクト	プロジェクトが実施される地域又は投資家がプロジェクトを実施するための事務所の所在地（又はその予定地）の投資登録機関（計画投資局又は工業団地，輸出加工区若しくはハイテクパークの管理委員会）

(イ) **必要書類**

　2020年投資法38条3項によれば，政府は，投資登録証明書の発給のために必要な書類について定めた規則を別途制定することとされているが，本稿執筆時点において，当該規則はまだ制定されていない。

　2020年投資法40条によれば，投資登録証明書に記載される事項は以下のとおりである。

> 投資プロジェクトの該当コード
> 投資家
> 投資プロジェクトの名称
> 投資プロジェクトの実施地点，使用する土地の面積
> 投資プロジェクトの目的，規模
> 投資プロジェクトの投資資本額
> 投資プロジェクトの期間
> 投資プロジェクトの実施スケジュール（出資及び資金調達のスケジュール，目的の実施のスケジュール，フェーズ毎のスケジュールを含む）
> 投資優遇措置の内容
> プロジェクトを実施する投資家に対する条件

― Column ―

認証と翻訳公証について

原本が日本語である書類（登記簿謄本や財務諸表等）がベトナムで合法的な価値を持つためには，書類の認証作業が必要となる。ベトナムは，外国公文書の認証を不要とする条約（ハーグ条約）に加盟していないので，在日本のベトナム大使館又は総領事館において領事認証を行う必要がある（外務省によるアポスティーユによる確認で済ませることはできない）。私文書の具体的な手続としては，日本国内で，①公証役場における認証，②法務局長の公証人押印証明，③外務省の公印確認（東京都，神奈川県，及び大阪府の公証役場ではワンストップサービスで外務省の公印確認手続まで行うことが可能となっているので，①の公証役場で②③の手続まで合わせて行うことが可能である）④在日ベトナム大使館／総領事館における領事認証の流れでの認証を行う。これに加えて，提出書類がベトナム語に翻訳されている必要があるので，ベトナムにおいて，ベトナム語翻訳公証（ベトナムにおいて資格を有する者によるベトナム語への翻訳，ベトナムの公証役場にて翻訳した当該文書の公証作業という流れで行う）も必要となる。なお，在日本のベトナム大使館及び総領事館でも翻訳公証を受け付けている。

(5) 企業登録証明書の発給

㋐ 企業登録証明書の管轄機関

企業登録証明書の申請先・発給機関は，本店所在地の地方人民委員会計画投資局の事業登録部である。

㋑ 必 要 書 類

2020年企業法21条及び22条によれば，一般的に必要とされる書類の一覧は次のとおりである。但し，管轄当局や案件ごとに異なる場合があるので，管轄当局に対し，個別の事前確認を行うことが必須である。

企業登録証明書の発給申請書
定款

Ⅱ 進 出

> 社員又は設立株主の一覧及び外国株主一覧
> （法人である社員又は株主の場合）投資家の登記簿謄本，設立決定書又はこれらに相当する書類，及び委任代表者の公民身分証明カード，人民証明書，旅券又はその他合法的な個人身分証明書
> （個人である社員又は株主の場合）公民身分証明カード，人民証明書，旅券又はその他合法的な個人身分証明書
> 法定代表者の公民身分証明カード，人民証明書，旅券又はその他合法的な個人身分証明書
> 投資登録証明書

㈱ 記載事項

2020年企業法28条によれば，企業登録証明書の記載事項は以下のとおりである。

> 企業の名称及び企業コード
> 企業の本店所在地
> 有限責任会社及び株式会社について，法定代表者の氏名，連絡先住所，国籍，公民身分証明カード・人民証明書・旅券又はその他合法的な個人身分証明書の番号
> 有限責任会社について，①個人である社員の氏名，連絡先住所，国籍，公民身分証明カード・人民証明書・旅券又はその他の合法的な個人身分証明書の番号，及び②組織である社員の名称，企業コード及び本店所在地
> 定款資本の額

(6) 出資の期限に関する留意点

　法令上，有限会社又は株式会社の形態を問わず，企業登録証明書の発給日から90日以内に，全額を出資する義務がある。この点，2020年企業法により，かかる出資期限には，現物出資をする場合に必要な運搬，輸入，手続に要する時間を含まないこととされ，従前と比較して現物出資が容易になったといえる[125]。新会社が設立された時点では，資本金全額の払込みが完了しているとは限らず，法定の期限を経過しているにもかかわらず，法令に反して資本金が

払い込まれていないことも実務上珍しくない。そのため，後記のとおり，ベトナムの会社をM&Aによって買収する際には，資本金が全額払い込まれているかという観点からの調査が重要となる。

--- Column ---

出資により払い込まれる通貨と投資登録証明書／企業登録証明書に表示される通貨

　外国投資家による定款資本の払込みの際の通貨につき，直接投資（投資登録証明書を保有する場合[126]）の場合には外貨で払込みを行うことが許容されている。他方，間接投資の場合にはドンで支払うことが必要である。

　直接投資で，定款資本の払込みに外貨（例えば米ドル）を使用する場合，実務上，次のような問題がある。

　投資登録証明書及び企業登録証明書の申請書類における定款資本の金額は，例えば米ドルを払込通貨として用いる場合には「●● VND equivalent to USD ■■」と記載される。この例で，ベトナムドン部分の金額の算定のための為替レートの日付について特段の法規制はなく，申請日にできる限り近い日の為替レートに基づき，定款資本の金額として決定された米ドルの金額から算定されたベトナムドンの金額が記載されることになる。申請と実際の払込みとの間には一定の期間があるが，当然ながら，その間，米ドル／ベトナムドン間の為替レートに変動があるため，払込時点の為替レートに基づき算定されたドンの金額は，申請書類作成時点の為替レートに基づき算定された（＝申請書類に記載された）ベトナムドンの金額とは異なることになる。

　この場合において，定款資本の払込みとして，申請書類に記載された額の米ドルを払い込むことで足りるのか，それとも申請書類に記載されたベトナムドンの額に相当する米ドルを，払込時点の米ドル／ベトナムドン間の為替レートで計算し直して払い込む必要があるかにつき，当局により見解が異なっている状態にある。申請書類の提出窓口となっている計画投資局は，前者の見解（＝申請書類に記載された米ドルを支払うことで足りる）を採っているようである（さらに，会社の設立後，会社は任意で，定款資本の払込時点でのレートに基づき計算されたベトナムドンの額を，確定した定款資本金の額として登録することができ，具体的には，企業登録証明書の変更手続によりいつでもこれを行うことができるとの見解を採っているよ

---

125)　2020年企業法47条，75条及び113条。
126)　通達06/2019/TT-NHNN3条2項及び4項。

Ⅱ　進　　出

うである）。

　この点は，新規会社設立において外貨で払込みを行うことを認めている以上，必ず生じる問題点であり，実務に混乱を生じさせているため，早期に当局間の統一見解が出されることが望まれる。

(7)　投資登録証明書，企業登録証明書の発給後の諸手続

　これらの証明書の発給後に実務上必要となる手続としては，会社印（Company Seal）の作成，銀行口座の開設などがある。

> **Column**
>
> ### 設立前の諸経費の支払
>
> 　現地法人の設立前において，例えば設立準備手続を依頼するコンサルタントへの支払や，工業団地へ支払うデポジット等の諸経費の支払など，ベトナム国内の支払先への支払をベトナムドンにて行う必要がある場合，それをどのように行うかという点が実務上問題となる。
>
> 　この点，2019年9月6日に施行された通達06/2019/TT-NHNNによれば，これらの費用を日本法人である親会社が立て替えて支払う場合には，親会社がベトナムの銀行に外貨（例えば日本円）の非居住者口座を開設したうえで，当該口座内で外貨からベトナムドン建てで，ベトナム国内の支払先への支払を行うことになる。この非居住者口座に支払われた金銭の処理方法は2通りあり，(i)現地法人設立後，その定款資本の払込みとして全部又は一部を振り替える，(ii)現地法人設立後に，ローンの返金として親会社へ海外送金を行う，のいずれかが考えられる。いずれの場合であっても現地法人設立のための費用であることを明確に示す，関係者（すべての社員又は株主と現地法人）の間の契約書又は証憑が必要とされているようである。どのような証憑が必要であるかは，銀行ごとに取扱いが異なり得るので，取扱銀行へ事前に確認を行うことが必要と考えられる。

4 合 弁

(1) 合弁会社設立の手続と必要書類

　合弁会社を設立する場合，合弁パートナーとの間で合弁契約書や定款の内容について協議・交渉を経た上で，その内容を確定するとともに，合弁契約書についてはそれを締結することになるが，管轄当局との手続に関しては，基本的に，単独で会社を設立する場合と同じである（会社設立手続の概略については，3(1)参照）。合弁契約書の提出は，法令上は求められていない。

　Column

　　合弁相手方の出資払込期限の徒過と対応策

　ベトナム企業を合弁パートナーとして合弁会社を設立する場合，ベトナムの合弁パートナーが，予め合意されたスケジュールどおりに出資を行わず，合弁パートナーの出資に関して紛争状態に至っているケースが少なからず見受けられる。

　このような場合の処理を定めた企業法のルールは次のとおりである。すなわち，出資を行わない社員（＝出資者を指す）は当然に会社の社員ではなくなり，一部は出資したものの完全には出資を行っていない社員は出資した持分に対応する権利を有することになる（出資されなかった分の持分は，社員総会の決定に基づき第三者に売却することができるともされている）[127]。また，本来の出資予定日から60日以内に，定款資本及び各社員の持分割合を出資された資本金額に従って変更（減資）する旨の登録をしなければならない[128]。もっとも，2020年企業法においては，本来の出資予定日から30日以内に変更の登録をしなければならない[129]。

　このように，企業法上は，出資期限を徒過しても未だに出資を行わない出資者がいる場合の合理的な解決策が定められているのであるが，実際に投資登録証明書や企業登録証明書の修正を行うことまで想定した場合，この解決策を実行することが難しいという事態が生じ得る。すなわち，投資登録証明書の修正を当局に申請する

---

[127] 2014年企業法48条3項及び112条3項。2020年企業法47条3項及び113条3項においても同様に規定されている。
[128] 企業法48条4項及び68条。
[129] 2020年企業法47条4項及び113条3項(d)。

際の手続を規定している投資法のガイドラインである政令118号[130]によれば，定款資本部分の修正には，「投資家による決定」が必要と規定されている。そして，ここでの「投資家」は，合弁パートナーも含む会社の出資者全員を意味すると考えられているようである。また，企業登録証明書の修正を当局に申請する際の手続を規定している企業法のガイドラインである政令78/2015/ND-CP（〔以下「政令78号」〕政令108/2018/ND-CPにより部分改定）によると，定款資本や出資割合を変更する際には，経営登記機関にその旨の通知をなすことが必要であり，その通知には，社員総会の決議を添付することが必要であるところ，その決議をなす際に，出資をしていない社員が企業登録証明書に記載されている出資割合で決議をする権利があるのかも不明である[131]。

合弁パートナーと出資義務の履行につき紛争になっているようなケースでは，合弁パートナーが，自らの出資割合を減少させる（或いは自らが社員でなくなる）ための手続への協力が得られるとは考えにくいため，事実上，日系企業のみの行為で投資登録証明書の改訂を行うことができないという事態が想定される。

この点は，法令間でルールの建付けに齟齬があり，実務上の不都合が生じていることの一例ではあるが，ベトナム企業を合弁パートナーとして合弁会社を設立する日系企業に与えるインパクトも大きいため，解決に向けた速やかな法令改正が望まれる。

(2) 合弁契約書の主要条項の概説

合弁会社を新規設立する場合，又は，会社の株式／持分の部分的な譲渡を受ける場合（100％取得する取引でない場合）には，合弁会社／対象会社の株主／出資者となる他の当事者との間で合弁契約（又は株主間契約）が締結されることがある。合弁契約の内容は，事案によって様々ではあるが，ここでは，㋐対象会社のガバナンスに関する事項，㋑株式／持分譲渡に関する事項，の2つのうち，ベトナムにおいて特に留意すべきと考えられる点を取り上げる。

㋐ ガバナンスに関する事項

合弁会社を運営する上でそのガバナンスに関する事項が重要となるが，合弁

---

130) 政令118号33条2項（c）。
131) 政令78号44条2項。

会社における出資割合が，合弁会社の普通決議を可決するために必要な議決権割合（かならずしも過半数ではない）を超える場合（本4では以下「マジョリティ出資」と呼ぶ）か，合弁パートナーの出資割合が，合弁会社の普通決議を可決するために必要な議決権割合を超える場合（本4では以下「マイノリティ出資」と呼ぶ）かで，合弁契約や定款における，合弁会社のガバナンスに関する事項を規定する必要性及びその内容は，大きく異なる。

① マジョリティ出資の場合

マジョリティ出資を行う場合は，原則として，マジョリティ出資者の意向により合弁会社の意思決定を行うことができる。すなわち，定款及び合弁契約等に特段の定めがない限り，社員総会又は株主総会の普通決議をコントロールすることができ，取締役や社長等の選任権限を持つことができる。

もっとも，ベトナム企業法上，関係者間取引（詳細はⅢ1(1)(イ)②(f)及び(3)(ウ)③(e)参照）については，社員総会（有限会社の場合），取締役会又は株主総会（株式会社の場合）の承認を要するとされており，当該取引について利害関係を有する社員（有限会社の場合）又は取締役若しくは株主（株式会社の場合）は当該決議に加わることができないとされている。したがって，関係者間取引については，マジョリティ出資者であっても，決議に加わることができず，マイノリティ出資者のみの議決権の行使に基づく承認決議が行われることとなる。

したがって，マジョリティ出資者であっても，合弁会社との間の取引を行う場合には，マイノリティ出資者の賛成が必要となるため，ベトナム側がマイノリティ出資者，日本側がマジョリティ出資者である事案で，日本側の出資者と合弁会社との間の取引が合弁事業について不可欠な場合において，日本側の出資者と合弁会社との間の取引が，マイノリティ出資者によって不合理に反対されたり，承認決議がなされないといった事態が生じ得る。このため，合弁契約書等において，マイノリティ出資者が，マジョリティ出資者及び合弁会社間の契約につき，その内容が不合理でない場合には承認をする旨を義務付ける規定を入れることも検討に値する。

② マイノリティ出資の場合

一般的に，マイノリティ出資を行う場合は，対象会社の意思決定プロセスへの実質的な関与の機会を別途確保しない限り，マジョリティ出資者の意向のみ

Ⅱ　進　出

によって対象会社の意思決定が行われてしまい，自らの意向を対象会社の運営に反映することができないため，合弁契約において対象会社のガバナンスに関する事項を規定することが必要となる。

　以下では，合弁契約に規定することが考えられる事項のうち代表的なものを取り上げる。

　(a)　拒否権

　新規株式／持分の発行，定款変更，一定の金額以上の契約締結，配当など，対象会社の事業運営上の重要事項については，マイノリティ出資者にとって，合弁契約において拒否権を確保しておく必要性が高い事項であると考えられる。

　ベトナムにおいて拒否権が，定款には記載されず契約上の権利にとどまる（合弁契約のみで規定されている）場合，当該拒否権に違反する行為があったとき，その行為自体が無効になるわけではなく，契約の相手方に対して契約違反に起因する損害賠償を主張できるにとどまると一般的に解されている。一般論として，拒否権条項の違反に関する具体的な事案において，どこまでの損害の範囲がこれに含まれるかの判断や，具体的な損害額の立証は困難であり，合弁契約の拒否権規定が必ずしも実効的な救済方法とならない懸念がある。そこで，拒否権を，（合弁契約に加えて）定款においても規定することが考えられる。

　(b)　意思決定プロセスへの実質的な関与機会の確保

　事業規模が大きいベトナムの会社へマイノリティ出資した場合，いかに対象会社の経営に関する意思決定プロセスへ実質的に関与するか，という点も重要なポイントである。

　このような場合，合弁契約において，マイノリティ出資者に対象会社の取締役などの役員を指名する権利が付与される例が多いが，日本における実務と同様，取締役会や社員総会などの最終意思決定機関に決議事項が上がってくる時点では，実質的な議論は既に終わっており，これらの意思決定機関はいわば儀式的に議案を追認するだけというベトナム企業が少なからず見受けられる。そのような場合，マイノリティ出資者としては，最終意思決定機関における役員選任権を確保するだけでは，対象会社の経営に関する重要な情報へのアクセスや，実質的な意思決定プロセスへの関与の観点から不十分となってしまう。

　そこで，対策として，対象会社に実務レベルの新しい会議体を新設し，経営

上の一定の重要事項については正式な最終意思決定機関の決議の前に必ずその会議体で審議することにし，マイノリティ出資者からの出向者等も当該会議体におけるメンバーとして選任し，当該会議体での実質的な議論や意思決定に深く関与できる，といった仕組みをつくることが考えられる。

また，対象会社の日常の業務執行において用いられている言語が日本人にとって一般的になじみの薄いベトナム語であるという言語の壁の問題（対象会社において日常業務に従事している実務レベルの従業員の英語のレベルが，必ずしも実質的な議論ができるほどのレベルに達していない例も多い）が，情報アクセスや実質的な議論への妨げとなっている側面もある。この点については，合弁契約において，一定の重要情報に関しては，マイノリティ出資者のリクエストに基づき，対象会社に英語での情報開示をすること，あるいは翻訳期間を考慮してより早い段階での情報開示を義務付ける規定を設けることも対策として考えられる。

(イ) 株式／持分譲渡に関する事項――合弁持分の買増しやエグジットに関して
① マジョリティ出資を行う場合

対象会社にマジョリティ出資を行うケースで，ベトナムの事業パートナーが対象会社のマイノリティ株主となり，対象会社の事業運営上の協力義務（例えば製造業の場合には，原材料の供給や対象会社で製造された製品の買取り，顧客開拓のためのマーケティングへの協力等）を負う場合も多いが，ベトナムでは，一般的に契約書の遵守に関する意識が日本と比較して低いとも言われ，相手方の契約上の義務違反が生じるケースも見られる。

このようなケースに備え，その株式／持分を買い取ってしまい，資本関係を解消する方が事態の解決策として望ましい場合も多いので，合弁契約において，相手方の重大な義務違反がある場合に，強制的に（ディスカウントした価格で）相手方の株式／持分を買い取ることができる旨のコールオプションを設けることが考えられる。

なお，対象会社の事業に外資規制があり，外資の保有比率に上限がある場合には，マジョリティ出資者が買い取る形でのコールオプションの行使も制限される。このような場合には，マジョリティ出資者の指定する第三者に買取りを行わせることができる等の規定を設けておき，別のベトナム企業を事業パート

Ⅱ 進　出

ナーとして選定した上で，当該新パートナーに，コールオプションの対象となった株式／持分を買い取ってもらうという建付けとする必要がある。

② マイノリティ出資を行う場合

　対象会社にマイノリティ出資を行う場合には，ガバナンスに関する取決めを合弁契約において盛り込む必要性は高いが，かかる取決めが定款に規定された場合を除き，合弁契約の違反がある場合であっても，当該違反行為自体が無効になるわけではなく，損害賠償請求を行うことができるにとどまると解されており，マイノリティ出資者にとって，真の救済にならないことも多い。そのような場合に備え，契約違反を犯した他の出資者に対し，マイノリティ出資者が自らの株式／持分をマジョリティ出資者に対して強制的に（割り増した価格で）売却できるプットオプション条項を設けることも考えられる。

③ 合併会社からのエグジット

　ベトナムをはじめとする新興国での事業は，事業が軌道に乗った場合に得られるリターンも大きい反面，様々な要因から，当初想定したとおりの収益が上がらず，撤退を検討しなければならない場合もあり得る。ある一定の期間を経過しても対象会社の事業が当初の計画どおりに収益を上げない場合（例えば出資後，一定の事業年度連続して事業計画に定める利益目標を達成できなかった場合等）に，対象会社の事業から撤退することができる規定を盛り込むことを検討すべきである。対象会社の事業から撤退することを可能にする具体的な方策として，プットオプションを保持しておくことが考えられる。

(ウ)　**よくある紛争類型と事前の予防策**

　ベトナム企業との合弁事業において頻出する，ベトナム側の合弁パートナーとの対立の原因としては，ベトナム側の合弁パートナーによる競業の開始，関係者間の不透明な取引，利益目標のタイムスパンについての認識相違や事業計画や会社の発展戦略の不一致等がある。これらの対立原因は，内容や頻度によっては合弁相手との紛争に発展しかねないため，事前に契約書等で十分に手当をしておくことが肝要である。

5 ベトナム企業とのM&A取引

(1) ベトナムにおけるM&A取引の流れ

　ベトナムにおけるM&A取引の流れは，諸外国におけるM&A取引と大きく異なる点はなく，ストラクチャリング→デューディリジェンス（以下，本章において「DD」という）→株式／持分譲渡契約・株主間契約の交渉締結→クロージングの順で進むことが多い。以下，それぞれの手続について解説を加える。

(2) ストラクチャリング

(ア) 外資規制

　M&A取引のストラクチャリングの初期段階で，買収対象会社の事業内容を精査し，各事業内容に応じた外資規制の内容を確認しておくことが必要である。代表的な事業セクターにおける外資規制の具体的内容についてはⅡ2(2)参照。

(イ) 投資ストラクチャーの選択

　ベトナムにおけるM&A取引で採り得る投資ストラクチャーは，大きく分けて(i)株式（株式会社の場合）／持分（有限会社の場合）の取得，(ii)資産譲渡，(iii)合併／会社分割，の三種類がある。このうち，実務上よく用いられるのは(i)であり，本書でも(i)を中心に取り扱う。

　(i)の株式／持分の取得には，買収対象会社の株主／出資者から株式／持分の譲渡を受ける方法と，増資によって新規発行株式／持分の引受けを行う方法とがある。株式／持分の譲渡か，新規発行株式／持分の引受けのどちらが選択されるかは，買収対象会社の資金ニーズ，売主に生じるキャピタルゲイン課税のインパクト，既存株主の出資比率の変動のインパクト（例えば51％の株式／持分取得を目標とする場合，既存株主譲渡の場合と新株引受の場合とでは必要となる資金の量が異なってくる）などの諸般の要素を考慮して決定されることになる。(ii)資産譲渡や(iii)合併／会社分割と比べて過去の実例が圧倒的に多いこと，手続的負担が少なくスケジュール管理が相対的に容易であること等の理由から，ベトナ

Ⅱ　進　出

ムにおいてM&A取引を行う際，実務上もっともよく用いられている。

(ⅱ)資産譲渡については，事案によっては(ⅰ)株式取得よりも使い勝手がよい場合もある。

資産譲渡は，日本における事業譲渡と類似の概念であり，法律的には，個々の財産の所有権移転の集合であると構成される。譲渡対象の資産・負債を選別することができるため，(a)偶発債務の遮断が可能となること，(b) (買収対象会社の一部の事業が外資規制等の理由で事業の全部譲受けが難しい場合に) 外資規制がかからない事業のみを切り出して譲渡を受けることが可能となること，というメリットがある。もっとも，譲渡対象に含まれる資産の種類によっては，手続が煩雑になり，クロージングまでに時間を要するというデメリットもある。具体的には，譲渡対象資産に土地使用権が含まれている場合，ベトナムの法制度上，当該土地使用権をいったん政府に返還し，外資系企業である譲受人が新たな土地のリース契約を政府と締結するというアレンジが必要となる。また，譲渡対象事業の運営に政府からの許認可が必要な場合，資産譲渡によって許認可そのものを移転させることはできないので，譲受人において当該許認可の取得を再度行う必要が出てくる。さらに，譲渡対象事業に属する従業員についても，一度退職をさせたうえで再度雇用契約を締結する必要があり，事業上の契約については，個別に契約相手方の同意を取得したうえで，再度譲受会社において契約を締結する必要がある。

一方で，買収対象会社の譲渡対象資産の移転手続がシンプルであることが想定される事案（例えば譲渡対象が従業員数名と少数の契約のみであるような場合）には，資産譲渡を用いる価値もあると思われる。

また，買収対象会社グループの資本構成が複雑である，買収対象会社のDDに多大な時間と労力がかかることが想定されるなど，そのまま(a)株式取得の方法による出資を行うことに問題がありそうなケースでは，売主・買収対象会社に，新会社を設立させたうえで，当該新会社に，(b)資産譲渡を利用して必要な事業のみを承継させ，偶発債務を遮断し，当該新会社の株式を取得するという，株式譲渡と資産譲渡を組み合わせた投資ストラクチャーが検討されることもある。

資産譲渡については，以上述べたメリットやデメリットを勘案の上，採否を

決定すべきである。資産譲渡を利用する場合，移転させる資産の種類によって必要となる手続は様々であるため，個別に手続や期間を確認し，スケジュール管理を行うことが必要となる。

(ⅲ)合併／会社分割については，ベトナム企業法上に規定はされているものの，外国投資企業にかかる実例も乏しく，また，実行に必要な施行細則の未整備もあり，用いられることは少ないため，本書ではこれ以上の解説は取り扱わないものとする。

(ウ) 株式／持分の取得を用いて M&A 取引を行う場合の各種留意点
① 間接投資ストラクチャー（中間持株会社）利用について
　(a) 概　要

　株式／持分取得の方法で M&A 取引を行う場合，日本から直接ベトナム企業の株式／持分を取得するのではなく，別の法人（中間持株会社）が株式／持分取得の主体となる間接投資ストラクチャーが用いられることがある。かかる中間持株会社は，シンガポールに設立されることも多いため，以下では在シンガポールの中間持株会社を通した間接出資ストラクチャーを例として検討する。また，ベトナムにおいてかかる中間持株会社を設立することの可否についても問題となることがあるため，この点についても述べる。

　(b) シンガポール所在の中間持株会社を通した投資

　シンガポール所在の中間持株会社を通してベトナム法人に投資を行う意義について，次のような点が挙げられる。

　　(a) 中間持株会社が東南アジアの地域統括会社を兼ねているような場合に，当該中間持株会社において，投資先のベトナム法人からの配当を通して得た資金を，他のベトナム法人や東南アジアの法人に対する投資に回すことが特段の税負担なく可能になる。

　すなわち，日本から直接投資する場合，ベトナム子会社から配当の形で資金回収を行う場合の日本の親会社における税負担としては，外国子会社配当益金不算入制度により，外国法人の発行済株式総数の25％以上を，配当等の支払義務が確定する日以前から遡って6か月以上引き続き保有している場合に限り，配当額の95％は益金不算入となることになる（法人税法23条の2）が，シ

ンガポールから投資する場合には，現状，シンガポール法人がベトナム法人から配当の形で受けた支払は非課税とされている[132)133)]。

さらに，ベトナム法人への出資割合が，日本において外国子会社配当益金不算入制度が利用できない 25% 未満の場合で，ベトナム子会社からの配当を通して得た資金を，他のベトナム法人や東南アジアの法人に対する投資に利用することが想定されているような場合は，特に，当該日本の親会社の法人税負担を回避することが可能であるという意味で，シンガポール中間持株会社を通して投資を行うメリットは大きい。

(β) 出資を行ったベトナム法人からの撤退の手段として，ベトナム法人の株式／持分を売却する場合，日本から直接投資を行う場合には，日本の法人税の課税対象となるが，シンガポールにおいてはキャピタルゲイン課税制度が存在しないことから，シンガポール所在の中間持株会社を通してベトナム法人に投資を行う場合，特段の税負担なくベトナム法人の株式／持分を売却することが可能である。

なお，外国法人がベトナム法人の株式／持分を売却する場合には，ベトナムにおける源泉地国課税についても検討する必要がある。日本から直接投資を行う場合には，ベトナム法人の株式／持分の売却に際してベトナムにおいて源泉地国課税の対象となり得るのに対し[134)]，シンガポール所在の中間持株会社を通してベトナム法人に投資を行う場合，シンガポール・ベトナムの租税条約により，かかる場合の源泉地国課税が排除されているため源泉地国課税に服することなく，ベトナム法人の株式／持分を売却することが可能である。

(c) ベトナム所在の中間持株会社を通した投資の可否

中間持株会社において，投資先のベトナム法人からの配当を通して得た資金

---

132) 配当を含む一定の国外源泉所得について，当該所得が国外で課税の対象となり，且つ国外の最高法人税率が 15% 以上である場合には，非課税とされている（シンガポール所得税法 12 条(8)(9)）。2016 年 1 月 1 日からのベトナムの法人税率は 20% であるため，この制度の適用がある。

133) ベトナム国内からベトナム国外へ配当を支払う場合に，ベトナムにおける源泉税は特にかからない。

134) 日越租税条約 13 条 2 項は，(a)譲渡者及び特殊関係者が保有又は所有する株式の数が，課税年度中のいずれかの時点において対象法人の発行済株式総数の 25% 以上であり，且つ(b)譲渡者及び特殊関係者が当該課税年度中に譲渡した株式の数が，当該法人の発行済株式総数の 5% 以上である場合における譲渡収益について，源泉地国課税を認めている。なお，日本における外国税額控除制度により，ベトナムで支払った税額の一部又は全部の控除が認められる可能性はある。

を，他のベトナム法人に対する投資にのみ用いることが想定されるケース等で，ベトナム所在の中間持株会社を設立したうえでベトナム法人に投資を行うことも検討されることがある。ベトナムにおいては，「子会社株式の保有／管理」のみをその事業目的とする，持株会社としての機能のみを有する外資法人の設立は，基本的に認められていないが，例えば「コンサルティング業」等の他の事業目的を登録のうえ会社を設立し，傘下の事業会社に経営指導等のサービスを提供することで，実質的に，持株会社としての機能も有する会社を設立することも可能と考えられる（税務上の観点から，適正なサービス提供の対価を受け取る必要がある）。

② 買収対象会社が公開会社である場合の各種留意点

以下のいずれかに該当する場合は「公開会社」となる（2006 年証券法 25 条）。

> (i) 株式の公募を行った会社（公募実施会社）
> (ii) 証券取引所又は証券取引センターに上場している会社（上場会社）
> (iii) 100 名以上の株主（機関投資家を除く）が存在し，且つ定款資本が 100 億ベトナムドン以上である会社[135]

なお，上記「公開会社」の定義は，2021 年 1 月 1 日施行予定の 2019 年証券法（以下「2019 年証券法」という）では，以下のいずれかに該当する株式会社という定義に変更されている（2019 年証券法 32 条）。

> (i) 定款資本金額が 300 億ベトナムドン以上であって，100 名以上の株主（大株主を除く）が議決権付株式の 10％ 以上を保有している会社
> (ii) 国家証券取引委員会への登録を経て株式の公募を行った会社

買収対象会社が公開会社である場合に特有の規制のうち，ストラクチャリン

---

135) 実務上は，この(iii)の要件が見落とされがちであるため，留意が必要である。

Ⅱ　進　　出

グやスケジュールに影響を及ぼすものとして，次のようなものがある。

(a)　出資割合の上限規制

従前，外国投資家による公開会社への出資は一律に49％を上限とする規制が存在していたが，2015年9月1日から施行された政令60/2015/ND-CPにより以下のとおり定められた。実務上は，(ii)の観点が見落とされがちなので，買収対象会社の事業内容を精査のうえ，出資が認められる上限比率について事前に確認することが重要である。

> (i)　国際条約及びベトナム国内法令において，外資による出資比率について明確な規定がある場合には，当該出資比率が上限となる（例えば，100％の出資が可能である旨の定めがある場合には100％となる）。
> (ii)　国際条約及びベトナム国内法令において，外資による出資比率について明確な規定がない場合，又は出資比率の上限以外の他の条件が付されているときには，上限は49％となる。
> (iii)　買収対象会社が異なる外資保有割合が定められている複数の事業を営む場合には，最も低い割合が適用される（最も低い割合までしか当該会社の株式又は持分を保有できない）。

2019年証券法では，出資割合の上限規制について，①外国投資家及び外資企業は2019年証券法に従って出資割合の上限規制及び証券市場における投資の手続・条件に関する規定を遵守しなければならず，②公開会社への外資出資割合の上限については政府がこれを定めるという一般的な規定のみが置かれている（2019年証券法51条）。

(b)　公開買付規制

以下の場合に，原則として公開買付け（TOB）が義務付けられる（2006年証券法32条）。既存株式の譲受けの場合のみならず，新規発行株式取得の場合にも公開買付義務が発生すると解釈されている。

> (i)　保有割合25％以上となるような株式の取得をしようとする場合

(ⅱ) 保有割合が25％以上の者がさらに10％以上の株式を取得しようとする場合
(ⅲ) 保有割合が25％以上の者が，直前の公開買付けの完了から1年以内にさらに5％以上10％未満の株式を取得しようとする場合

但し，この公開買付規制には例外が設けられている。公開会社の議決権株式の25％以上を取得する取引であっても，当該取引が買収対象会社の株主総会の普通決議により承認されている場合は，公開買付けが不要とされている（2006年証券法32条2(b)項）。この規定を根拠として，実務上は，株主総会決議を経ることで公開買付けを行わない場合が多く，ベトナムでは，公開買付けはあまり利用されていないのが実情である。

2019年証券法においては，以下の場合に公開買付けが義務付けられるとされている（2019年証券法35条）。

(ⅰ) ある組織，個人及びその関係者が，直接又は間接に，公開会社の議決権付株式の25％以上を保有することになる議決権付株式の取得をしようとする場合
(ⅱ) 公開会社の議決権付株式の25％以上を保有している組織，個人及びその関係者が，当該保有割合が当該公開会社の議決権付株式の35％，45％，55％，65％，又は75％に達し又はそれらを上回るような取得をしようとする場合
(ⅲ) ある組織，個人及びその関係者が，公開買付けの結果，公開会社の議決権付株式の80％以上を保有する場合には，最初に行った公開買付けが当該公開会社の全ての議決権付株式を対象としていた場合を除き，当該公開会社の他の株主が保有している株式を，最初に行った公開買付けと同様の価格条件及び支払方法によって取得しなければならない。（なお，当該義務は，2019年証券法の施行前においても，政令58/2012/ND-CP（以下「政令58号」）51条において規定されているものである。）

公開買付規制の例外については，2019年証券法は，前述の現行法下の例外規定を維持しつつ，以下の2つの例外を新たに追加している（2019年証券法35条2項）。

Ⅱ　進　出

> (ⅰ) 国家資本又は国有企業が他の企業に投資した資本を処分する場合の公開入札又は買付けを通じた株式の取得
> (ⅱ) 会社の分割又は合併の場合の株式の取得

　(c)　私募規制

　2006年証券法6条12a項によれば，私募（private placement）とは，概要，「100名未満の者を相手にして，マスメディア及びインターネットを用いることなく株式の募集を行う場合」と定義されている。いわゆる第三者割当増資はこれに該当することになる。

　2019年証券法では，上記の私募の定義は，以下のとおり変更されている（2019年証券法4条20項）。すなわち，私募とは，マスメディアを用いることなく行われる以下のいずれかの株式の募集をいうと規定されている。

> (ⅰ) 100名未満の投資家（プロ証券投資家を除く）を相手にして行われる募集
> (ⅱ) プロ証券投資家のみを相手にして行われる募集

　私募を行う場合，株式の引受者となる外国投資家は，事前に，ベトナム証券振替機構から証券取引コードを取得しておく必要がある（通達123/2015/TT-BTC 4条）。

　また，株式の発行者となる公開会社は，次の手続を履践する必要がある。

> (ⅰ) ベトナム証券保管振替（Vietnam Securities Depository）に対して，当該私募の情報の登録を行う（2006証券法52条3項）。
> (ⅱ) 国家証券取引委員会（State Securities Commission）に対し，当該私募に関する事前の登録申請を行い，登録完了の通知を受領する（通知は申請から15日以内に行われる。政令58号6条）。
> (ⅲ) また，私募実行から10日以内に，ベトナム証券保管振替及び国家証券取引委員会に対して，当該私募実行後の外国株主の保有比率について通知を行い，そ

れぞれのウエブサイトにおいて公開する（政令60/2015/ND-CP 2a条5項）。

　上記(ii)(iii)に関して，2019年証券法では，私募の登録手続の詳細については規定されておらず，政府がこれを定めるとされている（2019年証券法31条6項）。
　また，新規株式を引き受けた投資家は，引受けの日から1年間，当該引受株式を譲渡することができないロックアップ期間に服する（2006年証券法10a条2項(b)）。
　2019年証券法では，当該ロックアップ期間は，戦略投資家については引受けの日から3年以上，プロ証券投資家については引受けの日から1年以上とされている（プロ証券投資家間で行われる株式の譲渡，裁判所の判決・決定，仲裁判断，相続に従って行われる譲渡はロックアップ規制の対象から除外されている。2019年証券法31条1項(c)）。

(d)　インサイダー取引規制

　2006年証券法上，「インサイダー情報」は，「公開会社又は公開のファンドに関する未公開情報であり，公開された場合に当該公開会社又は公開ファンドの株価に重大な影響を与え得る情報」と定義されている（2006年証券法6条32項）。そして，①インサイダー情報を利用した自分または他人のための証券の売買，②インサイダー情報の他人への提供，③インサイダー情報に基づき他人に証券売買に関する助言をすること，が禁止されている（2006年証券法9条3項，政令58号70条1項）。
　インサイダー取引規制に違反した場合，8億ベトナムドン〜10億ベトナムドンの行政罰が課される可能性があり（政令108/2013/ND-CP 29条1項），また，刑事罰として，最長3年間の非拘束再教育又は6か月以上3年以下の懲役に科せられる可能性がある。
　日本のインサイダー取引規制と比較した場合，ベトナムにおけるインサイダー情報の定義は非常に幅広く抽象的であり，判断の基準となるガイドラインも特段存在しないため，買収前のDDにおいて，インサイダー情報に該当し得る情報を入手した場合は，買収対象会社に当該事実を公表させる等の対応策が必

Ⅱ　進　　出

要になるケースもあり得る。

　(e)　大量保有報告規制

　公開会社につき直接又は間接に議決権付株式の5％以上を保有することになった者は，5％以上の株主となった日から7日以内に，当該公開会社，国家証券取引委員会，及び当該株式が上場されている証券取引所又は証券取引センターに対して報告を行う義務が生じる（2006年証券法6条9号，29条1項）。主要株主の議決権保有割合が1％を超えて変動した場合も同様である（同条3項）。

　2019年証券法のもとでは，大量保有報告義務が免除される場合として，以下の(ⅰ)から(ⅲ)の場合が規定されている。

> (ⅰ)　議決権付株式の保有割合の変更が，自己株式の取得又は公開会社による新株発行によるものである場合（なお，当該例外は，2019年証券法の施行前においても，通達第155/2015/TT-BTC26条4項により規定されている）
> (ⅱ)　上場投資信託（ETF）が取引を行う場合
> (ⅲ)　法令が定めるその他の場合

　(f)　スクイーズアウトの可否

　買収対象会社の株式取得の際，少数株主の管理コスト削減等を目的として，買収対象会社の全ての株式を取得することによって完全子会社化する取引（スクイーズアウト）を行うニーズは大きく，日本をはじめとする諸外国ではスクイーズアウトを行うための法的整備がされている。ベトナムにおいては，公開買付けの際，公開買付者が既発行株式の80％以上を取得したときは，残存株主が希望する場合に公開買付者は公開買付完了後30日以内に買取り義務を負うという制度はあるが（政令58号51条），残存株主が売却を望まないような場合に，残存株主の株式を強制的に取得するための制度はない[136]。したがって，現行のベトナム法制のもとでは，そのような取引を行うためには，各株主から個別に株式を買い取る以外に方法はないと考えられる。

---

136)　日本の株式交換に該当するような制度は用意されておらず，日本で用いられるような全部取得条項付種類株式のような種類株式の発行も認められていない。

(g) 企業結合規制

ベトナム競争法上も，諸外国と同様，企業結合規制は存在する。2004年競争法下では，市場シェアのみが届出の基準であったが，2018年競争法下では，国内資産額，国内売上高，取引価額が届出の基準として追加されたため，M&A当事者間の合計市場シェアが低くても，届出が必要になる場合がある。

吸収合併，新設合併，合弁会社，企業買収等のM&A取引は，「経済集中」行為として，著しい競争制限効果が生じまたは生じるおそれがある場合に禁止される（2018年競争法30条）。また，著しい競争制限効果が生じまたは生じるおそれがない場合であっても，一定の場合には，事前に競争庁に届け出て，禁止される経済集中に該当しない旨の回答を得る必要がある。2018年競争法は，この事前届出の基準について，2004年競争法の基準を大幅に変更し，従来の市場シェア基準に加えて，国内資産額，国内売上高，および取引価額という基準を定めている。

対象会社が金融機関，証券会社又は保険会社でない場合[137]，それぞれの基準についての具体的な数値は以下のとおりである。

- 市場シェア基準：経済集中に参加する企業の合計市場シェアが20％以上
- 国内資産額基準：グループ会社を含む総資産額が3兆ベトナムドン以上
- 国内販売又は購入の総取引高基準：グループ会社を含む総販売又は購入の総取引高が3兆ベトナムドン以上
- 取引価値基準：経済集中の取引価値が1兆ベトナムドン以上

(3) DDにおける留意点

㋐ DD実施上の留意点

ベトナムでは，日本や欧米諸国と比べ，M&A取引に慣れていない企業が多く，DDの際に，適時に適切な内容の資料を入手することに苦労するケースが

---

[137] 事前届出に関する詳細，及び，対象会社が金融機関，証券会社又は保険会社である場合の基準については，Ⅳ1(2)㋒②を参照

多い。例えば、資料請求リストに記載の資料と開示された資料の間に齟齬が見られたり、様々な理由で開示が拒否されるケースも珍しくない。

DDのスケジュール管理を適切に行うためには、資料請求リストの送付後、買収対象会社の担当者と密にコミュニケーションを取り、求めている資料の内容と、その資料がDDにおいて必要となる趣旨を正確に伝え、粘り強く開示を求めることが必要となってくる。

(イ) DDにおける発見事項への対処

ベトナム企業にDDを行った結果よく発見されるいくつかの問題点について、その内容と対応策を解説する。

① 法令違反

DDの結果、最も頻繁に発見される事項の一つが、法令違反である。DDの結果法令違反が発見された場合、その法令違反状態が治癒されることをクロージングの前提条件とすることが多い。しかし、ベトナムにおいて発見される法令違反のうち、リスクの大小には各発見事項ごとに差異があり、その全てについてクロージングの前提条件とし、クロージング前に違反状態の治癒を完了させなければならないとすることは現実的ではないこともあり、一部についてはクロージング後の対応とする判断となることもある。そのため、発見された法令違反についてリスクの大小を分析し、リスクの大小に応じた対応をとることが必要である。

② 出資金（定款資本金）の未払が存在する場合の対策

買収対象会社の既存の株主・出資者により、企業登録証明書上に規定されている定款資本が全て支払われていないケースが多い。そのような場合、法的には、既存出資者の株式保有割合や持分保有割合は既に支払済の定款資本の金額に応じて算出されることになるため、定款資本の未払があると、クロージング後に想定している買主の出資割合に、意図している数値との違いが生まれてしまうことにもなりかねない。また、株式会社については2014年企業法112条3項b（2020年企業法113条3項b）において、払込未了株式の譲渡禁止が定められている点にも留意が必要である。対応については、個別の事案を踏まえ、法律の専門家と相談の上進めることが望ましいと考えられる。

③　外資規制上問題のある事業目的が存在する場合の対策

買収対象会社がベトナム内資企業である場合には，事業内容の中に，外資規制に抵触するものも含まれていることが多い。この場合，各法令上の外資規制により買主による株式／持分の取得が禁止されることになる。そのため，関連する個別法に照らし，買収対象会社の事業目的ごとの外資規制を確認し，もし買主による株式／持分の取得が禁止されている場合には，当該事業目的の登録抹消を，取引実行の前提条件とすることが必要になる。

また，仮に外資規制の内容が，買主による株式／持分の取得が禁止されるものではなくても，当局による審査をより迅速に進めるため，買収後，遂行を予定していない事業については，同様に，登録抹消を取引実行に先立って行うことも検討すべきである。

④　贈 収 賄

買収対象会社の従業員に対するインタビューにより，買収対象会社が顧客と契約を締結する際に，契約金の一定割合の額を当該顧客の担当者個人にコミッションとして渡していることが判明することもある。買収対象会社やM&A取引の売主であるベトナムローカル企業側は，このような支払について，一種の商慣習であり，いわば「必要悪」であるとして正当化を図る向きもあるが，公務員や民間企業の役職員への贈賄行為は，ベトナム刑法上，贈賄罪に該当し，刑事責任を問われる犯罪行為である。

仮に買主による出資後に買収対象会社の従業員が贈賄行為を行った場合，(ⅰ)買主が買収対象会社への出資を通じて賄賂の原資を提供していたとして，(ⅱ)買収対象会社に対して派遣する役員等を通じて違反行為を知っていたなどとして違反行為の共謀が認定されて，さらには，(ⅲ)買収対象会社が将来違反行為を行う可能性が高いことを認識しつつ出資すること自体が違反行為を黙認するものであり違反行為の共謀に当たるなどとして，買主の役職員が刑事責任を問われたりする可能性もある。

（事実関係として買主が実際に違反行為に関与していないことを前提に）買主の役職員がかかる刑事責任を負うリスクを極力小さくするためには，買主として，買収対象会社が違反行為に及ぶことを防ぐための実質的な方策を講じる必要があると考えられる。

Ⅱ 進　出

　具体的な方策として，買収対象会社との間の株式譲渡契約や株主間契約において，違反行為をしないことを誓約する旨の条項を入れたり，買収対象会社から違反行為をしないことを誓約する旨の誓約書を取得することが必要であると考えられる。それに加えて，買収対象会社に対し，反贈賄防止体制の構築（ポリシーや規程の整備，内部通報制度の構築等）を約束させ，実際にそのような体制が構築されていることを確認したり，買収対象会社に対し，反贈賄のための研修を行うことが考えられる。

　さらに，買主が買収対象会社に対して常勤の役職員を派遣し，現場レベルで，買主が買収対象会社の役職員の行動を適切にモニターすることができる体制を整備することにより，買収対象会社による公務員との接触を管理したり，買収対象会社による支払や贈賄の原資となりうる子会社等との取引を厳しく監視するといったことも考えられる。

　DDにおいて，すでに買収対象会社が贈賄を行っている事実が明らかになっている場合，買収後もそのような贈賄が行われる土壌が既に存在しているとも言い得る。したがって，単に形式的に違反行為をしないことを約束させるといった対応では不十分と判断される可能性があり，過去の違反行為への対応，及び，今後違反行為を防ぐための実質的な方策の双方について，個別の事案を踏まえて法律の専門家と相談する必要性が高いと考えられる。

⑤　二重帳簿問題

　ベトナムのローカル会社では，当局提出用の財務諸表と内部管理用の財務諸表の双方が存在することは珍しくない。DDで買収対象会社にこのような二重帳簿の存在が発覚した場合，まず，買収対象会社の企業価値評価を正確に行う観点から，「買主が選任する信頼できる専門家による精査を経た財務諸表の確定」は必須であり，M&A契約の締結までにこのプロセスを完了させることが基本的な対応となる。もっとも，相手方との契約交渉の状況に照らし，M&A契約締結までにこのプロセスを完了させることが間に合わない場合は，いったん，（買収対象会社の事業の実態をより正確に表していると考えられる）内部管理用の財務諸表で暫定的な企業価値評価を行ってM&A契約を締結したうえで，「買主が選任する信頼できる専門家による精査を経た財務諸表の確定」の完了をクロージングの前提条件とし，正確な企業価値評価を改めて株式買取価格に

反映させるべく，M&A 契約において，株式価値の価格調整条項を置くことも考えられる。

⑥ 税 務 問 題

DD の過程で，税務アドバイザーによって，追徴課税のおそれがある税務問題が報告されることがある。一般論として，ベトナムのローカル会社の税務コンプライアンス体制のレベルは必ずしも高いとは言えないため，税務 DD を行った結果，このような問題が発見されることは珍しいことではない。このような問題点が発見された場合，まず，株式譲渡契約上，DD で発見された税務問題を特定のうえ，その問題に関連して追徴課税を受けた場合に，買主側が売主側から補償を受けることができる特別補償条項を設けることが考えられる（ベトナムにおいて，追徴税額及び利息の消滅時効は 10 年であるので，買主側としては，その特別補償条項の有効期間は 10 年としたいところである）。ただ，契約においてこのような特別補償条項を設けたとしても，実際にリスクが顕在化した時に，本当に売主側から支払を受けることができるのか，という点まで一歩踏み込んで検討する必要がある。すなわち，契約書に基づき，買主が売主に補償を求めるようなケースでは，買主と売主の間は紛争状態に至っていることが多く，そのようなケースでは売主側からの任意の支払は見込めないようなケースも大いに想定される。その場合，買主は，契約書で合意した紛争解決手段に従い，売主に対して契約書上の権利の実現を図ることになるが，ベトナムでは日本などの先進諸国とは異なり，訴訟提起→強制執行→債権回収，というメカニズムがきちんと機能していないため，これを見越した対応策を採らないと，契約書が「絵に描いた餅」になりかねない。そこで，リスクが顕在化する可能性が高い税務問題が DD で発見されたような場合については，端的に譲渡価格に反映（減額）することも考えられる。もっとも，このような譲渡価格の減額は売主の同意が得られないことも多いので，そのような場合には，エスクロー口座を利用して，特別補償の支払のための資金を一定期間確保しておくことも考えられる。

(4) M&A 契約における実務上の留意事項

ベトナム企業との M&A 契約も，基本的な構成は諸外国の M&A 取引の契約

書と変わるところはない。株式／持分譲渡契約書に基づき株式／持分の譲渡の合意がなされ，ケースによっては株主間契約書が締結され，他の株主との間で買収対象会社のガバナンス等に関する合意が行われる。これらの契約書の条項の中には，ベトナム固有の規制や実務慣行との関係で留意を要するものも多くあるが，以下，それらのうち代表的なものについて解説を行うこととする。

㋐ 株式／持分譲渡契約書におけるクロージングの規定

① 売主から買主への買収対象会社の権利移転に伴う手続

売主から買主への買収対象会社株式／持分の権利移転に必要な各種手続のうち，ここでは，企業買収登録手続及び企業登録証明書／投資登録証明書関係の手続を取り上げる。

(a) 企業買収登録手続

M&A 取引における買主は，2014 年投資法 26 条に基づき，以下のとおり，企業買収登録手続を履践しなければならない。なお，この登録手続は，買収後の出資比率が 51％ 未満且つ，買収対象会社の事業が 2014 年投資法に規定されている条件付投資分野を含まない場合には不要となる。この点，2020 年投資法のもとでは，企業買収登録手続は，①条件付投資分野を事業登録している買収対象会社について，買収前と比較して外資出資比率が増加する場合，②条件付投資分野を事業登録していない買収対象会社について，買収前と比較して外資出資比率が増加し且つ買収後の外資出資比率が 50％ を超える場合，又は，③買収対象会社が保有している土地使用権証書に記載されている土地が国境，島，海岸その他の国防及び国家安全保障上影響のあり得る土地である場合のいずれかの場合に必要であるとされている。なお，以下の企業買収登録手続の申請・審査フローが 2020 年投資法の施行によりどのような影響を受けるかについては，関係法令が未整備のため本稿執筆時点では不明である。

- 当局は，株式／持分取得が，2014 年投資法に定める条件に合致するものであるか否かを審査する。
- 条件に合致している場合，登録申請書類を受領した日から 15 日以内（法定処

- 理期間であり，実務上はより長期間を要する場合もある）に，投資家の変更手続が可能となる旨の通知が行われる。
- 条件に合致しない場合には，申請者に対して，理由とともにその旨の通知がなされる。
- 企業買収登録手続は，買収（クロージング）前の手続であり，手続完了後，クロージングの前提条件が整わないこと等を理由に結局買収が実施されないとしても，法令上は特段制裁は規定されていない。

(b) 企業登録証明書変更・投資登録証明書取得の要否

企業登録証明書変更・投資登録証明書取得の要否は，①買収対象会社が内資企業（出資者がベトナム法人又は個人のみである法人を意味する）か，外資企業（完全内資企業以外のベトナム法人を意味する）か，②株式会社か有限会社か（買収対象会社の形態），③ M&A 取引の形態が既存株式／持分の譲渡か，新規株式／持分の引受けか，等によって異なるが，概略は次のとおりである。なお，管轄当局や個別の案件ごとに，異なる取扱いがなされる可能性もあり，個別の案件ごとに事前の当局への確認が必要である。

② 買収対象会社が内資企業の場合

〈企業登録証明書の変更〉

	既存株式／持分譲渡	新規株式／持分引受け
買収対象会社が株式会社	対象会社の企業登録証明書に，最新の株主構成は記載されないため（2014年企業法29条，2020年企業法28条），企業登録証明書の変更手続は必要ない。 外国投資家が株主になった旨を関連情報とともに経営登記機関に通知しなければならない（2014年企業法32条，政令78号52条，2020年企業法31条・122条）。	買収対象会社の企業登録証明書に記載された定款資本の増加を伴うことから，定款資本の増加に関し，企業登録証明書の変更が必要になる（2014年企業法29条4項，政令78号44条2項，2020年企業法28条）。 外国投資家が株主になった旨を関連情報とともに経営登記機関に通知しなければならない（2014年企業法32条，政令78号52条，2020年企業法31条）。 増資に関する経営登記機関への通知が必要（2014年企業法123条，政

Ⅱ 進　　出

		令78号54条，2020年企業法127条6項）。
	株主名簿（2014年企業法121条，2020年企業法127条6項）の名義書換（法的には，株主名簿の名義書換完了をもって株式の所有権が移転し，支配権の移動が完了することになる〔2014年企業法126条7項，2020年企業法127条6項〕）。	株主名簿（2014年企業法121条，2020年企業法122条）の名義書換（法的には，株主名簿の名義書換完了をもって株式の所有権が移転し，支配権の移動が完了することになる〔2014年企業法126条7項，2020年企業法124条4項〕）。
買収対象会社が有限会社	企業登録証明書に社員の名称が記載されているので（2014年企業法29条3項，2020年企業法28条3項），社員／出資比率の変更についての企業登録証明書の変更が必要となる〔2014年企業法31条，政令78号45条・46条，2020年企業法30条〕。法的には，2名有限会社の場合，社員名簿に譲受人が記載された時点で，出資比率の変更が効力を生じる（2014年企業法53条2項，2020年企業法52条2項）。ただし，当局との関係では，実務上，企業登録証明書の変更が完了するまでは，譲渡人が社員として扱われないことがある。	企業登録証明書に社員の名称が記載されているので（2014年企業法29条3項，2020年企業法28条3項），社員／出資比率の変更についての企業登録証明書の変更が必要となる（2014念企業法31条，政令78号45条・46条，2020年企業法30条）。買収対象会社の企業登録証明書に記載された定款資本の増加を伴うことから，定款資本の増加に関し，企業登録証明書の変更が必要（2014年企業法29条4項，政令78号44条2項，2020年企業法20条4項）。 法的に出資比率の変更が効力を生じる時期は必ずしも明確ではないが，当局との関係では，実務上，企業登録証明書の変更が完了するまでは，引受人が社員として扱われないことがある。

〈投資登録証明書の取得〉

　条文上は，投資登録証明書の取得は不要であると解される（2014年投資法36条2項及び政令118号46条4項，2020年投資法37条2項）。

③　買収対象会社が外資企業の場合

〈企業登録証明書の取得／投資登録証明書の取得〉

　買収対象会社が旧投資法に基づき既に取得している投資証明書は，企業情報

に関する部分と投資プロジェクトに関する部分によって構成されるが，前者の部分に変更がある場合には企業登録証明書の取得が，後者の部分に変更がある場合には投資登録証明書の取得が，それぞれ必要となる（政令78号44条・45条・46条及び政令118号62条・63条）。買収対象会社が既に企業登録証明書及び投資登録証明書を取得している場合は，それぞれの内容に変更がある場合はそれぞれの証明書の変更が必要となる。

Column

経営権移動のタイミング

　支配権の移動も伴うM&A取引では，クロージング後，買収対象会社の従前の法定代表者が買主によって選任される代表者へ変更されることが通常であり，一連のクロージング手続の当局への申請と同時に，法定代表者の変更も当局に申請される。法定代表者の変更が法的に効力を生じるのは，当局から，変更後の法定代表者が記載された企業登録証明書が発行された日であると解されているが，企業登録証明書の発行日は当局によって決定され，取引当事者にはコントロールできない。一方，日系企業には，例えば4月1日等，キリのよい一定の日（本コラムにおいて「経営権移動日」という）をもって経営権の移動及びそれに伴う代表者の異動を行いたいというニーズがある。株式／持分譲渡契約書において，このようなニーズに対応するための方策を規定することが考えられる。すなわち，変更後の法定代表者が記載された企業登録証明書の発行日が，経営権移動日よりも前に到来した場合，新法定代表者から旧法定代表者に対して経営権移動日の前日まで有効な委任状を発行して業務執行を行わせることとし，変更後の法定代表者が記載された企業登録証明書の発行日が，経営権移動日よりも後になった場合には，旧法定代表者から新法定代表者に対し，変更後の法定代表者が記載された企業登録証明書の発行日の前日まで有効な委任状を発行して業務執行を行わせる，というアレンジが考えられる。

---

④　対価の支払

(a)　概　要

　株式／持分譲渡における譲渡対価の支払や，新規株式／持分取得における引受価格の買収対象会社への払込みに関して，次のようなベトナム特有の規制がある。

(b) 資本性の口座の利用

ベトナムの M&A 取引における譲渡対価・引受対価の支払方法は、日本国内における M&A 取引におけるそれとは異なるプロセスを辿ることになる。日本の M&A 取引では、買主の銀行口座から売主の銀行口座へ、或いは買収対象会社の口座へ、直接支払が行われることが通常であろう。一方、ベトナムの M&A 取引では、次のような規制のため、買主が売主の銀行口座や買収対象会社の銀行口座へ直接支払を行うことはできない場合がある。

すなわち、法令上、以下の(i)～(iii)の企業については、直接投資資本口座（Direct Investment Capital Account、いわゆる"DICA"）の開設が必要とされており、外国投資家がベトナム企業に出資するケースで買収対象会社が(i)～(iii)のいずれかに該当する場合、基本的には、買収対象会社への出資又は既存株式の譲渡取引の支払について、DICA を経由して行うことが必要となる。

(i) 出資者又は株主に外国投資家がいる形で設立され、投資に関する法令に基づき投資登録証明書（IRC）の発行が求められている企業
(ii) 上記(i)には該当しないものの、外国投資家がその定款資本の 51% 以上を保有している企業。具体的には
　ⓐ 外国投資家による持分又は株式の買取りの結果、定款資本の 51% 以上を外国投資家が保有している企業
　ⓑ 会社分割又は合併の結果、定款資本の 51% 以上を外国投資家が保有している企業
　ⓒ 特別法に基づいて新規に設立された企業
(iii) 投資に関する法令に基づき、PPP プロジェクトを実施するために外国投資家によって設立されたプロジェクト会社

ただし、ベトナム非居住者間での既存株式の譲渡取引の場合には、DICA を経由する必要はないとされている。したがって、例えば、買収対象会社の外国株主から、日本企業が株式を直接譲り受ける場合、売買代金の支払時に DICA を経由する必要はない。

また、外国投資家がベトナム企業に出資するケースで買収対象会社が上記(i)

〜(ⅲ)のいずれにも該当しない場合には，買収対象会社に出資を行う投資家側が開設する間接投資資本口座（Indirect Investment Capital Account，いわゆる"IICA"）を通じて出資金・譲渡代金の送金を行う必要がある。

これらの規制は整合性が取れていないようにも見え，実務上も混乱が見られる。今後，これらの不整合を是正する新しい規制や実務運用の安定化により，実務の混乱が収束することが期待されるが，それまでの間は，個別の案件ごとに，当局や金融機関に事前確認を行って進めることが必要である。

(c) 代金の支払タイミング

M&A 取引に関する当局関係の手続が完了するまでには，一定の期間を要し，また，（仮に当局と事前に協議を行い，内諾を得ていたとしても）最終的に当局から承認を得られないリスクは完全にはゼロにできない。したがって，代金の支払タイミングにつき，買主の立場からは，当局関係の手続が全て完了した時点まで留保したいと考えるのが通常であり，一方，売主（既存株式／持分譲渡のケース），買収対象会社（新規株式／持分引受のケース）の立場からは，当局関係の手続が全て完了した時点ではじめて代金の支払を受けるのでは，代金未払のリスクを抱えることになるので，代金支払を受けてから当局関係の手続を開始したいと考えるのが通常であろう。これらの双方の当事者の懸念に対応するため，エスクロー口座を利用し，買主からエスクロー口座への入金が行われた後に当局への申請を行い，当局関係の手続が完了したことを，エスクロー口座から売主／買収対象会社の口座へのリリース条件として定めるというアレンジが検討されることもある。

Column

譲渡代金の一部後払とエスクロー口座の利用

株式／持分譲渡の形式で行われる M&A 取引において，売主への譲渡代金の一部を後払するアレンジが検討されることがある。例えば，①株式／持分譲渡契約締結時において想定された買収対象会社の企業価値に毀損が生じ得る可能性が高いことが DD の結果判明している場合[138]には，譲渡代金の減額要因が存在することになるため，一部の金額の支払を留保する必要性が生じるし，②買収対象会社の経営

---

[138] 典型的には，対象会社が被告となっている訴訟が係属しており，対象会社が敗訴した場合に偶発債務が現実の債務として認識される場合が挙げられる。

陣が同時に株主でもある場合，経営陣に業績を向上させるインセンティブを与える観点から，クロージング後一定期間の買収対象会社の売上や利益率等，一定の指標が達成されたときに，一定の計算式に基づき，譲渡対価の一部を後払することもある（いわゆるアーンアウト条項）。

このような後払の可否は，売主側との交渉次第となるが，単なる後払に売主側が難色を示す場合，支払を留保したい金額を，一定期間，エスクロー口座で保管しておくことによって，売主側の同意を得られることもある（このようなアレンジにより実質的に，一部代金の後払を実現することは可能である）。

(イ) 株式／持分譲渡契約書におけるその他の条項

① 概　要

ベトナム企業を対象とする株式／持分譲渡契約書においても，諸外国とのM&A取引の場合と同様の各条項が盛り込まれることになるが，ベトナム特有の事情により，特別な考慮が必要となる条項も存在する。ここでは，その代表的なものとして，前提条件（Condition Precedents），誓約条項（Covenants），終了事由（Termination），優先言語（Language）を取り上げ，それぞれよく実務上問題となるポイントの解説を行う。

② 前提条件

ベトナムでは，DDの結果，買収対象会社に多くの法令違反が見つかることは珍しくない。法令違反の代表的なものとして，政府から事業運営に必要な許認可を取得できていないケースがある。このような場合，許認可が取得できていない事業のビジネス上の重要性が高い場合には，当該許認可の当局からの取得を，取引実行の前提条件として株式／持分譲渡契約に規定することになる。また，買収対象会社の事業運営の適法性（許認可の必要性等）の解釈について，買主側と売主（買収対象会社）側で解釈が異なることもあるが，そのような場合には，買収対象会社の事業運営が法令に適合していることの当局からの確認書面の取得を，同様に，取引実行の前提条件として規定することになる。

もっとも，当局から取得した許認可や確認書面が，買主側の意図している内容と異なり，その内容の解釈をめぐって買主側と売主（買収対象会社）側で争いになるという事態もよく見受けられ，結果として，買主側の意図している前

提条件の充足に想定以上に時間がかかる,或いは,前提条件の充足の有無について争いになるという事態も発生する。

このことに対する対応策としては,売主(買収対象会社)側で取得すべき政府からの許認可や確認書面がどのような内容であるのかについて買主との間で認識に齟齬が生じないよう,前提条件の文言を詳細に記載しておくことが考えられる。あるいは,契約締結前に,売主(買収対象会社)と協議の上,許認可や確認書面の取得を,契約締結に先立って完了させておくといった対応も検討に値する。

③ 誓 約 事 項

ベトナムでは,会社に蓄積した営業秘密やノウハウ(技術情報や顧客名簿など)の漏洩を行うことや,それを用いて買収対象会社と競業する事業を開始することへの抵抗感が,日本と比べて低いと言われ,M&A案件においても,クロージング後,売主や買収対象会社の役員や従業員が,買主から取得した営業秘密やノウハウを利用して買収対象会社との競業事業を開始するケースも珍しいことではない。M&A契約においても,例えば次のような競業禁止規定を設け,このような事態に対処しておくことが必要である。

〈競業禁止規定の例〉
　乙(売主)は,ベトナム国内において,直接又は間接に,及びその従業員をして,A社(買収対象会社)の事業,これに関連する事業及び競業し得る事業(競業事業)を行ってはならず,且つ,競業事業を行う会社を新たに設立し,又は競業事業を行う会社の株式又は持分を取得してはならない。

なお,万が一このような競業禁止規定に違反する行為が行われた場合には,買主は契約違反に基づく損害賠償請求をすることになるが,競業禁止規定違反に起因して買主が被る損害の具体的金額について立証を行うことは難しいため,契約において,予め損害の推定条項を合意しておくことも検討に値する。

但し,このような損害の推定条項の有効性については,ベトナム法上解釈が定まっていないようである。推定の内容が合理的であれば当事者間の合意として有効であるという解釈もあるため,契約の内容として定めることも選択肢と

して考えられるが，最終的に無効と判断される可能性もある点に留意が必要である。

④ 契約終了事由

M&A 契約では，前提条件の不充足等が原因で一定の期間までにクロージングが行われない場合，契約の両当事者を契約書上の義務から解放するため，一定の日（いわゆる Long Stop Date）の経過をもって契約が終了すると規定することがある。この点，前記のように，ベトナムにおいては，特に当局からの許認可取得や確認書面取得といった当局関係の前提条件の充足に想定以上に時間を要することもあり（前提条件充足の有無そのものについて争いになることもある），契約書において終了事由として定めた一定の日が経過することも珍しくない。このような場合，契約書が，売主側や買収対象会社側からも契約が解除できるような建付けになっていると，買主側が不安定な位置に置かれることになる。したがって，一定の日の経過を契約の終了事由として定める場合には，十分に余裕を持ったスケジューリングをしたうえで当該日を定める，あるいは，買主側からのみ契約を解除できるような規定としておく，といった対応が考えられる。

⑤ 言 語

ベトナムの M&A 取引において，相手方との交渉は両者の共通言語としての英語で行われ，契約書も英語で締結されることが通常である。但し，M&A 契約書は，手続完了に際しての管轄当局への提出書類となる[139]ため，契約書のベトナム語版の作成の必要がある。また，英語版とベトナム語版の間で意味の食い違いがあった場合に優先する言語を英語とした契約書は，当局が受理せず，優先言語をベトナム語とすることが求められることもある。但し，多くの日系企業にとって，馴染みがあるとは言えないベトナム語を優先言語とすることには抵抗があることから，実務上は，当局提出用として，株式／持分取得を行う旨のみを記載した簡易な契約書をベトナム語で作成しつつ，その他の詳細な条件を記載した契約書は英語で作成するという方法がとられることがある。

---

[139] 対象会社が有限会社の場合につき政令 78 号 45 条・46 条，対象会社が株式会社の場合につき政令 78 号 52 条等。

(ウ) 株主間契約書

株主間契約書に関する留意事項については，4を参照されたい。

(5) クロージング後の対応事項

ベトナム企業と日系企業では，コーポレートガバナンス体制，コンプライアンス遵守意識，従業員の会社に対する所属意識等，あらゆる面での企業文化の違いが散見される。クロージング後，M&Aの目的であるシナジーを実現していく段階の，いわゆるPMI（Post Merger Integration）については，クロージング後直ちに取り掛かることが一般的にも重要と言われるが，上記の観点から，クロージング以前から計画を立て，クロージング後直ちに個々の課題への対応に着手することが必要である。ここでは，諸規程類の整備，リテンションプランの策定及び経営陣・従業員の維持，秘密保持管理体制の構築，経理処理の早期確認の四点を取り上げる。

(ア) 諸規程類の整備

ベトナム企業による法令違反の事例は，日本や欧米諸国等の先進国の場合と比較して多くみられる。そこで，法令遵守体制の確立のひとつの手段として，企業の諸規程類（コンプライアンス規程や当該企業の業種に関係する法令遵守のための社内マニュアル等）を策定することが考えられる。そもそも，定款や就業規則等の既存の規程類が法令に違反している例も多く，クロージング後，直ちに改訂することが必要である。前述のように，DDで発見された法令違反のうち，クロージング前に治癒を完了せず，クロージング後に対応する旨合意したものについて，PMIの一環として法令違反の瑕疵を治癒することも必要になる。

また，法令違反があるとまではいえない規程類についても，買収企業側の考え方・ガバナンス方法等にあわせる形での改訂が検討事項となるが，ただ買収企業側のルールを押し付けて改訂作業を進めるだけでは，買収対象会社であるベトナム企業による反発が想定されるケースも多い。そのため，従業員によって実際に各種規程を遵守させるためには，単に規程類を改訂するだけではなく，買収企業の風土・文化を早期に浸透させるための，コンプライアンス研修や懇親会等の施策の実施も重要である。

Ⅱ　進　出

(イ)　経営陣・従業員の維持（リテンションプランの策定）

　買収対象会社であるベトナム企業の従業員が，買収後の自身のポストや待遇，業務内容の変化について不安を感じることは多い。一般的に，ベトナムにおいては，従業員の転職が日本より頻繁に見受けられるため，買収後のキーパーソンの雇用維持のための工夫が必要となってくる。具体的には以下の対応策が考えられる[140][141]。

① パフォーマンスに応じたボーナス

　年功序列型ではなく成果型の，パフォーマンスに応じたボーナスの設計の導入が考えられる。

② 転職禁止規定の可否

　労働契約や就業規則において，従業員の競業他社への転職を禁止する規定を設けた場合，当該規定の有効性については解釈が分かれている。労働当局の見解では，労働法 21 条 1 項が，明示的に従業員が複数の雇用主と契約することができると規定していること，また，同法 5 条 1 項の職業選択の自由の原則から，退職後の一定期間はもちろんのこと，在職中であっても，競業他社への不就職の義務を従業員に課すことはできないとの解釈がとられている。他方で，雇用者と被雇用者間の自由な契約として，従業員が在職中や退職後の一定期間の間，競業他社への就職禁止を合意することは可能であるとの考え方もあり，後者は一部の裁判所によっても支持されているようである。

　後者の考え方が今後の裁判実務でも一般的に採用されるか否かは不透明であるが，例えば，競業他社への就職禁止期間を合理的な範囲に設定したり，労働法の適用がある労働契約や就業規則ではなく別個の契約で転職禁止規定を設け

---

140) 公開会社に対するベトナム版 ESOP の制度が 2015 年 10 月 26 日付通達 162/2015/TT-BTC により認められた。具体的には，一定の条件のもと，株主総会により承認される計画に従い，12 か月の間に発行済株式総数の 5％ を上回らない数の株式を発行することができるものとされており，取締役会によって，対象者や各対象者への株式の交付数及び発行価格の決定方法等が告知される。なお，従業員に対して通常より有利な条件で株式を発行することも，この制度を利用することで可能となるものと思われることから，買収対象会社が公開会社の場合には，検討の余地があると思われる。なお，非公開会社は同通達の対象となっていない。

141) 日本の上場会社の株式を付与するインセンティブプランが検討されることもあるが，ベトナム中央銀行の外国株式ボーナスプランの要件を充足することが必要であり，当該プラン自体もベトナム中央銀行の承認を要する等，手続上のハードルがあり，実務上はまだ一般的とは言えない状況である。

る等，一定の工夫をすることで，合意が有効と認定される可能性を高めることは可能と思われる。

③ 秘密情報管理体制の構築

ベトナムにおける情報管理に対する意識は，日本に比べて相対的に低い。さらに，上記のとおり，競合他社への転職も日本より頻繁に見受けられるため，自社のノウハウや顧客情報等の秘密情報の漏洩を防止する対策が重要である。

情報漏洩リスクへの事前対策としては，情報へのアクセス権者の限定，情報管理の重要性を従業員に周知徹底するなどの教育・研修による対策や，情報漏洩リスクを低減し，万一情報漏洩が行われた場合に痕跡を辿れるようなITシステムを構築しておく，といった対策を行うことはもちろんのことであるが，これらに加え，法的にも可能な対策を予め講じておくことが望ましい。

ベトナム労働法上，「雇用者は，営業上の秘密，又は，技術上のノウハウに直接に関係する仕事をしている従業員との間で，営業上の秘密又は技術上のノウハウに対する保護，並びに，従業員がこれに違反した場合における雇用者の権利及び損害賠償について，その内容及び条件を書面により合意することができる」と定められている[142]。したがって，少なくとも，「営業上の秘密，又は，技術上のノウハウ」に接する可能性のある従業員については，情報漏洩を禁止する秘密保持契約を締結しておくことが望ましいと考えられる[143][144]。

---

[142] 労働法23条2項。

[143] この「営業上の秘密，又は，技術上のノウハウ」の範囲は明らかではないが，知的財産法上の「営業秘密」とその範囲を同じくするとの解釈がある。知的財産法上の「営業秘密」は，(1)共通の知識でなくまた容易に取得されるものでもなく，(2)業として使用されるときは，それを所有又は使用しない者よりもその所有者に対して有利性を与えることができ，(3)それが開示されず，また容易に入手することもできないよう必要な措置を講じてその所有者が秘密を保持している情報をいう（知的財産法84条），とされていることから，漏洩防止の対象となっている情報がかかる知的財産法上の「営業秘密」としての保護を受けるために必要な法律上の要件を満たすよう，秘密情報の管理体制を整備しておくことは，当該情報保護の観点及び上記のような従業員との間で締結される契約の有効性の観点からも重要である。

[144] また，ベトナム労働法には，雇用者の「資産」に損害をもたらした場合に，被雇用者が雇用者に対して賠償義務を負う旨を定める規定がある（130条）。この規定は，労働者保護の観点から，雇用者の被雇用者に対する損害賠償請求が認められる場合を限定していると解釈されているが，この条文の解釈上，情報のような無形物が「資産」に該当するかは必ずしも明らかではないため，秘密保持契約が雇用関係を基礎として締結される場合には，この規定の適用があり，従業員の情報漏洩時の雇用者からの損害賠償請求が，（秘密保持契約の明示的な違反であるにもかかわらず）制限される可能性もある。そこで，実務上，「労働法の適用はなく民事法が規律する契約である」ことを明示した秘密保持契約書を締結することも行われている。これは，労働法130条の適用を排除

II 進　出

　また，秘密保持契約に記載されている守秘義務の内容や，知的財産法上の営業秘密保護の枠組み，情報漏洩行為をした場合の効果などについて，研修等を通して改めて従業員に対して周知徹底することも重要である。

④　経理処理の早期確認

　ベトナムでは，買収契約締結前の会計 DD では見つけることのできない不正会計が存在する事例が多く，買収直後又は買収後暫く時間が経過してから，情報提供を受けていた財務諸表の内容が正しくないことが発覚することは珍しくない。具体的には，税務対策としての財務諸表とは異なる裏帳簿が後から発覚することが多い。そのため，買収後速やかに，財務諸表の精査を行い，事前に情報提供を受けていた財務諸表の内容に誤りがないことを確認することが重要である。

し，従業員による情報漏洩の場合に雇用者が損害賠償請求できる可能性を高めることを狙いとしている。

6 不 動 産

(1) 土 地 制 度

㋐ 土地制度概要

　ベトナムでは，あらゆる土地の所有権は国民全体に帰属し，国家が所有者の代表として土地を統一して管理するとされ，私人（内資企業，外国投資企業[145]，外国企業[146]，個人）において，土地に関わる投資を行う場合や土地を使用する場合は，国家から土地使用権という形で権利を取得することになる。

　土地使用権は，その取得態様及び国家と土地使用権者との関係に着目すると，大きく，①「国家からの土地使用権割当て」（以下，「割当土地使用権」という）と，②「国家からの土地リース」の2種類に大別できる。さらに，①「割当土地使用権」は，(A)「土地使用料を伴う土地使用権割当て」と(B)「土地使用料を伴わない土地使用権割当て」に分類することができる。②「国家からの土地リース」は，賃料の支払方法に着目して，(C)「年払の賃料を伴う土地リース」及び(D)「一括払賃料を伴う土地リース」に分類することができる。他方，②「国家からの土地リース」につき，リース形態に着目すると(E)「国家から直接受けるリース」と(F)「サブリース」に分類することができるが，後者には，(G)「工業団地等のデベロッパーからの当該工業区におけるサブリース」，(H)「輸出加工区におけるサブリース」及び(I)「ハイテク地区におけるサブリース」という類型が存在する[147]。

　土地割当ては，行政による決定に基づき，土地が所在する省及び地方都市の人民委員会により行われる。国家からの土地のリースは，行政による決定と国家と土地使用者間のリース契約に基づき，管轄人民委員会が行う。土地サブリースは，原則として土地使用者と工業区域，輸出加工区，ハイテク地区のデベ

---

[145] 本節において，外国企業による100％出資がされているベトナム国内の企業，合弁企業，外国企業の出資を受けているベトナム国内の企業をいう（脚注151参照）。
[146] 本節において，ベトナム国外に所在する法人その他の組織（例えば日本法人）をいう。
[147] 土地法（45/2013/QH13）149条・150条。

Ⅱ 進出

〈土地使用権の種類〉

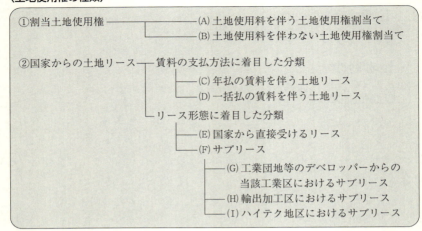

ロッパー間のサブリース契約に基づいて行われる[148]。

　利用形態についてみると，①割当土地使用権については，その地代が国家予算から支払われている場合を除き，譲渡・リース・担保供与が原則として可能である。他方，②国家からの土地リースについては，(D)「一括払賃料を伴う土地リース」は，土地使用権の譲渡・サブリース・担保供与が原則として可能であるが，(C)「年払の賃料を伴う土地リース」は，譲渡・担保供与を行うことができず，サブリースも一定の場合を除き認められていない。

　日本の不動産制度の下では，土地の所有者は，原則として，その土地を自由に，また，期間の制限なく，使用収益することが可能であり，外国投資企業に対して所有権を譲渡することも原則として自由である。一方，ベトナムの土地使用権制度の下では，土地の使用態様や使用期限などについて国家が全て管理しており，後記(ウ)②のように，外国投資企業に対して土地使用権を譲渡することは原則としてできない。この点で，私人が原則として自由に不動産取引を行うことができる日本の不動産制度と，ベトナムの不動産制度の間に根本的な違いがある点をまず理解する必要がある。

---

148)　土地法56条・149条3項・150条5項。

(イ) 土地使用料の決定方法

　割当土地使用権，及び国家からの土地のリースの場合，管轄人民委員会が，市場価格を参考にしつつ，土地価格に関する規定（例えば，土地価格表）に基づいて土地使用料を決定する[149]。他方，工業区，輸出加工区，ハイテク地区のデベロッパーからの土地のサブリースの場合には，土地使用料は原則として当事者間で締結される契約に従い決定される。

(ウ) 外国投資企業，外国企業及び外国人による土地使用権の取得

① 国家等からの直接取得

　まず，割当土地使用権については，外国投資企業は，分譲のみ，又は，分譲及び賃貸が混在する住宅開発プロジェクトのケースに限り，割当てに基づく土地使用権を取得することが可能である。これ以外のケースでは，外国投資企業は，割当土地使用権を取得することはできない。

　他方，国家からの土地リースについては，外国投資企業は，年払の賃料を伴う土地リース，一括払の賃料を伴う土地リース，工業団地等のデベロッパーからの当該工業区におけるサブリース，輸出加工区におけるサブリース及びハイテク地区におけるサブリースのいずれも保有可能である。

　外国企業は，割当て及びリースのいずれの形態であっても土地使用権を取得できないとされているので，外国企業はいかなる形態であってもベトナムの土地使用権を保有できない。

　外国人は，土地法5条に掲げられる土地使用権の主体には該当しないため，いかなる形態であっても土地使用権を保有できないと考えられるが，115頁のコラムに記載のとおり，集合住宅の一室を購入した外国人に土地使用権の一部が与えられる例も実際にはあるようであり，法令と実務が整合していないと思われる。

② 譲受けによる取得

　外国投資企業については，土地法に，外国投資企業が既存の土地使用権者からの譲受けの方式で土地使用権を取得できることを明確に認める文言が定めら

---

[149] 土地法108条・114条。

Ⅱ 進　出

れていないため，一定の場合[150]を除き，譲受けの方式で土地使用権を取得することは認められていないと解釈されている。したがって，外国投資企業は，原則として，(i)国家から直接リースを受けるか，(ii)工業団地のデベロッパー等からサブリースを受ける態様に限り，土地使用権を取得することができると考えられる。但し，内資企業との合弁事業のケースでは，(合弁会社である) 外国投資企業が，合弁相手の内資企業から，現物出資を受ける形で土地使用権を取得することは可能であり，実務上もよく行われている。

外国企業及び外国人はそもそも土地使用権の保有が認められていないので，当然に既存の土地使用権者からの譲受けの方式で取得することができない[151]。

> **Column**
>
> **工業団地における既存の土地使用権者からの土地使用権承継**
>
> 　工場建設などの目的で工業団地内の土地を取得するケースで，別の土地使用権者 (例えば，当該工業団地からの撤退を計画している投資家。以下，本コラムにおいて「旧土地使用権者」という) から土地使用権を取得することを企図する場合もある。本文記載のとおり，外国投資企業は，土地使用権を譲受けにより取得することが原則としてできないので，旧土地使用権者から土地使用権を譲り受けることはできない。また，旧土地使用権者自身が土地を再転貸することも認められていない。
>
> 　したがって，旧土地使用権者が工業団地デベロッパーに対して土地使用料を完済していることを前提とすれば，①旧土地使用権者が工業団地デベロッパーとの間のリース契約を解約する，②旧土地使用権者が工業団地デベロッパーから残存リース期間分のリース料の返金を受ける，③新土地使用権者が工業団地デベロッパーとの

---

150) 例えば，建物を譲受けるのに付随して土地も取得する場合やプロジェクト譲渡の場合等。なおこれらの場合，現使用権者が土地を国家に返還した上で，新たな土地使用権を申請するため，厳密には譲受けではない。

151) 旧土地法 (13/2003/QH11) では，土地使用権を取得できる主体として，「ベトナムに投資する外国組織及び個人 (foreign organization and individuals investing in Vietnam)」と規定されており，この文言からは，(自身が出資するベトナム法人ではなく) 外国法人それ自体が土地使用権を取得できるかどうかが不明確であったが，実務上，当局の解釈により，外国法人それ自体は土地使用権を取得することができないとして運用されてきた。2013年土地法 (45/2013/QH13〔以下単に「土地法」という〕) では，この文言が改正され，「外国企業による100％出資がされているベトナム国内企業，合弁企業，及び外国企業の出資を受けているベトナム国内企業」を意味する「外国投資企業 (foreign invested enterprise)」と定義し直されたので，外国法人それ自体は土地使用権を取得することができないことが，法令の文言上も明確になった。外国人については，115頁のコラム参照。

間で新しくリース契約を締結し，土地の利用期間に応じたリース料を工業団地デベロッパーに対して支払う，という流れが通常想定されるところである。

　もっとも，実務上は，上記①は同様であるが，②③に代えて，④新土地使用権者と旧土地使用権者との間で，(A)リース契約上の地位を旧土地使用権者から新土地使用権者に譲渡し，(B)新土地使用権者が旧土地使用権者に対して残存期間分のリース料を支払う，という内容の契約を締結し，⑤新土地使用権者とデベロッパーとの間で新リース契約を締結する（この契約中で，新土地使用権者が工業団地デベロッパーに対して支払うリース料はない旨が明記される）というアレンジがなされることも多い。このようなアレンジにより，工業団地デベロッパーとの間での金銭の支払を回避することが可能となるが，④(A)は，厳密に言えば，土地使用権の「譲渡」ではなく，法的には上記①②③のプロセスを経ているとの整理を行いつつも，実態としてみれば，旧土地使用権者から新土地使用権者に譲渡がされているとも言えるため，契約書の文言をそのような実態に近づけて処理している一例と言える。ただ，このようなアレンジに基づき，新土地使用権者が土地使用権証明書を取得することができるかどうかについては，管轄当局によって取扱いが異なり得るので，事前に管轄当局に確認をして進める必要がある。

(エ) 使用目的による制限

　ベトナムにおいては，土地使用権は，政府から割当て又はリースを受けた時点で，その使用目的が特定され，土地使用権者は，当該使用目的以外にその土地を使用してはならない[152]。異なる使用目的で土地を使用したい場合には，政府の許可を得て，土地の使用目的を変更する必要がある。

(オ) 土地使用権の存続期間

　土地使用権（土地割当て及び土地リースを含む）の存続期間は，投資プロジェクト又は土地の割当て若しくはリースの申請に基づき検討され，決定されるが，通常は，50年を超えることはない。但し，特殊なケース，具体的には，投資資本が大きく且つ資本の回収率が低い案件や，社会経済的な状況に困難又は特

---

152) 割当土地使用権の場合には政府から付与される割当決定書において，リースに基づく土地使用権の場合には政府との間のリース契約において，土地の使用目的（例えば「工場用地」，「住宅用地」等）が定められ，土地使用権証書にその使用目的が記載される。

別な困難が生じている地域での投資で，より長期の存続期間が必要な案件については，土地使用権の存続期間は 70 年を超えない範囲で設定できる[153]。

(2) 建物所有権制度

㈲ 概　説

　ベトナムの不動産制度では，土地と建物は別個の不動産として取扱われており，土地使用権と，その土地上の建物の所有権とが別々に観念されている（但し，後述の通り，証書としては一体のものが発行される）。そして，土地とは異なり，建物は，私人による所有も認められている。

㈶ 居住用建物

　2014 年 11 月 25 日に成立した改正住宅法（65/2014/QH13）及びその施行細則である政令 99 号（99/2015/ND-CP）において外国人や外国投資企業による住居の取得・保有に関する規制が大きく緩和され，以下のような条件の下，住居の取得・保有が可能となった。

	外国人（個人）	外国投資企業
必要書類	ベトナムへの入国印を押印されたパスポート（政令99号74条1項）。	企業登録証明書又は投資登録証明書（政令99号74条2項）。
所有期間	土地使用権証書の発行日から最大50年（住宅法161条2項c，政令99号7条3項）	原則として企業登録証明書又は投資登録証明書の期間（住宅法161条2項d）。
取得数の制限	アパートの場合，アパートの全部屋数の30%まで（住宅法161条2項a，政令99号76条3項）。 戸建ての場合，住宅プロジェクト区画内の住宅数の10%まで（政令99号76条4項）。	
目　的	居住目的での取得は認められる。法令が禁止していない目的のための賃貸も認められる（住宅法162条2項a）。転売による営利目的での取得は認	従業員の居住目的のみでありその他の目的での取得は禁じられている（住宅法162条2項b）。転売による営利目的での取得は認められない（政令99号79条8項）。

---

153) 土地法 126 条 3 項。

められない(政令99号79条8項)。

> **Column**
>
> 集合住宅の一室を購入した場合の土地使用権
>
> 　前述の,外国人による住居の取得・保有に関する規制緩和により,近時,ベトナムにおいて,例えばアパート等の集合住宅の一部(区分所有権)の購入を検討する外国人が増えている。
>
> 　ベトナム法上,集合住宅の一室を購入した場合,当該部屋の所有権のみならず,建物が建設されている土地の土地使用権の一部(当該部屋の面積が建物全部屋の合計面積に占める割合の部分)も,部屋の所有権と同時に取得することになる(政令43号〔43/2014/ND-CP〕49条3項)。部屋の購入者が取得する土地使用権の期間は,購入者がベトナム人であるか外国人であるかによって異なる。すなわち,購入者がベトナム人である場合に部屋の所有権とともに取得する土地使用権の期間は永久となる(同項c)。一方,購入者が外国人である場合,法令上は部屋の所有期間が土地使用権証書の発行日から最大50年間とされている(政令99号7条3項)ことから,土地使用権の期間も当該期間と同一と解されるが,常に土地使用権証書の発行日から50年間の期間が認められるわけではない点に注意が必要である。すなわち,当局の運用次第では,購入者が外国人である場合に部屋の所有権とともに取得する土地使用権の期間について,当該集合住宅の開発を行ったデベロッパーに与えられた土地使用権証書に記載された土地使用権の期間の残り期間と同一であるべきとされる例もあるようである。

(ウ) **非居住用建物**

　外国人個人・外国投資企業による非居住用の建物(例えば商業ビル)の取得は,法令上,それが可能であるという根拠が見当たらないため,原則として,認められないと考えられる。もっとも,外国投資企業は,その建物の適切な目的に従って使用する限りにおいて,不動産事業者[154]から非居住用の建物を取得することが認められている(不動産事業法〔67/2014/QH13〕14条2項)。

---

154) ここでは,企業登録証明書に不動産事業が事業目的として記載されている法人を意味する。

Ⅱ　進　出

(3)　ベトナムにおける不動産登記制度

　ベトナム法上，土地使用権の権利変動の効力は原則として登記の時から発生するとされていることから，土地使用権者は，登記事務所[155]において登記を受け，（土地使用権／建物所有権証書いわゆる "Red Book"，本節において「土地使用権証書」という）の発行を受ける必要がある。また，土地使用権に対する担保権の設定を行った際には登記することが義務付けられており，担保権は登記の時点で効力が発生するとされている（政令163号〔163/2006/ND-CP〕）。

　建物についても土地使用権と同様，所有権及び担保権の登記制度は存在し，いずれも登記の時点から効力が発生するとされている。

　建物の所有権と土地使用権が同じ者に属する場合には，土地使用権証書と建物所有権証書が一体となった証書が発行され，建物所有権が併せて記載される。建物の所有権と土地使用権が別の者に属する場合は，それぞれ別々に証書が発行される。

　なお，土地使用権と建物所有権を一体の証書で発行する制度は，政令88号（88/2009/ND-CP）に基づき，2009年に導入された。それ以前は建物の登記は建設当局にて，土地使用権の登記は土地管理当局において行われており，証書も別々に発行されていたが，政令88号により2009年以降，住宅や建造物を含め，全ての不動産についての登記が，集中的に登記事務所において行われることとなり，証書も一体となった。もっとも，政令88号の下で発行された旧土地使用権証書及び建物所有権証書も有効として取り扱われており，新制度に基づく証書が旧制度に基づく証書に完全に代替されるのには長期間を要する。

　土地使用権及び建物所有権のいずれについても，登記制度自体は存在するものの，現時点では，動産担保と異なり[156]，不動産に関する権利関係を確認できるデータベース制度は公開されておらず，権利関係の確認のためには管轄の登記事務所に出向かなければならない。万人がインターネット上でアクセス可

---

155)　政令43号のガイドラインである通達15号（15/2015/TTLT-BTNMT-BNV-BTC）によると，この機関の名称は "Land Registration Office"（Văn phòng đăng ký đất đai）である。

156)　動産担保については，ベトナム司法省の一部局であるNRAST（3(2)(イ)〔252頁〕参照）が登録機関となっており，コンピュータ上で統合された担保権者に関する情報をインターネット上で取得することができる。

〈土地使用権証書〔いわゆる"Red Book"〕の例・日本語訳〉

ベトナム社会主義共和国　　　　（表紙・背景色が赤）
独立-自由-幸福

土地の使用権，住宅の所有権及び土地に附属する財産の所有権に係る証書

I. 土地の使用者，住宅及び土地に附属する財産の所有者
氏名：○○
生年月日：XXX　　　　　　　ID番号：YYY
住所：ZZZ

WXYZ 12345

II　進　出

II. 土地区画，住宅及び土地に附属する財産 (2頁目)
1. 土地区画
    a) 土地区画番号-/-，地図番号-/-
    b) 所在地：ZZZ
    c) 面積：$A \, m^2$（即ち，A 平方メートル）
    d) 土地使用権の形態：私用：$B \, m^2$，公用：$C \, m^2$
    e) 土地使用目的：市街地における住宅用地使用権
    f) 土地使用期間：長期使用
    g) 由来：割当土地使用権，年払使用料
2. 住宅
    a) 所在地：ZZZ
    b) 建築面積：_/_ m^2
    c) 床面積：_/_ m^2
    d) 構造：鉄骨，鉄筋コンクリート床面
    e) 等級：_/_
    f) 階数：_/_
    g) 竣工年：_/__
    h) 所有期間：_/__
3. その他の工作物：_/__
4. 人工林：/___
5. 多年生植物：/__
6. 注：なし

場所，日付
XX区人員委員会を代表して
（署名）
氏名

発行済証書番号：WXYZ-12345

III. 土地，住宅及び土地に附属する財産の地図　　　　　　　　　（3頁目〜）

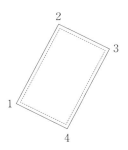

IV. 証書発行後の修正	
修正箇所及び法的根拠	監督官庁の確認

当証書を発行された者は，証書の内容の修正，消去または追加を厳に禁じられ，証書を紛失した場合には即座に発行機関に報告しなければならない。

Ⅱ 進　出

能なデータベース制度の導入を検討予定とのことであるが，早期の導入が望まれる。

　以下，参考までに，工業団地の土地使用者に対して発行される土地使用権証書を例に取り，土地法のガイドラインである通達23号（23/2014/TT-BTNMT）に基づき証書を取得するために必要な手続及び書類の一例を示す。ただ，これは全国統一の取扱いではなく，管轄当局ごとに異なった取扱いがされているため，個別の事案ごとに，管轄当局への事前確認が必要になる。

> **土地使用権証書の発行に必要な手続及び書類の例**
> Ⅰ　土地のサブリースに係る証書の発行に必要な手続の概要
>   1.　当局（省の登記事務所又は工業団地管理委員会）に対する，土地使用権行使に関する書類の提出
>   2.　当局による提出書類のレビュー
>   3.　当局による以下の手続の実施
>   (1)　税務署に対する地籍情報の通知（租税債務がある場合）
>   (2)　関係当局に対する土地使用権証書発行に必要な書類の送付
>   (3)　地籍情報及び当局の登録情報の更新
>   (4)　土地使用権者に対する土地使用権証書の発行 [157]
>
> Ⅱ　土地使用権についての証明書の発行のために必要な書類
>   1.　申請書
>   2.　登録料申告書
>   3.　土地使用権者の投資許可証の写し
>   4.　工業団地デベロッパーとのサブリース契約書及びその添付書類
>   5.　土地の引渡しに関する議事録
>   6.　環境影響評価報告書の承認書
>   7.　工業団地デベロッパーの土地使用権証書
>   8.　土地地図の抄本
>   9.　土地使用料の支払に関するVATインボイス

---

157)　法定処理期間は，I.1.で有効な書類が受領されてから30日間と定められている（政令43号61条2項(a)）。

Ⅲ 建物所有権についての証明書の発行のために必要な書類
1. 建築物の設計図
2. 建築物の完成図
3. 工場建設のために請負業者に支払われた集計額及び支払を裏付ける VAT インボイス
4. 建設完了の確認書
5. 建設許可書
6. レイアウト作成につきライセンスを取得している資格を有する業者により作成された建築物のレイアウト

(4) 不動産事業に係る外資規制

(ア) 不動産事業に関する外資規制の概要

　不動産事業は，主に不動産事業法によって規制されている。不動産事業法によれば，ベトナムにおいて不動産事業を営もうとする者は，一定の小規模事業者の例外を除き，原則として，200億ドン以上の法定資本金を有する会社を設立する必要がある。外国投資家は，100％出資して，不動産事業を営む完全子会社を設立することもできるが，外国投資企業に認められる不動産事業の範囲は，内資企業に認められる不動産事業の範囲よりも制限されている。

　2014年の法改正により，不動産事業法では，外国投資企業に対し，以下の不動産事業が新たに認められることとなった（同法11条3項）。

(ⅰ) 転貸を目的として，住宅・建造物を賃借すること（いわゆるマスターリースの解禁）
(ⅱ) 売却，賃貸又は割賦販売（所有権留保付）を目的とした住宅・建造物を建設するために，他の投資家から不動産プロジェクトの一部又は全部を譲り受けること
(ⅲ) 国家から割当てを受けた土地上に，売却，賃貸又は割賦販売（所有権留保付）を目的とする住宅を建設することへの投資
(ⅳ) 工業団地等の借地上に，当該土地の使用目的に沿った住宅・建造物を建設する

Ⅱ 進　出

　　ことへの投資

　なお，売却，賃貸又は割賦販売（所有権留保付）を目的とする「住宅・建造物」の「購入」は，依然として外資企業には認められていない[158]。

(イ)　**外国投資家が不動産開発業を行う会社を設立する上での留意点**
　外国投資家がベトナムにおいて不動産開発事業を行う会社を設立する場合，投資登録証明書の取得にあたって，事業の概要を予め当局に提出する必要があり，どこの土地をいかなる目的で開発するのかについて当該時点で特定することが要求される。したがって，ベトナムに不動産開発用の会社を設立し，その後，開発予定候補地を探すということはできず，会社設立時までに，開発予定候補地を調査し，土地使用権の保有者と交渉を行い，開発予定地の土地使用権の目処をつけておく必要がある。

(ウ)　**開発対象不動産の取得**
　前述のとおり，ベトナムでは土地を個人又は法人が所有することはできず，土地を使用する場合，国から土地使用権の割当て又はリースを受けるか，又は土地使用権を有する個人若しくは法人から適法に当該土地使用権の譲渡若しくはリースを受ける必要がある。外国投資企業は，ベトナムの個人又は法人から土地使用権の譲渡を受けることは，原則として認められておらず，主に，(i)国家からの土地のリース又は割当て，(ii)ベトナムの個人又は法人，工業団地のデベロッパー等からの土地のリース又はサブリース，(iii)既存の適格な土地使用権者から土地使用権の現物出資を受ける，(iv)土地を使用する投資プロジェクトの譲渡を受けるなどの方法により，土地使用権を取得する必要がある。ただし，実務上は，用地収用の難しさ，用地確保のための外国投資企業の設立が難しいこと等の理由から，合弁パートナーとなるローカルのデベロッパーがプロジェクト用のSPCに土地使用権を移してから，当該SPCの株式又は持分を日系企

---

158)　但し，売却，賃貸又は割賦販売（所有権留保付）を目的とする住宅・建造物を保有する「会社」の株式・持分を取得することについては，別途の議論があり得るところである。

業が取得するというストラクチャーを採用することが多い。

なお，土地法（45/2013/QH13）が 2014 年 7 月 1 日から施行されるまでは，国が外国投資企業に対して土地使用権の割当てを行うことは認められていなかったが，同法により，販売又は販売と賃借の両方を目的とする住居の開発を行う外資企業に対して，国が土地の使用権の割当てを行うことが認められたため，この点に関する内資企業との差異は解消された。

(5) 不動産開発プロジェクトの実務――実務上よく問題となる法的論点

以下では，ベトナムにおける，外国投資家が関与する不動産開発プロジェクトの実務について解説する。なお，ベトナムでは，不動産開発プロジェクトの種類ごとに適用される法規制が異なるのが特徴である。また，例えば，同じ不動産開発プロジェクトであっても，土地の状況や許認可取得の状況等により，適用される法規制や利用可能な投資ストラクチャーが異なり得る。このように，ベトナムにおける不動産開発プロジェクトでは，案件ごとの個別性が高いため，候補地が決まれば，早い段階で法律事務所など，外部の専門家を入れて法務 DD 及び投資ストラクチャリングを行うことが望ましい。投資ストラクチャリングは，具体的な行政手続の流れ（住宅開発プロジェクトで必要となる主な行政手続を以下に例示する）も踏まえつつ行うことになるが，ローカルの売主や合弁パートナーなどの意向も踏まえて，案件ごとに個別に検討することが必要となる。

- 土地使用権の取得，1/500 のマスタープラン承認，土地使用目的等の変更
- 非公式承認（いわゆる Preliminary Approval と呼ばれるものなど），住宅法上の住宅開発プロジェクトに係る承認
- 消防，環境，設計に関する承認，建築許可
- 外国投資家の投資に伴う投資登録証明書，企業買収登録手続など

もっとも，様々な規制上の制約から，実務上利用可能な投資ストラクチャーは，以下に述べるようないくつかのパターンに限定されており，それらを組み合わせること等で決定されるのが通常である。

Ⅱ 進　出

㈜　商業不動産（オフィスビル，商業施設等）開発プロジェクト

　外国投資企業による商業不動産プロジェクトにおいて，様々な規制上の制約から，実務上利用可能な投資ストラクチャーはいくつかのパターンに限定されている。具体的には，外国投資家が，合弁パートナーとなるローカルのデベロッパーと組む形で，いわゆるエクイティーディール型の投資ストラクチャー及びその派生形で実施されることが多い。例えば，内資企業が土地使用権を現物出資し，外国企業が現金を出資することにより合弁会社を設立して，商業不動産開発プロジェクトを行うことが認められている。なお，2020年投資法により，企業買収登録手続（Ⅱ5⑷㈜①(a)）が必要な場合として，買収対象会社が国防及び国家安全保障上影響のあり得る土地の土地使用権を保有している場合が新たに追加されたため，外国投資家が買い手になるエクイティディールの不動産案件において，今後，プロジェクト対象用地が国防及び国家安全保障上影響のあり得る土地である案件では，企業買収登録手続の審査において，管轄の計画投資局が国防省に照会をかける等して審査に時間がかかったり，国防及び国家安全保障上の理由から企業買収登録が承認されない可能性もあるため，注意が必要である。

㈦　住宅開発プロジェクト

　ベトナム法上，住宅開発プロジェクトも，不動産事業の一類型と整理されているため，商業不動産開発プロジェクトで述べた投資ストラクチャーに関する留意点が当てはまるが，住宅法の規制などにより，一般の不動産事業にはない特別の規制が課されている点に注意が必要である。例えば，ベトナムの住宅法では，商業住宅開発プロジェクトに用いることのできる資金が制限されており，ローンによる資金調達は，ベトナムで事業を行う金融機関からの借入れのみが認められている。そのため，外国の金融機関からの借入れや，投資家からの親子ローンを商業住宅開発プロジェクトに用いることは認められていない。本規制は，プロジェクト会社が内資企業か，外国投資企業か，ローンが国内ローンか，クロスボーダーローンか，又はベトナム国家銀行への登録が必要となるか否かを問わずに適用される。本規制は，2015年に現行の住宅法が施行された際に新たに導入された規制であり，ローカルパートナーからは本規制を無視し

たキャッシュフローの提案がなされることが少なくない。本規制については批判も多く，ベトナムの不動産業協会をはじめ，各所から撤廃要望が出されているが，未だ撤廃されていないため，当面は本規制を遵守したキャッシュフローを組まざるを得ないのが現状である。社債や優先株についても本論点に関連する議論があるため，それらの利用を検討する場合には注意が必要である。

(ウ) ホテルプロジェクト

　ホテル関連プロジェクトは，ベトナムにおいては，商業用不動産や住宅とは異なり，不動産事業とは位置付けられていない。そのため，ホテルの場合にはアセットディールも理論的には利用可能性がある（ただし，土地使用権の取扱いなどについては当局との調整が必要となる）。また，オペレーションのみを行い，アセットを取得しない場合には，土地法に基づく制限にも服さない可能性がある。もっとも，ホテルやレストラン，その他施設に関する個別規制には服するため，個別の許認可を引き継ぐ観点からは，やはりエクイティーディール型の方が望ましいことが少なくない。

(エ) 複合目的不動産プロジェクト

　商業施設，サービスアパートメント，ホテルの複合物件では，これまでに述べた規制が全てかかることとなる。区分所有に関する法制度は，コンドミニアム（集合住宅）に関するものを除けば未整備の状態であり，また特に外国投資プロジェクトにおける区分所有が認められている実例はまだ少ないことから，当局との調整が不可欠となる。なお，コンドテル（コンドミニアムホテルの略称）については，法制度の未整備により，購入者に対する土地使用権証書の発行時等において，住宅又はホテルのいずれに分類されるのかといった点について実務上混乱がみられたが，この点について天然資源環境省は2020年2月にオフィシャルレター第703/BTNMT-TCQLDD号を発出し，コンドテルはホテルに分類されるとの見解を示している。

Ⅱ 進　出

7　インフラ開発

(1)　官民連携のインフラストラクチャープロジェクトに関する法制

㋐　ベトナムにおける官民連携のインフラストラクチャープロジェクトを取り巻く状況

　ベトナムにおいては，依然，道路，港湾，橋梁，発電所等のインフラストラクチャーが不足しており，膨大な構築需要がある一方で，対GDPの公的債務残高の比率が高いことから（本書執筆時点において，2020年には対GDPの公的債務残高の比率は55％から56％の水準で推移すると予想されている），ベトナム政府は，インフラストラクチャーの構築に対して民間の資本を導入することによって，公的債務の増加を極力抑えつつ，インフラストラクチャーを構築するための政策を実施しようとしている。世界銀行のデータベースによれば，ベトナムにおいては，1990年から2019年にかけて，123件のPPP（官民連携）プロジェクトが，ファイナンス・クローズに至ったといわれており[159]，ベトナムのインフラストラクチャーへの投資額は世界平均の倍にも達するとの報告もある[160]。

　しかし，官民が連携してインフラ整備を行う際の法制度については，従来，政令108号（108/2009/ND-CP）[161]と首相決定71号（71/2010/QD-TTg）（PPP決定）が，互いに整合せず，並存する状態であったため，実務上の混乱を招いていた。

---

[159]　世界銀行「インフラへの民間参加に関するデータベース」。https://ppi.worldbank.org/snapshots/country/vietnam において入手可能（2020年8月18日時点でアクセス）。しかしながら，当該統計では主要なプロジェクトに焦点が当てられ，特に電気，道路及び上下水道の分野において，多くの小規模プロジェクト及び省級プロジェクトが漏れているようであり，ベトナム政府の報告（Report No. 25/BC-CP）によれば，2019年1月30日現在で336のプロジェクトが実施されている。

[160]　https://blogs.worldbank.org/voices/accelerating-vietnams-path-prosperity（2020年8月18日時点でアクセス）

[161]　政令108号は，政令24号（24/2011/ND-CP）により，適用分野やフィージビリティスタディの費用負担等について一部改正され，また，通達03号（03/2011/TT-BKHDT）がその施行細則として発行されていた。

7 インフラ開発

　そこで，ベトナム政府は，このような状況を改善すべく，上記政令108号とPPP決定の双方を統一した官民協同形式による投資に関する政令を2015年2月14日付で制定した（政令15号〔15/2015/ND-CP〕）。しかし，そのわずか3年後の2018年6月19日には，政令15号に代わる政令63号（63/2018/ND-CP）が施行され，さらには，これまでの政令レベルの規制ではなく，新たな法律レベルの規制として，いわゆるPPP法（Law No.64/2020/QH14）が2020年の国会で成立するに至った。PPP法は2021年1月1日に施行が予定されている。

　以下，本書執筆時点の現行法である政令63号の概要を政令の構成に沿って説明するとともに，PPP法のうち，特筆すべき点も併せて記載する（以下，特に明記のない限り，政令63号の内容を説明をしており，PPP法と明記している場合にのみ，PPP法の内容を説明している）。

(イ) 官民連携のインフラストラクチャープロジェクトの形態[162]

　従前は，BOT，BTO，BTという3種の形態のみが明示的に政令，PPP決定に規定されていたが，政令15号以降は，それらに加えて，BOO，BTL，BLT，O&Mという多様な形態が規定され，政令63号では新たにそれらの複合形態が加えられている。いずれの形態も，管轄国家機関とそれぞれの形態で，インフラストラクチャーにかかる契約を締結することを想定するものである。なお，PPP法では，BT以外の形態は維持されているものの，BTの形態はインフラストラクチャープロジェクトの形態から外されることとなった[163]（PPP法の施行に伴うBT契約の帰趨については下記(タ)を参照されたい。）。

① Build-Operate-Transfer（BOT）

　投資家がインフラストラクチャーを建設，運営し，プロジェクト期間の終了後，その所有権を国家機関に譲渡する形態。

② Build-Transfer-Operate（BTO）

　投資家がインフラストラクチャーを建設し，それを国家機関に譲渡した後，プロジェクト期間中それを運営する形態。

---

162) 政令63号3条。
163) PPP法3条16項及び45条。

Ⅱ 進　出

③　Build-Transfer（BT）（※ PPP 法では対象外）

　投資家がインフラストラクチャーを建設後，国家機関に譲渡し，その譲渡代金で他のプロジェクトを実施するための土地によって支払がなされる形態。

④　Build-Own Operate（BOO）

　投資家がインフラストラクチャーを建設し，それを所有しつつ，プロジェクト期間運営する形態。

⑤　Build-Transfer-Lease（BTL）

　投資家がインフラストラクチャーを建設して，それを国家機関に譲渡し，それを運営，開発するサービスを提供する権利を取得し，国家機関がサービスを利用し，投資家のために支払を行う形態。

⑥　Build-Lease-Transfer（BLT）

　投資家がインフラストラクチャーを建設して，それをプロジェクト期間中，運営，開発するサービスを提供する権利を取得し，国家機関はそのサービスを利用し，投資家のために支払を行い，プロジェクト期間が終了したときには，国家機関にインフラストラクチャーを譲渡する形態。

⑦　Operation and Management（O&M）

　プロジェクト期間中，投資家がインフラストラクチャーの一部，又は全部を運営する形態。

⑧　上記①から⑦の混合形態

　BOO の形態は，政令 15 号の施行前から，実務上いくつかの試みが見られたところであるが，政令 15 号により，新たに官民連携のインフラストラクチャープロジェクトの一形態として法的な根拠を与えられることとなった。BTL（⑤），BLT（⑥）の形態は，政令 15 号により新たに導入された概念であり，Lease とは，インフラ施設の Lease を意味するのではなく，プロジェクトの投資家のサービスを「国家機関」が有償で利用する（Lease/Hire）という趣旨であると考えられ，PPP プロジェクト事業の対価（収入）がインフラ施設，サービスの民間利用者ではなく，国家からもたらされる点が BOT（①）や BTO（②）との差異として捉えられているようである。

(ウ) 投資対象と種別[164]

① 投資対象について，政令108号とPPP決定の対象分野に加えて，政令15号では，商業，科学・技術，工業区，ハイテクパークなどのための商・工業のインフラストラクチャーや，農業・農村のインフラストラクチャー，農業製品の加工・消費に関連した生産と連結するサービス開発のインフラストラクチャーが追加された。さらに，政令63号では，公園，中小企業を支える共用ワーキングエリア等も追加された。これに対し，PPP法では政令63号に定める範囲よりも限定されており，(i)交通，(ii)送電網及び発電所（但し，水力発電所及び電気法に基づき国家によって独占されるケースを除く），(iii)灌漑，上水，下水，排水，廃棄物処理，(iv)健康・教育・訓練のインフラストラクチャー，(v)情報技術応用のインフラストラクチャーの5つのみが投資対象とされている[165]。

② 現行の法制下では，投資の種別は，公共投資法に定められており，国家的重要性を持つプロジェクト，グループA，B，Cプロジェクトに分類されている[166]。一方，PPP法では，投資の種別として，(i)国会が投資方針を決定する権限を有するプロジェクト，(ii)首相が投資方針を決定する権限を有するプロジェクト，(iii)省庁，中央機関等が投資方針を決定する権限を有するプロジェクト，(iv)省級人民委員会が投資方針を決定する権限を有するプロジェクトが挙げられており[167]，投資方針の決定権限についてもPPP法で規定されている[168]。

---

164) 政令63号4条。
165) PPP法4条1項。
166) 公共投資法の6条〜10条に，国家的重要性のあるプロジェクト，グループA，B，Cプロジェクトの分類が記載されている。国家的重要性のあるプロジェクトは，10兆ドン以上の公共投資の予算を使用するか，原子力発電所等，環境に対して重大な影響を与えるプロジェクト等である。グループAは，2つのカテゴリーに分けられ，①投資額にかかわらず，その性質上重要とされる国防・治安維持のための機密プロジェクトや工業区，輸出加工区のプロジェクトと，②インフラストラクチャーの種類と金額の双方により分類されるものがあり，例えば，②については，交通インフラストラクチャーの建設で，2兆3000億ドン以上の総投資額によりファイナンスされるプロジェクト等が挙げられている。グループBやCは，グループAの②のカテゴリーの中で，金額がより低いものが挙げられており，例えば，グループBでは，交通インフラストラクチャーの建設で，1200億ドン以上2兆3000億ドン未満の総投資額等のプロジェクト等と，グループCでは，交通インフラストラクチャーの建設で，総投資額が1200億ドン未満のプロジェクト等と規定されている。なお，公共投資法は2019年に改正され，2020年1月1日から改正法が施行されているが，上記分類については変更されていない。
167) PPP法4条3項。
168) PPP法12条。

Ⅱ 進　出

　また，プロジェクトの最低投資規模については，政令15号で定められていた規制が政令63号では見られなくなっていたが，PPP法ではかかる規制が復活しており，プロジェクトの最低投資規模は2000億ドン（但し，投資法に基づき，厳しい又は非常に厳しい社会経済条件が付帯する地域におけるプロジェクトや，健康・教育・訓練のインフラストラクチャープロジェクトの場合は，1000億ドン）と定められている。但し，O&Mプロジェクトには，かかる最低投資規模の規制は適用されない[169]。

(エ)　**投資準備及びプロジェクト実施にかかる費用の各省庁，省級人民委員会による支出**[170]

　①　投資準備及びプロジェクト実施にかかる以下の費用は，各省庁，省級人民委員会の毎年の投資開発計画に従う国家予算，投資準備補助財源（下記(オ)にて後述），投資家選定の入札応募書類の売却益，その他の合法な財源から支出される。但し，そのうちの一部については，プロジェクトの実施のために選定された投資家が返済することとされているため，応札に際しては入札応募書類の要項により返済が必要となる。具体的な金額を予め確認しておく必要がある。

- プロジェクト提案書及びフィージビリティ（実現可能性・適切性）調査報告書の作成，審査，承認の費用
- 投資家の選定にかかる費用

　②　投資準備及びプロジェクト実施にかかる以下の費用は，省庁，省級人民委員会の事業計画における国家予算から支出される。

- プロジェクト契約実施の監理費用，建築物の品質管理費用等，権限ある国家機関に属するプロジェクト管理機関の活動費用

---

169)　PPP法4条2項。
170)　政令63号5条。

- プロジェクト公示費用
- PPPプロジェクト管理のための専門機関の活動費
- 権限ある国家機関がプロジェクトの管理について独立コントラクターを選定・使用するための費用
- プロジェクト契約及び関連する契約のための会議及び交渉の費用
- その他の費用

　PPP法では，以下の費用は，公共投資財源その他の合法的な財源から支払われることが規定されているが，その詳細については，本書執筆時点では明らかではない[171]。

- 権限ある国家機関におけるプロジェクト準備費用・PPPプロジェクト準備機関の費用
- PPPプロジェクト評価機関による評価にかかる費用又はPPPプロジェクト評価のために選任されたその他の機関の費用
- 投資家選定にかかる費用及び権限ある国家機関による契約締結にかかる費用
- 入札にかかる費用

　また，PPP法では，権限ある国家機関によるプロジェクト契約締結後に生じるプロジェクト実施に関する費用は，かかる国家機関の通常の予算から支払われることが規定されている。

　さらに，PPP法では，公共投資財源等から支払われるプロジェクト準備費用がプロジェクトの総投資資本額に含まれることが明記されている一方で，プロジェクト契約締結後のプロジェクト実施費用がプロジェクトの総投資資本額に含まれるか否かは明確には規定されていない。

---

171) PPP法73条。

Ⅱ　進　出

(オ)　投資準備補助財源[172]

投資準備補助財源は，上記(エ)①に列挙する費用を補助するため，各省庁，省級人民委員会がその権限に従って調達する。

(カ)　プロジェクト実施の財源[173]

① 投資家による自己資本の拠出

総投資資本額のうち，投資家による自己資本の拠出が必要となる額の比率については，総投資資本額が1兆5000億ドン以下の場合は総投資資本額の20％以上，総投資資本額が1兆5000億ドンを超える場合は，1兆5000億ドン以下の部分について総投資資本額の20％以上，1兆5000億ドンを超える部分が総投資資本額の10％以上とされており，政令63号において1兆5000億ドン以下の部分に対して適用される比率が政令15号の15％から20％へと引き上げられている[174]。

これに対し，PPP法では，総投資資本額の多寡によって差異は設けられておらず，国によって拠出される部分を除いた民間投資部分は総投資資本額の15％以上である必要がある[175]。

② 国家投資資本の利用[176]

政令63号により，国家によるPPPプロジェクトへの参加形態が以下の態様に整理されることとなった。

(i)　国家投資資本
(ii)　BLT契約及びBTL契約における投資家への支払
(iii)　BT契約における投資家への支払としての土地，インフラ等の提供，公共施設等運営権の付与
(iv)　付属設備の建設補助，又は土地収用の補償金，再定住の補助の支払

---

172)　政令63号6条。
173)　政令63号10条〜15条。
174)　政令63号10条。
175)　PPP法77条1項。
176)　政令63号11条。

PPP法では，国家予算は以下の目的で利用される[177]。

> (i) インフラストラクチャー設備の建設又はシステム構築のサポート
> (ii) 公共サービス等を提供するPPPプロジェクト会社に対する支払
> (iii) 土地収用の補償金，再定住の補助の支払又は付属設備の建設補助
> (iv) 不足収益に関する支払
> (v) 管轄省庁，契約当事者である省庁，PPPプロジェクト準備機関，入札実施機関による義務履行費用の支払
> (vi) PPPプロジェクト評価機関（Evaluation Council）その他の評価機関のコスト支払

なお，PPP法の議論において，国家予算に関する制約がPPPプロジェクト実施の障害となっていたことに鑑みて，PPPプロジェクト開発ファンドの設立，公共投資のための別枠予算の設立などの方策が提言されていたが，PPP法ではかかる方策は規定されていない（前述の公共投資財源は，あくまで国家予算の枠内の制度として設計されている）。また，PPP法では，上記利用目的のうち，インフラストラクチャー設備又はシステムの建設サポート，及び，土地収用の補償金，再定住の補助の支払又は付属設備の建設補助を目的とした国家資本の利用は，プロジェクトの総投資資本額の50％を超えてはならないと明記された[178]。

③ 社債の発行

PPP法では，プロジェクトの実施又は債務のリストラクチャリングを目的として，プロジェクト会社による社債の発行が明示的に許容されている。社債発行額は，プロジェクト契約に定められたローン金額を超えてはならないなど，一定の条件を満たす必要がある[179]。

---

177) PPP法69条1項。
178) PPP法69条2項。
179) PPP法78条1項及び2項。

(キ) 政府提案プロジェクト [180]

① PPPプロジェクトの条件

　政府提案のPPPプロジェクトは，地方の開発計画と整合していること，上記(ウ)①で述べた投資対象の分野に該当すること，他のプロジェクトと重複していないこと，投資家の資本回収が可能であり，国家負担部分の拠出が可能であること，適法な環境影響調査報告が完了していることといった諸条件を満たす必要がある。PPP法では，投資の必要性があること，上記(ウ)①で述べた投資対象の分野に該当し，上記(ウ)②で述べたプロジェクトの最低投資規模を満たすこと，投資方針決定又はフィージビリティ調査報告書が承認されたプロジェクトと重複していないこと，他の投資形態と比較してメリットがあること，国家負担部分の拠出が可能であることといった諸条件を満たす必要がある。

② プレ・フィージビリティ調査の実施

　政令63号では，各省庁，省級人民委員会の担当下部組織がプレ・フィージビリティ調査を実施する [181]。PPP法では，PPPプロジェクト準備ユニットがプレ・フィージビリティ調査を実施する [182]。

③ プレ・フィージビリティ調査報告書の評価

　政令63号では，PPP調整ユニットがプレ・フィージビリティ調査報告書を評価する [183]。PPP法では，国会が決定するプロジェクトについては国家評価機関（プロジェクトのために設立される機関であるが，詳細は本稿執筆時点では明らかではない），首相が決定するプロジェクトについては国家評価機関の支店が，中央省庁が決定するプロジェクトについては地区レベル評価機関が，省級人民委員会が決定するプロジェクトについては地区レベル評価機関がプレ・フィージビリティ調査報告書を評価する [184]。

④ 投資方針決定

　政令63号では，投資決定権限は以下のように定められている [185]。

---

180)　政令63号16条〜21条。
181)　政令63号8条3項及び17条。
182)　PPP法13条。
183)　政令63号17条。
184)　PPP法13条。
185)　政令63号16条。

(i) 国会：国家的に重要なもの
(ii) 首相：国家予算の30％を使う，又は30％未満でもプロジェクトの総投資額が3000億ドンを超えるグループAプロジェクト
(iii) 中央省庁：上記(i)及び(ii)以外のもの
(iv) 省級人民評議会：(a)(ii)以外のグループAプロジェクト，(b)公的資金を用いるグループBプロジェクト，(c)グループBのBTプロジェクト
(v) 省級人民委員会：上記(i)，(ii)及び(iv)以外のプロジェクト

PPP法では，投資決定権限は以下のように定められている[186]。

(i) 国会：公的資金を10兆ドン以上使用するプロジェクト，環境に大きな影響を与えるプロジェクト等，500ヘクタール以上で二期作をしている水稲栽培の土地使用目的を転換する必要がある土地を利用するプロジェクト，山岳地帯で2万人以上，その他の地域で5万人以上の移住を伴うプロジェクト，国会によって定められた特別なメカニズムが必要となるプロジェクト
(ii) 首相：山岳地帯で1万人以上，その他の地域で2万人以上の移住を伴うプロジェクト，ODAを用いるプロジェクト等，新空港の建設プロジェクト等，新港の建設プロジェクト等
(iii) 中央省庁：上記(i)及び(ii)以外のもの
(iv) 省級人民評議会：上記(i)及び(ii)以外のもので，管理する地域のプロジェクト

⑤ プロジェクト提案書の公表[187]

プロジェクトの提案が承認されてから，7営業日以内に，各省庁，省級人民委員会は，入札法令に従い，政府の国家入札ウェブサイトシステムに，プロジェクトとプロジェクトリストを掲載する（但し，機微情報，機密情報を除く）。このウェブサイトには，プロジェクトの一般情報のみならず，フィージビリティ調査報告書の作成期間，投資家選定，建設期間，開発する建築物の完成等のプロジェクト実施期限，進捗予定という情報も掲載される。

---

186) PPP法12条。
187) 政令63号21条。

Ⅱ 進　出

PPP 法では，プロジェクトの投資方針決定から 10 日以内に公表されることとされているが[188]，PPP 法におけるプロジェクト情報の公表の詳細については，本書執筆時点では明らかではない。

(ク)　投資家提案プロジェクト[189]

① 政令 63 号では，投資家は，省庁，省級人民委員会が作成したプロジェクトリスト外のプロジェクトを，以下の条件の下で提案することができる[190]。

(i) 政府提案に要求される条件[191]を満たすこと
(ii) 国営企業が提案するときは，非国営企業と連名で提案をなすこと

PPP 法では，以下の条件を満たした場合に投資家がプロジェクトを提案することができる[192]。

(i) 政府提案に要求されるプロジェクト選定の条件を充足していること（ただし，政府の資金要件のみは除外されている）
(ii) 提案する事業が管轄機関又は投資家によってプレ・フィージビリティ調査が実施されているプロジェクトと重複しないこと，及び(iii)社会経済促進戦略，その他の法令に基づく計画等に従っていること

政令 63 号においても，PPP 法においても，投資家がプロジェクトを提案する場合，プレ・フィージビリティ調査を実施し，提出する必要がある[193][194]。

② 投資家提案のプロジェクトが省庁，省級人民委員会によって承認された場合，政令 63 号の 21 条に従い，提案と投資家に関する情報（プロジェクトの

---

[188]　PPP 法 25 条 1 項。
[189]　政令 63 号 22 条〜25 条。
[190]　政令 63 号 22 条。
[191]　政令 63 号 20 条。
[192]　PPP 法 26 条 1 項。
[193]　政令 63 号 23 条 2 項。
[194]　PPP 法 27 条 1 項。

名称，契約の種類，目的，規模，場所・技術的要請の概要等，予想される総投資額や国の参加割合，スケジュール，担当官庁又は入札を募集する者の連絡先）が公示される195)。

但し，知的財産権に関する内容，営業・技術機密，又はプロジェクト実施の資金を調達する合意を機密にする必要がある場合，投資家は，各省庁，省級人民委員会とその公示内容にかかる合意を行う。

PPP法においても概ね同様の手続が定められているが，公表される情報は，投資方針決定，プロジェクト承認決定，並びに担当官庁，契約を締結する政府機関及び入札を募集する者の連絡先となる196)。

(ケ) フィージビリティ調査報告書 197)

① 報告書の作成者

各省庁，省級人民委員会は，投資家の選定のための入札書類を作成するため，フィージビリティ調査報告書の作成を担当下部組織に指示する。

政令63号の24条によって承認された投資家が提案したプロジェクトの場合，各省庁，省級人民委員会は，投資家に，フィージビリティ調査報告書の作成を委任する198)。

② 承認権限者 199)

国家的重要性を持つプロジェクト，国防，治安，宗教の分野におけるODA及び外国ドナーの優遇融資資金を利用するプロジェクトについては，首相が報告書を承認する。

各省庁の長，省級人民委員会の委員長は，上記を除く，プロジェクトのフィージビリティ調査報告書を承認する。

PPP法では，フィージビリティ調査報告書の評価を行った後，さらにプロジェクトの承認決定手続が規定されている（プロジェクトの承認決定権者は，投資方針決定の権限者と同様である）200)が，これら2つの手続が別個独立のものとし

---

195) 政令63号25条。
196) PPP法27条4項。
197) 政令63号28条～32条。
198) 政令63号28条。
199) 政令63号31条。

Ⅱ 進　出

て実施されるのかどうか本書執筆時点では明らかではない。

㈡　**投資家の選定** [201]
① 投資家の選定の方式
　投資家の選定は，公開入札か投資家の直接指名の方式で行う。
② 公　開　入　札
　(a)　国際公開入札が原則とされる。
　(b)　国内公開入札は，以下の場合に許される [202]。

> (i)　ベトナムの法令，又はベトナムが加盟している国際条約が，外国投資家の参加を制限している投資分野の場合。
> (ii)　外国投資家が，国際事前資格審査に参加せず，又は，国際事前資格審査の基準に満たなかった場合。
> (iii)　公共投資に関する法令に規定されるグループＣのPPPプロジェクト。先進的な技術，国際的管理の経験が必要とされる場合，国内投資家は入札に参加し，プロジェクトを実施するため，外国投資家とともに投資をなし，又は，外国コントラクターを利用することが許される。
> (iv)　土地を利用するプロジェクトで，土地補償，収用費用を除くプロジェクトの総費用が，1200億ドン未満の場合。

③ 直接指名が許される場合 [203]
　(a)　1名の投資家のみが登録をし，事前資格審査の書類の条件を満たした場合，又は，1名の投資家のみが，事前資格審査の条件を満たした場合。
　(b)　1名のみの投資家が，知的財産権，営業機密，技術，又は資金調達の観点から，実施能力を持つとき。

---

200)　PPP法21条。
201)　政令63号37条。近時，PPPプロジェクトの投資家の選定，及び商業地等の土地を利用するプロジェクトの投資家の選定に関する政令30号（30/2015/ND-CP）が制定，施行され，PPPプロジェクトの投資家の選定の詳細について規定をしている。
202)　政令30号9条。
203)　政令30号9条。

(c) 入札法によって規定された国家主権，国境，島しょの防衛の目的のため土地を利用する PPP プロジェクトを含むプロジェクトで，投資家が，実施可能で最高の効率を満たす提案をした場合。

投資家による提案が実施可能で最高の効率を満たすか否かについては，以下の各条件を満たすことを前提に，首相によって審査され，決定される。

> (i) グループ C プロジェクト以外の PPP プロジェクトについてフィージビリティ調査報告書があり，又は，承認された提案書を持つグループ C の PPP プロジェクトであること。
> (ii) 投資家が，合理的なサービス価格，国家の資本，社会，公共，国家の利益を提案すること。
> (iii) 国家の主権，国境，島しょの防衛の要請に応ずること。

④ 公開入札における一定の投資家に対する優遇措置[204]

権限ある国家機関によって承認されたフィージビリティ調査報告書，又はグループ C に属するプロジェクトの提案書を作成した投資家は，投資家選定の過程でインセンティブ（他の投資家に比べて一定のポイントを加算される）を享受する。

⑤ その他の投資家選定の条件及び手続

入札において第 1 順位となった投資家は，プロジェクト契約のドラフトを含めた投資の基本条件に関して，当局と交渉を行い，最終的に投資家として選定される前に，当該基本条件を合意する必要がある（交渉が不調となる場合には，次順位の投資家が交渉を行うこととなる）。その他の投資家選定の条件及び手続については，投資家の選定に関する政令 30 号及び入札に関する法令に従う。

⑥ PPP 法における投資家の選定

PPP 法では，公開入札，投資家の直接指名に加え，競争的交渉（Competitive Negotiation），及び特別な場合における首相が決定した方式も採用されている。また，政令 63 号では，入札は入札法の手続に従うと規定されていたが，PPP

---

[204] 政令 30 号 3 条。

法では入札法を準用しておらず，PPP 法及び下位法令の中で手続等が規定される[205]。

 (a) 入札が適用されるケース

下記(b)(c)(d)の場合を除き，公開入札が原則となる。

 (b) 競争的交渉が適用されるケース

> (i) プロジェクト実施の条件を満たす投資家 3 名以下が募集される場合
> (ii) ハイテク法に基づき，開発への投資が優先されるリストに掲載されているハイテクが適用されるプロジェクト
> (iii) 技術移転法に基づく新技術が適用されるプロジェクト

 (c) 直接指名が適用されるケース

> (i) 国家安全保障又は国家機密の確保が求められるプロジェクト
> (ii) プロジェクトの継続実施を確保するために融資者と協働してすぐに新しい投資家を選定しなければならない場合

 (d) 首相が決定した方式が適用されるケース

上記(a)から(c)を適用することが困難なプロジェクトであって，政府機関が投資家の選定について首相の決定を求めた場合

(サ) プロジェクト契約書

選定された投資家は，当局との間で，プロジェクト契約の締結を行う。以下，プロジェクト契約に関する特徴を 2 点ほど説明する。

① ステップインライト[206]，プロジェクト契約上の権利義務の譲渡[207]

融資者は，投資家，又はプロジェクト企業が，プロジェクト契約，又は融資契約上の義務の履行を怠った場合，自らプロジェクトを承継するか，又は，能

---

[205] PPP 法 37 条以下。
[206] 政令 63 号 42 条。
[207] 政令 63 号 43 条。

力ある組織に対して，投資家又はプロジェクト企業の権利と義務の全部，又は一部を，承継させることができる（ステップインライト）。

承継契約は，融資者と権限ある国家機関，又はプロジェクト契約の当事者間で締結される。

また，投資家は，建設完了後において一定の条件を満たす場合には，プロジェクト契約上の権利，義務の全部又は一部を融資者，又はその他の投資家に対して譲渡できる。この場合，譲渡契約は，譲受人とプロジェクト契約の当事者の間で締結され，融資者は，融資契約の規定に従い，譲渡の合意についての交渉に参加する。

PPP法では，これらの権利は明確には規定されておらず，融資者は，プロジェクト契約が早期終了する場合，当該プロジェクトを継続して実施していくために他の投資家を選定する手続（直接指名）について当局と調整することとなる[208]。当該手続は，当局，融資者，投資家及びプロジェクト会社と書面で合意する必要があるため，留意が必要である。

② 外国法の準拠法としての選択[209]

政令15号では，外国法は，(a)一方当事者が，外国投資家であるプロジェクト契約書，又は(b)政令15号の57条の規定に従い，他の企業が，燃料や原料を投資家やプロジェクト企業に対して供給すること等の実施義務を政府が保証した契約において適用することができるが，外国法令の選択と適用に関するベトナム法に反することができないと規定していた。したがって，外国法令の選択と適用について定めるベトナム民法等の規定もあわせて検討する必要があったが，政令63号ではベトナム民法の規定に従う旨に改められた[210]。そして，PPP法では，ベトナム法で規定されていない事項を除き，ベトナム法を契約準拠法とすることが明記されている[211]。一般的に，融資契約は英国法準拠であることが多いため，融資契約とプロジェクト契約の間で準拠法が異なることとなり，両契約の解釈等において齟齬が生じる可能性がある。

---

208) PPP法53条。
209) 政令15号37条。
210) 政令63号46条。
211) PPP法55条。

Ⅱ 進　出

(シ)　**履行保証（performance bond）**[212]

　政令63号の下では，履行保証の額は，入札法の規定に従い政府と投資家が交渉をして定めると規定されている。

　しかし，入札法の72条2項は，履行保証について，入札公募書類の中で，政府側によって定められる一定の割合（1％～3％）を支払うものと規定しているので，直接指名の場合を除き，その額は，投資家が選定される前に定められるものと解される。

　PPP法48条2項は，履行保証について，プロジェクトの性質と大きさに応じて，総投資額の1％～3％の範囲内で，入札公募書類の中で定められるものと規定しているため，その額は，投資家が選定される前に定められるものと解される。

(ス)　**プロジェクトの実施**[213]

　投資家やプロジェクト企業は，コントラクター（請負者）等を選定するため，規則を作り，プロジェクトの過程において一貫して，公平性，明白性，経済効果を保障しなければならないと規定され，政令108号やPPP決定のように，入札を強制していない。

　但し，入札法及びそれを施行するコントラクターの選定に関する政令63号（63/2014/ND-CP）によると，総投資額の30％以上が，国家資本・国営企業の資本によって調達されるプロジェクト，又は，国家資本・国営企業の資本が5000億ドン以上使用されるプロジェクトは，入札法の適用対象となると規定されているので，国家資本の割合や出資額によって，入札が依然強制される場合があることには留意すべきである。

　PPP法では58条でコントラクター（請負者）の選定について規定をしているが，上記入札法等の規定を明確に排除しているものではないことから，上記のケースにおいては引き続き入札法の適用対象となると考えらえる。但し，PPP法の解釈はまだ未知数であることから，今後の運用を注視する必要がある。

---

212)　政令63号47条。
213)　政令63号48条。

(セ) 投資保証とインセンティブについて [214]

① 外貨交換の保証 [215]

国会が投資承認をしたり，首相がインフラストラクチャー建設案件について承認をするプロジェクトや，その他重要なプロジェクトについては，各省庁及び地方人民委員会が，外貨管理にかかる法令に従い，(i)日々の取引，資本取引，その他の取引における外貨需要に応ずるため，又は(ii)投資元本，利益，清算後の残余財産分配金の外国送金のための外貨購入のために必要となる外貨の交換を保証することの承認を首相に対して求めることができる。PPP法では，国会及び首相の決定により，プロジェクト収入の30％を上限として，政府が外貨交換の保証をすることができる旨が規定されている [216]。

② 抵当権の設定 [217]

投資家，プロジェクト企業は，財産，土地使用，プロジェクトの経営権に対して，融資者のため，土地法（45/2013/QH13）及び民法（91/2015/QH13）に基づき，抵当権を設定できる。

しかし，土地法174条及び175条によれば，土地使用権に抵当権を設定することができるのは，ベトナム国内で営業を許可された金融機関のみであり，外国金融機関は [218]，抵当権を設定することができない。したがって，その意味で，抵当権の利用は制限されている。

なお，政令63号の59条3項は，投資家，プロジェクト企業は，インセンティブとして，プロジェクトの実施期間中，土地法に従い土地使用料の支払の減免を受けられると規定しているが，現行土地法，及びその施行令である土地使用料に関する政令上，土地使用料の支払が免除された場合，プロジェクト企業の保有する土地使用権に対して抵当権が設定できなくなってしまう [219] と

---

214) 政令63号59条〜67条。
215) 政令63号64条。
216) PPP法81条2項。
217) 政令63号62条。
218) 外国銀行のベトナム支店が，ベトナムの土地使用権に対して設定された抵当権を保有できるかについては議論がある。金融機関法上，現地企業である「金融機関」と外国銀行の支店が峻別されているため，外国銀行のベトナム支店が，土地法上の「ベトナム国内で営業を許可された金融機関」に該当し，ベトナムの土地使用権に対する抵当権を保有できるか否かについて，国家銀行等の規制当局内で見解が統一されていない。
219) 土地法174条4項c。

いった不都合を生じるおそれがあるとの指摘がある。この点は PPP 法においても変更されていない。

③　プロフィット・リスクシェアリング

　PPP 法では，実際の収入がプロジェクト契約に規定された計画収入の 75% を下回り，その他一定の条件を満たした場合，投資方針決定における定めに従い，その差の 50% を国家が負担することが規定された[220]。PPP プロジェクトにおける一定のリスクを国が引き受ける規定となっていることから，投資家にとって望ましい制度であるが，国の監査機関によって収入の監査を受ける必要があること，コストの削減等の一定の手当を講じた後に適用される制度であること，BOT，BTO 及び BOO のプロジェクトにのみ適用される制度であること等から，実際にどの程度投資家のリスクを軽減できるかは未知数である。

　また，反対に，実際の収入がプロジェクト契約に規定された計画収入の 125% を上回った場合，その差の 50% を国家が享受することも規定された[221]。但し，このプロフィットシェアリングは，プロジェクトの料金，サービス料，運営期間を変更し，なおも実際の収益が予想収益の 125% を超える場合にのみ適用される。

(ソ)　**紛争解決**[222]

　①　国家機関と投資家，又はプロジェクト企業間の紛争，プロジェクト企業とプロジェクトに参加した各経済組織間の紛争は，まずは，交渉，調停によって解決が試みられるものとされ，それで解決できない場合，以下の②と③の場合を除き，ベトナムにおける仲裁機関，裁判所においてその解決を行うことができる。

　②　政令 63 号の 38 条に従い，国家機関と外国投資家，又は外国投資家が設立したプロジェクト企業間の，プロジェクト契約及び政令 63 号の 61 条に規定されている保証契約の履行の過程における紛争は，ベトナムにおける仲裁，裁判，又は当事者が合意した仲裁委員会で解決される。

---

220)　PPP 法 82 条 2 項。
221)　PPP 法 82 条 1 項。
222)　政令 63 号 67 条。

③ プロジェクト企業と，外国の組織・個人，又はベトナムの経済組織との紛争，投資家間の紛争は，投資法に従い解決される。

④ プロジェクト契約及び関連する契約の規定に従い仲裁によって解決される紛争は，商事紛争であり，外国仲裁の決定は，外国仲裁の決定の承認及び執行にかかる法律の規定に従い承認，執行される。

PPP法においても概ね同様の紛争解決規定が置かれている[223]。

㋟ PPP法への移行

① PPP法に定める投資分野に属する投資プロジェクトで，最低投資金額の規模を満たすプロジェクトは，以下のとおり実施される。

> - PPP法施行日前に権限を有する機関により投資方針が決定されている場合，PPP法の規定に従って，それぞれ次の段階を実施する。
> - PPP法施行日前に権限を有する機関によりフィージビリティ調査報告書が承認されている場合，PPP法の規定に従って，それぞれ次の段階を実施する。但し，PPP法の規定に従ってプロジェクトの承認手続を再度実施する必要はない。投資家選定がまだ実施されていない場合には，PPP法23条6項に規定する内容（投資家選定の方法や選定期間等）に関する追加の承認を受けなければならない。
> - 上記2つに該当するプロジェクトに関し，もしPPP法69条2項に規定する割合（総投資額の50％）よりもPPPプロジェクトにおける国家資本の割合が大きい場合には，国家資本割合の調整をする必要はない。

② PPP法に定める投資分野に属さない分野プロジェクト又は最低投資金額を満たさないプロジェクトにおいて，投資家選定の手続における予備資格審査の結果が承認されていないもの，又は入札募集書類が発出されていない場合には，当該プロジェクトを実施することはできない[224]。

③ 投資家選定を実施中のPPPプロジェクトは，以下のとおり実施される。

---

223) PPP法97条。
224) PPP法101条2項。

- PPP法施行日前に投資家の予備資格審査結果が承認されていない場合，PPP法の規定に従って実施を継続する。
- PPP法施行日前に入札募集書類等が発出されたが，2020年12月31日以降に入札締切となる場合，入札募集者は，承認された投資方針及びフィージビリティ調査報告書の変更をせずに，PPP法の規定に従って入札募集書類等を調整するために入札募集期限を延長する責務を有する。
- 投資家選定の結果はあるが，PPP法施行日後に契約の交渉及び締結が実施される場合，契約締結機関は，承認された投資方針及びフィージビリティ調査報告書の変更をせずに，PPP法の規定に従って，投資家選定の結果，入札参加書類，提案書類，入札募集書類等に基づき，契約の交渉及び締結を実施する責務を有する。

④ PPP法施行日前に締結されたプロジェクト契約は，プロジェクト契約の規定に従ってこれを実施する。
⑤ PPP法によってBT契約はPPPプロジェクトの形態に含まれないこととなったが，以下のような取扱いとなる[225]。

- 2020年8月15日までに投資方針決定が出ていないプロジェクトは実施することはできない。
- PPP法施行日前に入札募集が発出されていない場合には，当該プロジェクトを実施することはできない。
- PPP法の施行日前に投資家選定の結果が出ている場合には，当局はプロジェクト契約等の締結に責任を持つ。
- PPP法の施行日前にプロジェクト契約を締結している場合には契約締結時の法令に従って実施可能。

---

225) PPP法101条5項。

7 インフラ開発

(2) 再生可能エネルギー（太陽光・風力）に関する規制

(ア) 概　要

　近時，ベトナムでは，その地理的・地形的特長を生かし，太陽光，風力等の再生可能エネルギー事業への投資に関心が集まっている。以下では特に太陽光発電及び風力発電について説明する。現行法上，いずれの事業に関しても，外国投資家は，100％まで投資することが認められている。

　再生可能エネルギー事業においては，事業者が発電した電気を（電力を供給する電力会社等に）買い取ってもらう価格が発電事業自体の事業性（収益性）の検討に関して重要になるところ，ベトナムにおいても，近時，太陽光発電及び風力発電について固定価格（Feed in Tariff: FIT）買取制度が導入されているため，以下その規制について概説する。

(イ) 太陽光発電

　現在の太陽光発電事業のFITについては，2017年4月11日付首相決定11/2017/QD-TTg（以下「首相決定11号」という）によって規定されているが，同決定が対象とするのは，2019年6月30日までに商業運転が開始された太陽光発電所に限られている。

　2019年7月1日以降に商業運転が開始された太陽光発電所に適用されるFIT価格については，同日経過後も長らくその取り扱いが明確にされていなかったところ，2020年4月6日付け首相決定13/2020/QD-TTg（以下「首相決定13号」）により，新たな太陽光FIT制度が明らかにされた。首相決定13号は，同年5月22日から施行されている。首相決定11号と首相決定13号の間の主要な相違点は，以下の通りである。

項目	首相決定11号	首相決定13号
商業運転日の期限及びFIT価格	2019年6月30日までの場合，一律9.35米セント/kWh	以下の3つの類型に分けられている。 (i) 商業運転開始日が2019年7月1日から2020年12月31日までの場合：次表の通り (ii) Ninh Thuan省における系統連系型太陽光発電プロジェクトで，既に開発中であり，且つ商業

147

Ⅱ 進　出

		運転開始日が2021年1月1日より前の場合：商業運転開始日から20年間9.35米セント/kWh (ⅲ)それ以外の系統連系型太陽光発電プロジェクトの場合：競争メカニズム[226]
プロジェクトの種類	以下の2種類 (ⅰ)系統連系型太陽光発電プロジェクト (ⅱ)屋上型太陽光発電プロジェクト	首相決定11号の分類を細分類 (ⅰ)系統連系型太陽光発電プロジェクト 　－　水上太陽光発電 　－　地上太陽光発電 (ⅱ)屋上型太陽光発電プロジェクト
屋上型太陽光発電プロジェクト	特段の手当なし	導入促進のため，次表のより高いFIT価格を含む，インセンティブが付与されている。 ベトナム電力公社（EVN）と契約する場合，所定の契約ひな形を利用するとともに，専用の電力測定機器を設置する。 EVNとの契約ではない場合，電力価格は，当事者間での合意により決定される。

商業運転開始日が2019年7月1日から2020年12月31日までの場合のFIT価格

プロジェクトの種類	FIT価格	
	ベトナムドン/kWh	米セント相当額/kWh
水上太陽光発電	1,783	7.69
地上太陽光発電	1,644	7.09
屋上型太陽光発電プロジェクト	1,943	8.38

(ウ)　風力発電

　風力発電のFIT制度については，従前，2011年6月29日付首相決定37/2011/QD-TTg（以下「首相決定37号」という）により主に規定されていた。

　これについて，2018年9月10日付首相決定39/2018/QD-TTg（以下「首相決定39号」という）により首相決定37号が改正されている。両者の相違点は，主として以下の通りである。

---

226)　首相決定13号において，「競争メカニズム」の意味はそれ以上明確にはされていない。

項目	首相決定37号	首相決定39号
商業運転日の期限	該当なし	2021年11月1日
FIT価格	7.8米セント/kWh	地上プロジェクト：8.5米セント/kWh 水上プロジェクト：9.8米セント/kWh
風力発電プロジェクトの新しい定義	関連規定なし	地上プロジェクトと水上プロジェクトの定義が補足される。

III

現地での事業運営

Ⅲ 現地での事業運営

1 企業法

　2014年企業法のもとにおける1名有限会社，2名以上有限会社及び株式会社それぞれの説明に入る前に，各企業類型に共通する法定代表者の役割等について述べておきたい。

　法定代表者は，①企業の取引から生じる各権利を行使し，義務を履行するにあたり企業を代表し，訴訟手続において企業を代表すると共に，②その他の法令の規定に基づく企業の権利を行使し，義務を履行する。

　2014年企業法では，企業は少なくとも1名の自然人を法定代表者として確保する必要があり，定款で規定することにより，複数の法定代表者を選任することもできる。選任された法定代表者の氏名，生年月日，パスポート番号等の個人情報は企業登録証明書に記載される。

　有限会社では，定款に異なる定めがない限り，社員総会議長又は会社の会長は法定代表者となる。なお，2020年企業法のもとでは，法定代表者のうち1名は，必ず会長，社長又は社員総会議長のいずれかを兼務しなければならないとされている[1]。株式会社では，法定代表者が1人の場合，定款で明示的に異なる定めをしない限り，取締役会議長が法定代表者となる。法定代表者が複数の場合は，取締役会議長と，取締役又は社長が法定代表者となる。なお，法定代表者を3人以上とし，取締役会議長と，取締役又は社長に加え，定款で他の者を法定代表者として定めることは可能であると考えられる。

　条文上，法定代表者の権利義務は，定款に明記しなければならないとされているが，これは，法定代表者が複数いる場合，各法定代表者の権限も定款で規定しなければならないことを意味する。したがって，法定代表者間で権限分配があるときは，定款で明示されていなければならないこととなる。しかし，実務上，複数の法定代表者を選任しつつ，定款で各法定代表者の権利義務や，法定代表者間の権限分配について規定が設けられていないことがある。2014年企業法上は，このような場合の取扱いについて規定はない。1つの解釈とし

1）　2020年企業法54条3項及び79条3項。

て，各法定代表者の権利義務は同等であると考えることができよう。2020年企業法では，各法定代表者の権利義務や，法定代表者間の権限分配について定款に規定が設けられていない場合には，各法定代表者が第三者との関係で完全な権利義務を有し，各法定代表者は他の法定代表者の行為により会社に生じた損害について連帯して責任を負うと規定されている[2]。

なお，法定代表者は，ベトナム国籍を有している必要はないが，少なくとも1名はベトナム居住者でなければならず，企業がベトナム居住の法定代表者を1名のみ置く場合であって当該法定代表者がベトナム国外に滞在する場合には，代わりに法定代表者の権限を行使し，義務を履行する者（2014年企業法上は特に制約はないが，2020年企業法上はこの者もベトナム居住者でなければならないとされている）に対して，委任状を書面で交付しなければならない。この場合，法定代表者は，引き続き委任した権限の行使及び義務の履行について責任を負う。委任された期間が終了しても法定代表者が帰国せず，他の委任も存しない場合，受任者は，①法定代表者が帰国するか，②新たな法定代表者が適法に選任されるまで，引き続き委任を受けた範囲内で法定代表者の権利を行使し，義務を履行する。企業がベトナム居住の法定代表者を1名のみ置く場合の当該法定代表者が，他者に権利義務の行使を委任することなく，30日を超えてベトナムを不在にしたり，勾留，有期懲役刑の宣告，民事行為能力の制限・喪失その他により法定代表者の権利の行使や義務の履行ができない場合には，新たな法定代表者を選任する必要がある。

> **Column**
>
> 非居住者の法定代表者
>
> 　ベトナムで設立されている外資系企業の中には，定款において，取締役会議長を法定代表者と定めているものの，取締役会議長が実質的にベトナムに居住しておらず，社長に法定代表者としての権限を委任しているケースも多いといわれている。法定代表者がベトナムに常駐している必要はなく，一時的な居住でも許容されると考えられるが，2014年企業法及び2020年企業法上，明示的に法定代表者のうち少なくとも1名は居住者でなければならないと規定しており，法定代表者としての権限の委任もあくまで法定代表者はベトナムに戻ってくることを想定した規定で

---

[2] 2020年企業法12条2項。

あることを考えると，少なくとも1名の法定代表者がベトナム国内において実質的に居住しないという運用は違法と考えられる。

(1) 有限会社

有限会社は，1名の投資家が出資して設立する1名有限会社と，2名以上の投資家が出資して設立する2名以上有限会社に分類される。

㋐ 1名有限会社

1名有限会社とは，1つの組織又は1人の個人によって所有される企業であり，出資者（会社所有者）は，会社の定款資本の範囲内において，会社の債務その他の財産上の義務に対する責任を負う。

① 会社所有者の権利及び義務

会社所有者は，企業登録証明書の発給から90日以内に，資本金を出資しなければならない[3]。上記の期限内に出資金を出資しない場合，会社所有者は，当該出資期限満了から30日以内に，登録された定款資本の金額を，実際に出資した金額と同じ金額となるよう修正しなければならない。会社所有者は，当該登録変更が完了するまでの間の会社の財産上の義務の履行について責任を負うとともに，期限内に出資を行わなかったことから会社に生じる損害について責任を負う。会社所有者は，会社所有者の財産と会社の財産を明らかに区別して管理しなければならない。

法人である会社所有者は，以下の(i)〜(xiv)の事項について，権限を有する。さらに，2020年企業法のもとでは，これらに加え，法人である会社所有者の権利として，監査役の選任及び解任，財務諸表の承認，社債の発行の決定等が追加されている[4]。他方，個人である会社所有者は，以下のうち，(i)，(viii)，(xi)〜(xiv)並びに投資及び会社の事業又は社内管理（但し，定款で定める場合を除く）に

---

[3] なお，2020年企業法のもとでは，当該90日の期間から，現物出資の対象となる資産の運搬及び輸入にかかる期間や，資産の譲渡手続にかかる期間は除外される旨が規定されている（2020年企業法75条2項）。
[4] 2020年企業法76条1項。

関する事項についてのみ決定権を有する。会社所有者の決定事項以外のものは，社長が決定権を有することになる。上記のとおり，会社所有者が個人の場合，会社所有者としての決定権が法人である会社所有者よりも限定されていることから，会社所有者が個人の場合には，経営の専門家である社長を別途雇い，社長に多くの権限を付与するという整理になっているといえる。勿論，個人である会社所有者が，社長を兼任することもでき，この場合には，会社所有者が会社の全ての意思決定を行うことになる。

(i) 定款の内容の決定及び定款変更の決定
(ii) 会社の経営戦略及び年間経営計画の決定
(iii) 会社の組織及び経営体制の決定及び管理職の選任又は解任
(iv) 投資及び開発プロジェクトの決定
(v) 市場開拓，マーケティング及び技術に関する方策の決定
(vi) 直近の財務諸表の総資産額の50％以上（又は定款でより小さい割合若しくは額を定める場合は当該割合若しくは額）に相当する金額の借入契約若しくは貸付契約又は定款の定めるその他の契約の承認
(vii) 直近の財務諸表の総資産額の50％以上（又は定款でより小さい割合若しくは額を定める場合は当該割合若しくは額）に相当する金額の財産の売却の決定
(viii) 増資及び持分の全部又は一部の第三者への譲渡
(ix) 子会社の設立又は他の会社への出資
(x) 会社の営業活動の監督及び評価
(xi) 会社の義務を履行した後の利益の処分
(xii) 会社の再編，解散又は破産
(xiii) 解散又は破産後の残余財産の分配
(xiv) その他法令又は定款に定める事項

1名有限会社の会社所有者が，第三者に持分の一部を譲渡する場合又は会社が新たな出資者からの投資を受ける場合には，譲渡の日又は新規出資の日から10日以内に，1名有限会社を2名以上有限会社（又は株式会社）に組織変更しなければならない。

② 機 関 設 計
　(a)　会社所有者が法人の場合
　会社所有者が法人である場合，会社所有者としての権利を行使し義務を履行するために，1人以上の委任代表者を選任しなければならない。会社所有者は，任期にかかわらず，いつでも委任代表者を変更することができ，また任期満了後に再任することも可能である。委任代表者には，民事行為能力があり，法令上，委任代表者となることを禁じられておらず，その他定款に定める要件を満たした者を選任しなければならない。
　委任代表者が1人の場合，会社の機関構成は，会長，社長及び監査役となる。他方，委任代表者を3名以上選任した場合，会社の機関構成は，社員総会，社員総会議長，社長及び監査役となる。法令又は定款で別段の定めがない限り，会長又は社員総会議長は，社長を兼任することができる。なお，2020年企業法のもとでは，委任代表者の人数にかかわらず，会社所有者が国営企業である場合を除き，監査役の選任は必須ではない[5]。
　会長は，会社所有者が選任する。委任代表者が1名の場合，委任代表者が会長となる。社長は，委任代表者が3名以上いる場合には社員総会が，委任代表者が1名の場合には会長が，それぞれ任命する。なお，2020年企業法のもとでは，法定代表者のうち1名は，必ず会長，社長又は社員総会議長のいずれかを兼務しなければならないとされている[6]。
　(b)　会社所有者が個人の場合
　会社所有者が個人の場合，会社の機関は，会長と社長によって構成される。会社所有者が個人の場合には，監査役の設置は，要求されない。会長は，社長を兼任することもでき，また，第三者を社長として選任することもできる。
　(c)　社 員 総 会
　会社所有者が法人である場合で，且つ，会社所有者が3名以上の委任代表者を選任した場合，会社は，社員総会を設置しなければならない。社員総会の開催手続は，2名以上有限会社の場合と同様である（後記(イ)②(b)参照）。
　社員総会は，委任代表者の総数の3分の2以上が出席することによって開

---

5) 2020年企業法79条1項・2項。
6) 2020年企業法79条3項。

催される。定款による別段の規定がない限り，各委任代表者は同数の議決権を有する。社員総会における決定は，原則として，出席者の過半数の賛成により行われる。但し，定款の変更，会社の組織再編，持分の一部又は全部の譲渡については，出席した委任代表者の4分の3以上の賛成によって決議される。なお，2020年企業法においては，それぞれ，各出席者【の議決権】の過半数以上/4分の3以上の賛成という要件も追加されており，頭数での基準又は議決権基準のいずれかを満たす場合に可決されることになる[7]。

(d) 会　長

会社所有者が法人の場合，委任代表者を選任しなければならず，会長は，委任代表者の中から選任される。委任代表者が1名の場合には，当該委任代表者が会長となる。他方，会社所有者が個人である場合，2005年企業法（60/2005/QH11）では，当該会社所有者が自動的に会長になるとされていたが，2014年企業法ではかかる規定はなく，会社所有者が会長を選任することとされた。もっとも，2020年企業法では，会社所有者が自動的に会長になる旨の規定が復活している[8]。

会長は，会社所有者の名のもとに，会社所有者の権利義務を実行し，社長の権限とされているものを除き，会社の名のもとに会社の全ての権利義務を実行する権限を有する。

(e) 社　長

社員総会又は（社員総会が設置されない場合）会長は，会社の日常業務を行う社長を選任する。社長の任期は，5年以内で，再任することもできる。

社長の権限は，以下のとおりである。

(i) 社員総会又は会長の決定の執行
(ii) 会社の日常業務に関する事項の決定
(iii) 会社の経営計画及び投資計画の実行の手配
(iv) 社内規程の施行
(v) 会社の管理職の選解任（社員総会又は会長の権限とされている役職を除く）

---

[7] 2020年企業法80条6項。
[8] 2020年企業法85条2項。

Ⅲ　現地での事業運営

> (vi)　契約の締結（社員総会議長又は会長が締結しなければならないものを除く）
> (vii)　会社の組織体制に関する提案
> (viii)　社員総会又は会長に対する年次財務諸表の提出
> (ix)　利益処分又は損失処理の方法に関する提案
> (x)　労働者の雇用
> (xi)　定款又は労働契約に基づく権限又は義務の履行

(f)　監査役

　会社所有者が法人である場合，会社は，監査役を設置しなければならない。2005年企業法では，監査役の人数は，1名から3名以内とされていたが，2014年企業法には，人数の制限はなく，会社所有者が人数を決定し，選任する。監査役は，会計及び会計監査の専門知識及び経験があるか，又は，会社の主要な事業に関する専門知識及び経験がある者を選任しなければならないが，会計士である必要はない。なお，前述のとおり，2020年企業法のもとでは，会社所有者が国営企業である場合を除き，監査役の選任は必須ではない。

　監査役の権限及び義務は，以下のとおりである。

> (i)　社員総会，会長及び社長による会社所有者の権限の履行並びに会社の業務執行の適法性，誠実性及び慎重さについての確認
> (ii)　財務諸表，事業報告書及び運営管理状況報告書その他報告書の監査及び監査報告書の会社所有者への提出
> (iii)　組織及び経営体制並びに会社の事業管理の改善に関する会社所有者への提案
> (iv)　本店，支店又は駐在員事務所にある資料の閲覧
> (v)　社員総会，その他の会議への出席及び議論への参加
> (vi)　その他法令に定める事項又は会社所有者が請求若しくは決定する事項

　監査役が，上記(iv)の職務を履行するにあたり，委任代表者，会長，社長その他管理職は，監査役から要求された資料を速やかに監査役に提出しなければならない。

　なお，1名有限会社において監査役会の設置は必須ではないが，監査役会を

設置することはできる。2014年企業法上，1名有限会社における監査役会の権限については規定がないことから，株式会社の監査役会と同様のルール（後記(3)(エ)）のもとに監査役会を運営しようとする場合には，定款に運営方法を規定しておくべきであると考えられる。

(g) 委任代表者，会長，社長及び監査役の報酬及び責任

(α) 報　酬

会社所有者は，委任代表者，会長及び監査役の報酬を決定する。

(β) 義務及び責任

委任代表者，会長，社長及び監査役は，以下の義務を負う。

(i) 法令，定款及び会社所有者の決定を遵守する。
(ii) 会社及び会社所有者の合法的利益を最大限確保するために，誠実，慎重且つ最善の方法で適切にその義務を履行する。
(iii) 会社及び会社所有者の利益のために忠実に義務を履行し，自己又は第三者の利益のために会社の情報，事業機会を使用し，また，自己の権限又は会社の財産を悪用してはならない。
(iv) 自ら及び自己の関係者が出資する会社の詳細を会社に報告しなければならない。なお，当該報告は，会社の本店及び支店に備え置かれるものとする[9]。
(v) その他法令又は定款に定める義務を負う。

委任代表者，会長，社長又は監査役が，上記の義務に違反し，その結果，会社又は第三者に損害が発生した場合には，当該義務に違反した者は，連帯して損害を賠償する責任を負うものと解される。

(h) 関係者間取引

①会社所有者又は会社所有者の関係者，②委任代表者，社長又は監査役[10]，③委任代表者，社長又は監査役の関係者，④会社所有者の管理職又は当該管理職を選任する権限を有する者，又は⑤会社所有者の管理職又は当該管理職を選

---

9) なお，2020年企業法のもとでは，支店への備置は不要とされている（2020年企業法83条4項）。
10) なお，2020年企業法のもとでは，会長も(ii)に含まれる（2020年企業法86条1項）。

任する権限を有する者の関係者が，会社と契約を締結する場合，契約又は取引の価格が，当該契約時又は取引時の市場価格でなければならず，且つ，社員総会又は会長若しくは社長及び監査役により承認されなければならない。

上記の要件及び手続を満たさない場合，当該取引は無効であり，契約の署名者及び取引の相手方は，会社に発生した損害を賠償し，又は当該取引によって生じた利益を会社に返還しなければならない。

(i) 資金調達

会社は，金融機関その他の第三者からの借入等のほか，会社所有者が追加出資することにより資金を調達することができる。また，2014年企業法に規定はないものの，1名有限会社及び2名以上有限会社のいずれも政令163/2018/ND-CP（政令81/2020/ND-CPによる改正を含む。以下，「政令163号」という）のもと，社債を発行することができる。なお，2020年企業法では，1名有限会社及び2名有限会社の権利として，社債の発行が明記された。しかし，株式会社とは異なり，これらの有限会社は新株予約権付社債及び転換社債を発行することはできない。その他，社債については，後記(4)(イ)参照。

(イ) 2名以上有限会社

2名以上有限会社とは，2名以上の出資者（法人又は個人。以下，「社員」という）によって所有される企業であり，社員は，会社への出資額の範囲内において，会社の債務その他の財産上の義務に対する責任を負う。なお，社員の総数は，50名を超えることはできない。

① 出資及び持分

(a) 出資義務の履行

社員は，合意した出資金額又は出資財産を企業登録証明書の発給から90日以内に出資しなければならない。なお，2020年企業法のもとでは，当該90日の期間から，現物出資の対象となる資産の運搬及び輸入にかかる期間や，資産の譲渡手続にかかる期間は除外される旨が規定されているほか，他の社員者の過半数の同意があれば，合意と異なる種類の資産を出資することができるとされている[11]。

社員が，期限内に出資義務の全部又は一部の履行をしなかった場合，未払の

出資金相当額は，以下の方法により処理されなければならない。

> (i) 出資義務の全部を履行しなかった社員は，社員としての地位を失う。
> (ii) 出資義務の一部を履行しなかった社員は，出資した金額の範囲内で権利を有する。
> (iii) 出資されなかった持分は，社員総会の決議に従って第三者に売り出される。

なお，いずれかの社員が出資義務の全部又は一部を履行しなかった場合，2014年企業法では，会社は，出資期限満了から60日以内に，定款資本が，実際に出資が行われた金額と同額となるよう，登録の変更を行うこととされていた。2020年企業法では，当該期間は出資期限満了から30日以内に変更されている[12]。

出資を完了した社員には，出資証明書が発行される。この出資証明書に記載される事項は以下のとおりである。

> (i) 商号，企業コード及び本店所在地
> (ii) 定款資本金
> (iii) 社員が個人の場合には，氏名，住所，国籍，パスポート等のID番号。社員が法人の場合には，商号，設立決定番号又は企業コード，本店所在地
> (iv) 出資割合及び金額（価値）
> (v) 出資証明書の番号及び発行日
> (vi) 会社の法定代表者の氏名及び署名

(b) 社 員 名 簿

会社は，企業登録証明書の取得後直ちに，社員名簿を作成し，会社の本店に備え置かなければならない。なお，社員名簿には，以下の事項を記載しなければならない。

---

11) 2020年企業法47条2項。
12) 2020年企業法47条4項。

Ⅲ　現地での事業運営

> (ⅰ) 商号，企業コード及び本店所在地
> (ⅱ) 社員が個人の場合には，氏名，住所，国籍，パスポート等のID番号。社員が法人の場合には，商号，本店所在地，設立決定番号又は企業コード
> (ⅲ) 各社員の出資割合及び出資金額，出資時期，出資財産の種類及び価値
> (ⅳ) 社員が個人の場合には，各個人の署名。社員が法人の場合には，当該法人の法定代表者の署名
> (ⅴ) 各社員の出資証明書の番号及び発行日

(c) 社員の権利及び義務

(a) 社員の権利

2名以上有限会社の社員は，以下の権利を有する。

> (ⅰ) 社員総会に出席し，議案を提案，審議，決議する権利
> (ⅱ) 出資割合に応じて議決権を行使する権利
> (ⅲ) 税金その他の財産上の債務を支払った後の利益について出資割合に応じた[13]分配を受ける権利
> (ⅳ) 解散又は破産の場合に会社の残余財産について出資割合に応じた分配を受ける権利
> (ⅴ) 増資の際に，優先して出資する権利
> (ⅵ) 出資持分の全部又は一部の譲渡，贈与その他の方法で法令・定款に基づき出資持分を処分する権利
> (ⅶ) 法令に基づき，社員総会議長，社長，法定代表者，その他の管理職に対して訴えを提起する権利
> (ⅷ) その他法令又は定款に記載される権利

[13) 2014年企業法及び2020年企業法では，株式会社の配当優先株のように，特定の社員に対して出資割合を超える配当を支払うことは想定されていない。そのため，2名以上有限会社において，出資割合と利益の帰属割合を変えたい場合は，出資割合に応じて会社から配当を受けた後に社員間で配当額を調整するとり決めをすることが考えられる。これに対し，実務上，定款に規定することで，会社から社員に対して，出資比率とは異なる割合で利益を分配する方法が検討されることもある。当該定款規定の有効性については，必ずしも確立した見解が存在するわけではないため，かかる方法を採る場合には，事前に当局に確認した上で進めるべきであると思われる。

上記に加え，①定款資本の 10% 以上（又は定款で定めるより小さい割合）の出資持分を単独又は複数で保有する社員又は②定款資本の 90% 超の出資持分を保有する社員がいる場合において定款で 10% より小さい割合が定められていない場合の残りの社員グループは，社員総会を召集する権利その他一定の権利を有する。

(β) 社員の義務

社員は，以下の義務を負う。

> (i) 出資を行い，当該出資の範囲内において会社の債務その他の財産上の責任を負う。
> (ii) 一定の場合を除き，出資の払戻しを行わない。
> (iii) 会社の定款を遵守する。
> (iv) 社員総会の決定を遵守する。
> (v) 社員が会社の名義において，法令違反をした場合，会社の利益に反する取引を行い第三者に損害を発生させた場合，又は会社が財政難になるおそれがあるにもかかわらず期限が到来していない債務を弁済する場合には，社員はその責任を負う。
> (vi) 会社法に規定される他の義務を履行する。

(d) 出資持分の譲渡及び買取請求

(a) 出資持分の譲渡

社員がその保有する出資持分の全部又は一部を第三者[14]に譲渡する場合，まず他の社員に対して，出資割合に応じて，第三者に譲渡する条件と同一の条件での購入を提案しなければならない。当該提案の日から 30 日以内に，他の社員が全ての持分を購入しない場合に限り，第三者への譲渡を希望する社員は，その所有する出資持分を第三者に対して譲渡することができる。また，社員は，その保有する出資持分を第三者に贈与することもできるが，所定の親族への贈与の場合を除き，社員総会の決議が必要である。贈与の場合には，有償での譲

---

14) ここにいう「第三者」は，既存の社員以外の者を指す。既存の社員間での譲渡については，2014 年企業法及び 2020 年企業法では，先買権の規定はない。

渡と異なり，他の社員に対する贈与を提案する必要はなく，社員総会の決議のみが要求される。

2014年企業法及び2020年企業法では，社員が出資持分を譲渡する場合，他の社員には同一条件で出資持分を購入する権利（いわゆる「先買権」）が認められているため，定款に規定することにより，又は社員間の合意により，先買権の適用を排除することはできないという見解も存在する。もっとも，実務上は，社員間契約等において，先買権を行使しない旨を予め合意することによって，事実上，先買権の適用を排除することも行われている。社員が予め先買権を行使しないと明示的に合意している場合にまで，2014年企業法の規定を強制適用する必要性は乏しいため，先買権の放棄又は不行使の合意も有効と解すべきであろう。

(β) 出資持分の買取請求

以下の事項を決議する社員総会において反対の議決権行使をした社員（以下，「反対社員」という）は，その保有する出資持分の買取りを会社に対して請求することができる。

> (i) 社員又は社員総会の権利又は義務に関する定款の規定の変更
> (ii) 組織再編
> (iii) その他定款に規定する場合

この買取請求権は，上記(i)～(iii)の決議がなされた後15日以内に書面で行使しなければならない。会社は，買取りの対価を，原則として反対社員との合意によって定め，合意できない場合，買取請求を受けた日から15日以内に，時価（market price）又は定款で定める方法で算出された価格で買い取らなければならない。但し，会社が債務その他財産上の義務を履行できる場合に限り，会社は当該買取りの対価を支払うことができる。なお，会社が買取りを行うことができない場合，反対社員はその保有する出資持分を他の社員又は第三者に対して自由に譲渡することができる。

買取請求権の行使に際して支払われる対価は，原則として，反対社員との合

意によって定め，合意に至らない場合には，時価又は定款に記載された対価で買い取ることとされているが，この時価の算定方法については，2014年企業法上，市場における前日の最高取引価格，売主と買主の間で合意された価格，又は専門評価機関が確定した価格のいずれかをいうとされている。2020年企業法においては，「市場における前日の最高取引価格」の部分は，「それ以前の市場取引価格」という抽象的な規定に変わっている[15]。

　(γ)　出資持分の承継等

　個人である社員が権利能力を喪失した場合，社員としての権利及び義務は，その後見人によって行使される。また，個人である社員が死亡した場合，その社員の相続人が社員となり，個人である社員が裁判所により失踪宣告を受けた場合，その社員の財産管理人が社員となる。なお，2020年企業法においては，個人である社員が裁判所により失踪宣告を受けた場合，その社員の財産管理人は，社員となるのではなく，失踪社員の権利を行使し義務を履行すると規定されているのみである[16]。

　相続人が社員になることを拒絶した場合，出資持分の贈与が社員総会で否決された場合，又は，法人である社員が解散又は破産した場合，その出資持分は，会社が自ら買い取るか，又は，他の社員又は第三者に譲渡される。

② 機関設計

　(a)　概　要

　2名以上有限会社は，社員総会，社員総会議長及び社長によって構成される。なお，社員総会議長と社長は兼任が可能である。2014年企業法では，11名以上の社員がいる場合には，さらに監査役会を設置しなければならないとされていた。社員の人数が10名以下である場合，監査役会を設置する義務も，監査役を設置する義務もないが，定款に規定し，任意に監査役会等を設置することは可能である。なお，2020年企業法のもとでは，国営企業又はその子会社を除き，社員の人数にかかわらず，監査役会の設置は不要とされている[17]。

---

15)　2020年企業法4条14号。
16)　2020年企業法53条2項。
17)　2020年企業法54条1項・2項。

Ⅲ　現地での事業運営

(b)　社 員 総 会

　(a)　社員総会の権限

　社員総会は，2名以上有限会社の社員全員によって構成される，会社の最高意思決定機関であり，少なくとも毎年1回開催しなければならない。

　2014年企業法上，社員総会は，以下の事項を行う権利を有し，義務を負う。2020年企業法のもとでは，これらに加え，社債の発行，直近の財務諸表の総資産の50％（又は定款で定める，より低い割合若しくは額）以上の価値を有する定款に定めるその他の契約締結の承認，監査役の選任又は解任等の権利義務が追加されている[18]。

(ⅰ)　会社の経営戦略及び年間経営計画の決定
(ⅱ)　定款資本の増資又は減資，資金調達の時期及び方法の決定
(ⅲ)　会社の投資及び開発プロジェクトの決定
(ⅳ)　市場開拓，マーケティング，技術移転に関する措置の決定及び直近の財務諸表の総資産額の50％（又は定款で別途定める，より低い割合若しくは額）以上に相当する，借入又は資産売却の契約締結の承認
(ⅴ)　社員総会議長，社長，会計主任及びその他の定款で定める重要な役職者の選解任又は罷免
(ⅵ)　社員総会議長，社長，会計主任及び定款に定めるその他の重要な管理職の報酬，賞与その他の諸手当の決定
(ⅶ)　年次財務諸表，利益配当計画及び損失処理計画の承認
(ⅷ)　会社の組織体制の決定
(ⅸ)　子会社，支店又は駐在員事務所の設置の決定
(ⅹ)　定款の変更
(ⅺ)　組織再編の決定
(ⅻ)　解散又は倒産の申立ての決定
(ⅹⅲ)　その他法令又は定款に定める権利義務
(ⅹⅳ)　会社の発展の方向性の決定

---

18)　2020年企業法55条2項。

(β) 社員総会の招集

社員総会の招集は，原則として，社員総会議長によって行われる。社員総会の開催にあたり，会議の開催日時，開催場所及び議案が記載された通知が社員全員に対して送付される。社員総会の議案及び各種資料は，定款の定める期限までに，社員に対して送付しなければならない。但し，定款の変更，経営戦略の決定，年次財務諸表の承認，組織再編又は解散に関する資料は，社員総会開催日の7営業日前までに送付しなければならない。

(γ) 社員による社員総会の開催及び議案の提案

(i)定款資本の10％以上（又は定款で定める，より小さい割合）の出資持分を有する単独若しくは複数の社員，又は，(ii)定款資本の90％超の出資持分を保有する社員がいる場合において社員総会招集請求権の要件として10％よりも小さい割合が定款で定められていない場合の残りの社員グループは，会社に対して社員総会の招集を求めることができる。

上記(i)又は(ii)に基づき社員が会社に対して社員総会の開催を要求したにもかかわらず，社員総会議長が当該社員総会の開催請求を受けた日から15日以内に社員総会を開催しない場合，社員総会の開催を請求した社員は，自ら社員総会を開催することができる。なお，社員が社員総会の開催を求める書面には，(i)社員総会の開催を要請する社員が個人である場合，社員の氏名，住所，国籍，パスポート等のID番号，社員が法人である場合，商号，企業コード又は設立決定番号，本店所在地，(ii)社員総会開催を要請する社員の持分割合並びに出資証明書の番号及び発行日，(iii)社員総会開催を要請した理由及び社員総会で審議される事項，(iv)議案，及び(v)社員総会開催を要請する社員又は委任代表者の氏名及び署名が含まれなければならない。さらに，社員総会議長が社員総会を開催しないことで会社又は社員の利益が毀損された場合には，社員総会議長はこれを賠償する責任を負う。

また，各社員は，その持分割合にかかわらず，書面により，議案を提案することができる。議案提案書面が社員総会開催日の前営業日までに送付された場合，社員総会議長は，提案された議案を社員総会に上程しなければならない。また，議案提案書面が前営業日までに送付されなかったものの，社員総会の開催までに送付された場合は，社員総会の決議により承認されたときに限り，議

案に追加される。なお，議案提案書面には，提案者の氏名等のほか，(i)持分比率及び出資証明書の番号及び発行日，(ii)提案する議案，及び(iii)提案理由を記載しなければならない。

　(δ)　社員総会の定足数

　社員総会は，定款資本の 65% 以上で定款の定める割合の出資持分を保有する社員が出席することによって開催される。もし，合計で 65% 以上の出資持分を保有する社員が社員総会に出席せず社員総会が開催されなかった場合，社員総会の開催予定日から 15 日以内に，2 回目の社員総会を招集しなければならない。この 2 回目の社員総会の定足数は，定款資本の 50% 以上の出資持分を保有する社員の出席となる。2 回目の社員総会において，定款資本の 50% 以上の出資持分を保有する社員が出席せず社員総会が開催されなかった場合，2 回目の社員総会の開催予定日から 10 営業日以内に，3 回目の社員総会を開催しなければならない。3 回目の社員総会においては，出席する社員の人数及び出席した社員の出資持分の割合にかかわらず，社員総会は開催される[19]。2 回目以降の社員総会の定足数は，定款で異なる定めをすることができると考えられるが，法定要件より緩やかな定めは認められないと解される。

　(ε)　社員総会決議

　定款で別途定めがない限り，社員総会の決議は，会議での決議，書面投票又は定款で規定されるその他の方法により行う。

　会議での決議は，原則として，社員総会に出席した社員の出資総額の 65% 以上の賛成により成立する。但し，以下の事項については，社員総会に出席した社員の出資総額の 75% 以上の賛成により決議される。

〈特別決議事項〉
(i)　直近の財務諸表に記載された総資産額の 50% 以上（又は定款で規定する，よ

---

19)　なお，実務上，3 回目の社員総会の定足数について非常に高い割合（例えば 95% など）が定められることがある。これは，定足数の定めに関する企業法の趣旨に照らすと適切ではないと思われるものの，3 回目の定足数が 2 回目の定足数と同等である限り許容されると考えられる。3 回目の定足数が極端に高い場合だけでなく，3 回目の定足数として 50% 以上の割合を定める場合も同様であると考えられる。

> り低い割合若しくは額）の価値のある財産の売却
> (ii) 定款変更
> (iii) 組織再編
> (iv) 解散

　社員総会の決議要件については，少なくとも過半数（50％超）であれば，定款で，普通決議について 65％ 超又は 65％ 未満（例えば 51％）の割合を定めることや，特別決議について 75％ 超又は 75％ 未満の割合を定めること，普通決議と特別決議の決議要件を同じ割合とすることのいずれも可能であると解される。なお，2014 年企業法及び 2020 年企業法上，社員は，持分（出資額）に対応した議決権を有するため，「社員数の 65％」などといった頭数ベースで決議要件を定めることはできないと解される。

　また，書面投票の方法により決議を行う場合には，決議事項の如何にかかわらず，65％ 以上で定款で定める割合の定款資本を有する社員の賛成により決議される。

　書面投票を行うかどうかは，定款に特段の定めがない限り，社員総会議長が決定し，議長は以下の事項を含む書面投票書類，及び決議事項に関する報告書，議案，及び決議書のドラフトを作成し，社員に送付しなければならない。

> (i) 商号，企業コード，本店所在地
> (ii) 社員の氏名，住所，国籍，パスポート等の ID 番号，出資割合
> (iii) 賛成，反対及び棄権の回答を求める事項
> (iv) 書面投票書類の送付期限
> (v) 社員総会議長の氏名及び署名

　社員総会議長は，書面投票書類の送付期限から 7 営業日以内に開票結果及び決議された内容を社員全員に対して知らせなければならない。

Ⅲ　現地での事業運営

　(ζ)　社員総会議事録

　会社は，全ての社員総会につき，議事録を作成しなければならず，社員総会の閉会前に議事録の作成が完了し承認されなければならない。

　議事録に記載すべき内容は以下のとおりである。

(i)　会議の日時，開催地，目的及び議案
(ii)　出席した社員又は委任代表者の氏名，出資割合，出資証明書の番号及び発行日，並びに欠席した社員又は委任代表者の氏名，出資割合，出資証明書の番号及び発行日
(iii)　審議及び決議された事項及び審議事項に関する意見の概要
(iv)　各決議事項における有効又は無効投票数，並びに賛成及び反対の数
(v)　承認決議された事項
(vi)　議事録作成者及び社員総会議長の氏名及び署名

　なお，2020年企業法においては，(iv)について賛成と反対の他に「棄権」が追加され，(v)について賛成率が追加されているほか，新たな項目として「議事録を承認することに賛成しなかった者（もしいれば）の氏名，署名及び意見」が追加されている[20]。そして，社員総会議長又は議事録を作成する者が議事録への署名を拒絶した場合には，社員総会に参加したその他の者全員による署名があり，かつ法定記載事項の全てが記載されているときに議事録は有効である旨の規定が追加された[21]。

　(c)　社員総会議長

　社員総会議長は，社員の中から社員総会によって選任される。社員総会議長の任期は，最長5年であるが，再任することもできる。

　社員総会議長の権限及び義務は，以下のとおりである。

(i)　社員総会の計画及び準備

---

20)　2020年企業法60条2項。
21)　2020年企業法60条3項。

(ⅱ) 社員総会のスケジュール，議案及び書類，書面投票の準備
(ⅲ) 社員総会の招集及び主宰並びに書面投票書類の回収
(ⅳ) 社員総会の承認事項の執行についての監督
(ⅴ) 社員総会の決定への署名
(ⅵ) その他法令又は定款に定める事項

(d) 社　長
(α) 資　格

　社長は，社員総会の決議により選任される。社長に選任されるためには，民事行為能力が認められ，法律上，社長への選任が禁止されていないことが必要である。また，会社の経営若しくは会社の主要事業に関する専門知識及び経験を有する者でなければならない。さらに，定款でその他の資格又は要件を追加することも可能と解される。

(β) 社長の権限及び義務

　社長は，会社の日常業務を行う。具体的には，社長は，以下の権限を有し，義務を負う。

(ⅰ) 社員総会の決定の執行
(ⅱ) 会社の日常業務に関する全ての事項についての決定
(ⅲ) 会社の事業計画及び投資計画の実行
(ⅳ) 社内規程の施行（定款に異なる定めがある場合を除く）
(ⅴ) 会社の管理職の選解任（社員総会の権限に属するものを除く）
(ⅵ) 社員総会議長が行うものを除く，会社の名義での契約書の締結
(ⅶ) 会社の組織体制に関する提案
(ⅷ) 社員総会への年次財務諸表の提出
(ⅸ) 利益処分又は損失処理の方法に関する提案
(ⅹ) 労働者の雇用
(ⅺ) その他会社の定款，社員総会の決定，又は会社との雇用契約に定める権限又は義務

(γ) 社長の責任

社長は，業務の遂行にあたり，以下の責任を負う。

> (i) 会社の合法的利益を最大化するために，誠実，慎重且つ最善の方法で権限を行使し，業務を遂行しなければならない。
> (ii) 会社の利益に対して忠実であり，自己又は第三者の利益のために，会社の情報，ノウハウ及び事業機会を利用してはならず，また，自己の権限又は会社の財産を悪用してはならない。
> (iii) 自己又は関連当事者が，他の企業の所有者であり，又は，他の企業の支配権を有するに足りる株式若しくは出資持分を保有する場合には，正確且つ適時に，当該企業について会社に対して通知しなければならない。なお，この通知は，会社の本店において，備置される。
> (iv) その他法令又は定款に規定する義務を履行する。

(δ) 社長の報酬

社長の報酬は，社員総会の決議により，決定される。

(e) 監査役会

2014年企業法の2名以上有限会社の章には，監査役会に関する規定が設けられておらず，監査役会及び監査役会の長の権限，任務，義務，資格，条件及び業務体制は，定款の定めるところによる。そのため，株式会社の監査役会と同様の権限を2名以上有限会社の監査役会に与えたい場合は，そのような定款規定を整備しておく必要があると考えられる。なお，2020年企業法のもとでは，監査役会に関する規定が置かれている。監査役会は1名〜5名の監査役により構成され，監査役の任期は5年以内で何度でも再任可能とされている。監査役の権利義務や責任，監査役会長の条件等については，株式会社の場合と同一とされている。監査役が1名しか選任されていない場合には，その者が監査役会長を兼務するとされている[22]。

---

22) 2020年企業法65条。

(f) 関係者間取引

2014年企業法では，会社と以下に該当する者との契約又は取引については，社員総会の65％以上の賛成による承認決議を得なければならないとされていた。これに対し，2020年企業法においては，関係者間取引の承認決議要件について，65％とは明記されておらず，2020年企業法及び定款に基づく社員総会の決議要件とだけ規定されている。そのため，前述のように定款で社員総会の決議要件を変更している会社においては，当該決議要件に従って関係者間取引を承認する必要があると考えられる[23]。

(i) 社員，社員の委任代表者，社長，又は法定代表者
(ii) 上記(i)の関係者
(iii) 親会社の管理者又は親会社の管理者を指名する権限を有する者
(iv) 上記(iii)の関係者

上記の者との契約又は取引に関して社員総会の承認決議を得ず，会社に損害を与えた場合，当該契約又は当該取引は無効とみなされる。当該契約の署名者，関係した社員又はその社員の関係者は，当該契約の締結又は取引に関して発生した損害を賠償する責任を負う。

(2) 株式会社①——株式

(ア) 株式の種類

株式は，均一の割合的単位の形をとり，株主は複数の株式を保有することが認められる。株主は，法人であっても個人であっても認められるが，最低3名の株主がいることが要求される。

株式会社が発行できる株式の種類は，普通株式と優先株式に分けられる。なお，この他に2020年企業法により，議決権のない保管振替証書発行の原資となる普通株式として，基本普通株式が規定されている[24]。優先株式の種類と

---

23) 2020年企業法67条2項。
24) 2020年企業法114条6項。

して，(i)議決権優先株式，(ii)配当優先株式，(iii)償還優先株式，及び(iv)定款に規定されるその他の優先株式が2014年企業法上認められていた。2020年企業法のもとでは，優先株式には証券法の規定に従った優先株式も含まれる[25]。優先株式の内容として，上記(i)～(iv)を組み合わせることができ，例えば，配当優先条項及び償還優先条項を内容とする優先株式，又は，配当優先条項及び残余財産分配優先条項を内容とする優先株式等を発行することができると解される。何ら普通株に優先する要素のない種類株式の発行は認められないと解される。

なお，株式の種類は，株式会社の定款に記載すべき事項とされている。また，株券や定款には，株式の種類だけではなく，当該優先株式の内容についても記載する必要があると解される。

ベトナムの株式会社は，必ず普通株式を発行しなければならず，優先株式のみを発行することは認められていない。

また，ベトナムの株式会社は，普通株式の内容を変更し，優先株式とすることが認められていない。この点，日本では，普通株式の内容を変更し，全部取得条項付種類株式にした後に，取得対価として株主に対して別種類の株式を割り当て，その際に，少数株主には1株未満の端数のみが割り当てられるよう決定することにより，少数株主を締め出す，いわゆるスクイーズアウトが行われることもある。しかし，ベトナムでは，そもそも普通株式の内容を変更することはできないため，上記のような日本で実務上一般的に行われている手続を利用して，スクイーズアウトを行うことはできない。

ベトナムの株式会社が発行する優先株式は，株主総会の決議に従い，普通株式に転換することが認められている。なお，優先株式から普通株式に転換する都度，株主総会が必要であるかどうかは，法律の文言上明らかではない。しかし，優先株式の発行の際に，優先株式から普通株式への転換事由及び転換条件等を具体的に明らかにした上で定款変更を行うのであれば，当該定款変更に賛成した株主にとっては特段の不利益はなく，また株主の権利の変更にかかる決議に反対した株主には株式買取請求権が認められており，反対株主の権利保護

---

25) 2020年企業法114条2項d。

の機会も付与されていることに鑑みると，定款の定めるところに従い，取締役会の決議又は株主からの請求があったときに，優先株式から普通株式に転換することができるという条項を規定することも可能であると解釈する余地も十分にあるといえる。

(イ) 普通株主の権利及び義務
① 普通株主の権利

株主は，会社から直接経済的利益を受ける権利（いわゆる自益権）及び会社経営に参与し，又は，取締役等の行為を監督是正する権利（いわゆる共益権）を有している。具体的には，各株主は，その保有する株式数又は当該株式を保有している期間にかかわらず，以下に定める各権利を行使することができる。

(i) 株主総会への参加権，株主総会での発言権及び議決権
(ii) 株主総会の決議に基づき配当を受ける権利
(iii) 普通株主の普通株式保有割合に基づく新株引受権
(iv) 株式を譲渡する権利[26]
(v) 株主名簿の閲覧謄写権，情報訂正請求権
(vi) 定款，株主総会議事録の閲覧謄写権
(vii) 残余財産分配請求権
(viii) その他法令又は定款で定められた権利

なお，2020年企業法により，上記(v)の株主名簿の閲覧謄写権の範囲が制限される。すなわち，2014年企業法では全ての情報の閲覧謄写が認められていたが，2020年企業法では氏名と連絡先住所に関する情報のみ閲覧謄写が認められる[27]。

また，2014年企業法のもとでは，6か月以上継続して，普通株式の総数の合計10%以上（但し，定款でより低い割合を規定した場合には，当該割合）を単独又は複数で保有する株主は，以下に定める各権利を行使することができるとさ

---

[26] 発起株主の譲渡制限については，後記③(b)参照。
[27] 2020年企業法115条1項（dd）。

Ⅲ 現地での事業運営

れていた。

> (ⅰ) 取締役又は（監査役会がある場合には）監査役の指名権
> (ⅱ) 取締役会議事録，半期計算書類及び年次計算書類，並びに監査役会の報告書の閲覧謄写権
> (ⅲ) (ア)取締役会による株主の権利の侵害，重大な義務違反，授権範囲を超える決定がある場合，(イ)取締役の任期満了後6か月経過しても新取締役が選任されない場合，又は，(ウ)その他定款に記載する場合に，株主総会を招集する権利
> (ⅳ) 監査役会に対する検査請求権
> (ⅴ) その他法令又は定款で定められた権利

これに対し，2020年企業法は，普通株式の総数の一定割合を保有する株主又は株主グループの権利について以下のとおり規定している。

> ・ 普通株式の5％以上（但し，定款でより低い割合を規定した場合には当該割合）を保有する株主又は株主グループは，保有している期間に関わらず，上記(ⅱ)から(ⅴ)までの各権利を行使することができる。また，そのような株主又は株主グループは，さらに取締役会の承認が必要な契約及び取引並びに会社の営業秘密に関するもの以外のデータを閲覧，調査，謄写する権利を行使することができる[28]。
> ・ 普通株式の総数の10％以上（但し，定款でより低い割合を規定した場合には当該割合）を保有する株主又は株主グループは，上記(ⅱ)から(ⅴ)までの各権利のほか，さらに上記(ⅰ)の取締役又は監査役の指名権を行使することができる[29]。

② 普通株主の義務

普通株主は，株式会社への出資額の範囲内で当該会社の債務及び財産上の義務について責任を負う。日本と同様に，ベトナムの株主の責任も，原則として，出資した範囲に限定される。このほか，普通株主は，法令，定款及び適用のあ

---

28) 2020年企業法115条2項。
29) 2020年企業法115条5項。

る内部規程に従う義務，株主総会及び取締役会の決定に従う義務を負う。

なお，2020年企業法では，普通株主と優先株主は同様の義務を負う。

また，株主は，上記の義務に加え，会社の定款及び関連する法令の規定に従い会社の提供する情報の秘密を保持する義務を負う。すなわち，株主は，当該情報を他の組織又は個人に対して配布，複製又は送付することができず，専ら自己の適法な権利及び利益の行使及び保護のためだけに使用することができる[30]。

③ 発起株主に適用される特別な規定

(a) 設立時における払込義務

発起株主[31]は，企業登録の時点で，引受募集対象普通株式の少なくとも20%以上を共に引き受けなければならない。払込みは，原則として企業登録証明書の発効日から90日以内に行う必要がある。

もっとも，2021年1月1日以降，上記の90日の期間については，現物出資の対象となる資産の運搬及び輸入にかかる期間や，資産の譲渡手続にかかる期間は除外される[32]。90日又は定款若しくは株式引受契約に定めるより短い払込期間の経過後，(i)株式の引受人が全く払込みを行っていない場合，以後会社の株主ではなくなり，他人に対して株式の引受権を譲渡することもできなくなる。

(ii)引き受けた株式について一部だけ払い込まれた場合，払い込んだ株式の数に応じた議決権，配当請求権その他の株主権を有する。他人に対して残部の株式の引受権を譲渡することはできない。

引受登録済株式の全部又は一部の払込を行っていない株主は，上述した90日間（又はその他のより短い払込期間）に生じた会社の金銭債務について，引受登録株式の額面額の総額に応じて責任を負う。90日間（又はその他の払込期間）の経過後30日以内に，払込がなされていない株式があり，当該30日の期間内に全ての払込未了の株式が譲渡されるのでない限り，会社は，定款資本の減

---

30) 2020年企業法119条。
31) 発起株主とは，株式会社の普通株式を少なくとも1株保有し，発起株主名簿に署名した者をいう。
32) 2020年企業法113条1項。

少を登録し，発起株主の情報を変更しなければならない。

払込未了の株式は，取締役会がこれを譲渡することができる。譲渡を受けた潜在的株主が払込義務を履行する期限について，2014年企業法上は規定がなかったが，2020年企業法では，払込履行期間も上記の30日の期間であるとされていることから，次の2つのシナリオが考えられる。

> (i) 潜在的株主が払込機関の満了から30日の期間内に払込を完了した場合（つまり，会社が定款資本を減少させる前に潜在的株主から払い込まれた場合），会社は，定款資本を減少させる必要がなく，発起株主の情報を変更すれば足る。
>
> (ii) 潜在的株主が30日の期間内に払込を完了しなかった場合，会社は，定款資本を減少し，発起株主の情報を変更する。その上で，潜在的株主から払込があれば，会社は定款資本を増加させることになる。

(b) 発起株主が負担する譲渡制限

発起株主は，企業登録証明書の取得日から3年以内に，その保有する普通株式を他の発起株主以外の第三者に譲渡する場合には，株主総会の承認を得なければならない。なお，普通株式を譲渡しようとする発起株主は，譲渡の承認を行う株主総会において，議決権を行使することができない。株主総会の承認を得て，第三者に普通株式が譲渡されても，当該第三者は，発起株主としての地位を取得しない。したがって，普通株式を新たに譲り受けた者が，さらに企業登録証明書の取得日から3年以内に普通株式を譲渡する場合に，別途株主総会の承認を得る必要はないと解される。

企業登録証明書の取得日から3年を経過した場合，発起株主は，原則として，株主総会の承認を得ずに，その保有する普通株式を譲渡することができる。勿論，株主間契約又は定款において，株主間の譲渡制限に関する規定を設けることは可能である。すなわち，株主間契約において，株主である各当事者が第三者に株式を譲渡する場合には，他の当事者全員の同意が必要であると規定すること，又は，定款において，株主がその保有する株式を第三者に譲渡する場合には，株主総会又は取締役会の事前の承認を得なければならないと規定する

ことはいずれも可能であると解釈されており，実務上もこのような合意が株主間契約でなされ，又は定款に規定されることも行われている。

④ 優先株式及び優先株主の権利及び義務

ベトナムでも株式会社が優先株式を発行することが認められているが，日本の優先株式の制度及び規制とは異なっている点が多い。実務上，優先株式が使われている実例はまだ少ないと言われているが，昨今のベトナムにおける企業活動の活発化又は多様化の状況に鑑みると，近い将来，優先株式を発行する株式会社が増えてくる可能性は十分にあると言える。

(a) 議決権優先株式

議決権優先株式とは，普通株式より多い議決権を有する株式をいう。議決権優先株式に付される議決権の数は定款において規定する必要がある。

政府の承認を受けた組織及び発起株主のみが議決権優先株式を保有できる。議決権優先株主は，普通株主と同じ権利を有するが，その保有する議決権優先株式を第三者に譲渡することはできない。もっとも，2020年企業法では，議決権優先株式につき，法的に有効な裁判所の判決若しくは決定がある場合の譲渡又は相続による承継は認められる[33]。

(b) 配当優先株式・残余財産分配優先株式

配当優先株式とは，普通株式よりも多額の配当が得られる優先株式又は固定額による配当が得られる優先株式をいう。配当は，固定配当と特別配当に分類され，固定配当は会社の業績の如何にかかわらず，予め決められた金額が配当されるものである。固定配当及び特別配当における配当金の額の決定方法は，配当優先株式の株券に記載されなければならない。議決権優先株式と異なり，配当優先株式を保有する者は，発起株主等に限定されず，定款又は株主総会において決定する者に対して，配当優先株式を割り当てることができる。

配当優先株主は，株主総会に出席し，議決権を行使することができず，また取締役及び監査役の選任議案を株主総会に提案することもできない。もっとも，2020年企業法では，配当優先株主は，株主総会において配当優先株主の権利及び義務に不利な変更をもたらすこととなる決議を行う際は，議決権を行使す

---

[33] 2020年企業法116条3項。

ることができ，この場合，当該決議は出席配当優先株主の一定数の賛成がある場合にのみ決議があったものとみなされる[34]。

これらの制限を除き，配当優先株主は，普通株主と同じ権利を有する。会社の解散の場合，配当優先株主は，その出資割合に応じて，残余財産の分配を受けることができる。なお，配当優先株式は，配当に関して普通株式に優先する株式であるものの，定款において特段の規定がない限り，残余財産分配の場面で，普通株主と同順位で，その出資割合に応じて分配を受けるかどうかは明らかでない。したがって，配当優先株式を発行する場合には，残余財産分配の際の取扱いも定款に明記する必要があるといえる。

2014年企業法及び2020年企業法は，議決権優先株式，配当優先株式及び償還優先株式以外にも，定款に規定されるその他の優先株式の発行を認めていることから，残余財産分配優先株式を発行することも可能であると解される。残余財産分配優先株式の内容は，定款において規定する必要がある。

(c) 償還優先株式

償還優先株式とは，株主の請求又は株券に規定された条件に従って償還される優先株式をいう。議決権優先株式と異なり，償還優先株式を保有する者は，発起株主等に限定されず，定款又は株主総会において決定する者に対して，償還優先株式を割り当てることができる。

償還優先株主は，株主総会に出席し，議決権を行使することができず，また取締役及び監査役の選任議案を株主総会に提案することもできない。もっとも，2020年企業法では，償還優先株主も，株主総会において償還優先株主の権利及び義務に不利な変更をもたらすこととなる決議を行う際は，配当優先株式の場合と同様に議決権を行使することができるとされている[35]。これらの制限を除き，償還優先株主は，普通株主と同じ権利を有する。

⑤ 株　券

株券とは，株式会社により発行される証書，帳簿又は電子データで，その株

---

34) 2020年企業法148条6項。当該株主総会に出席する同種の優先株主の保有する優先株式総数の75%以上の賛成，又は，同決議が書面決議により行われる場合には，同種の優先株主の保有する優先株式総数の75%以上の賛成による場合にのみ可決される。

35) 2020年企業法148条6項。

式会社の株式の所有権を証明する書類をいう。株券には，以下の事項を記載しなければならない。

(i) 株式会社の商号，企業コード及び本店所在地
(ii) 株式の種類及び数
(iii) 1 株あたりの額面金額及び株券に記載される株式の額面総額
(iv) 株主が個人である場合には，氏名，住所，国籍，パスポート等の ID 番号，株主が法人である場合には，商号，企業コード又は設立決定番号，及び本店所在地
(v) 株式譲渡手続の概要
(vi) 株式会社の法定代表者の署名及び会社印（もしあれば）
(vii) 株主名簿の登録番号及び株券発行日
(viii) 優先株式の場合には，2014 年企業法及び 2020 年企業法で定めるその他の事項

　会社が発行した株券の内容及び形式上の誤りがあっても保有者の権利には影響を及ぼさない。万一，発行された株券の内容及び形式上の誤りにより損害が発生した場合，法定代表者はその損害を賠償する責任を負う。なお，2014 年企業法及び 2020 年企業法上，株券の内容及び形式上の誤りがある場合における，株主の会社に対する株券の再発行を求める権利については，規定が設けられていない。したがって，厳密には，内容及び形式上の誤りのある株券を保有する株主は会社に対して，株券の記載の訂正又は株券自体の再発行を求める権利はなく，株主から株券の記載の訂正又は株券の再発行を求められた会社は，株券の記載の訂正又は再発行を行う義務を負わない。もっとも，上記のとおり，株券の記載に誤りがあることによって損害が発生した場合，法定代表者は責任を負うことから，現実的には，会社は株券の記載の訂正又は再発行を行わざるを得ないといえる。

　株主が会社に対して株券の再発行を求めることができるのは，株券を紛失，破棄又はその他の理由で破損した場合に限られる。2014 年企業法では，株主が会社に対して株券の再発行を求める場合，株主は，(i)株券を紛失，破棄，その他の理由で破損したこと，(ii)紛失の場合には，あらゆる手段で捜索したこと，

Ⅲ　現地での事業運営

及び，仮に紛失した株券を発見した場合には，これを会社に返却すること，並びに(ⅲ)新しい株券の再発行から生じる一切の紛争について責任を負うこと，を誓約した書面を会社に提出しなければならず，また，株券の額面総額が1000万ドン超である場合，会社は株主に対して，その保有する株券を紛失，破棄，その他の理由で破損したことを公告し，且つ当該公告の日から15日後に，株券の再発行の請求をするよう求めることができるとされていた。公告の方法については，2014年企業法上明記されていない。2020年企業法では，上記(ⅱ)の紛失の場合に株券を会社に返却することは不要とされている。また，公告についても不要とされた。

⑥　株 主 名 簿

会社は，企業登録証明書の発行日から，株主名簿を作成し保管しなければならない。株主名簿には，以下の事項を記載しなければならない。

> (ⅰ)　会社の商号及び本店所在地
> (ⅱ)　発行可能株式総数，株式の種類及び各種類の株式の発行可能株式総数
> (ⅲ)　種類ごとの発行済株式総数及び（全種類の株式の）払込総額
> (ⅳ)　株主が個人の場合には，氏名，住所，国籍，パスポート等のID番号，株主が法人である場合には，商号，企業コード又は設立決定番号，本店所在地
> (ⅴ)　各株主の保有する株式の種類ごとの数，及び登録日

各株主は，会社の営業時間において，株主名簿を閲覧謄写する権利を有する。なお，前述のとおり，2020年企業法により，株主名簿の閲覧謄写権の範囲が制限される。すなわち，2014年企業法では全ての情報の閲覧謄写が認められていたが，2020年企業法では氏名と連絡先住所に関する情報のみ閲覧謄写が認められる[36]。

---

36)　2020年企業法122条3項。

⑦　株式譲渡及び株式譲渡制限
　(a)　株 式 譲 渡
　議決権優先株式及び発起株主の 3 年間の譲渡制限，並びに定款で譲渡制限を定め，且つ株券にその旨が明記されている場合を除き，株主は自由にその保有する株式を第三者に対して譲渡することができる[37]。

　株式の譲渡は，契約又は証券市場での取引を通じて行われる。相対での契約による場合，売主及び買主又はその委任を受けた代理人が譲渡文書に署名しなければならない。2014 年企業法及び 2020 年企業法上，株式譲渡の効力発生要件として株券の交付は要求されていないが，株券は株式を保有していることを証明するものであることから，株式譲渡の際には，株券の交付を受けるのが一般的である。なお，売主が株式の一部を譲渡した場合，会社は，古い株券を破棄し，譲渡された株式数と，譲渡されず売主が引き続き保有する株式の数を記載した株券を新たに発行する。買主に対する新株券の再発行手続は，2014 年企業法及び 2020 年企業法上明記されていないが，少なくとも売主が，新株券の発行の申請とともに株式譲渡契約の写しと売主の氏名が記載された株券を会社に提出し，会社はかかる申請に基づき，買主に対して新株券を交付するものと解される。

　株式譲渡が行われた場合であっても，株主名簿の名義書換が行われるまでは，売主が株主として取り扱われる。なお，2020 年企業法のもとでは，会社は，株主の請求を受けてから 24 時間以内に株主名簿の名義書換を行わなければならないとされている[38]。

　(b)　株式譲渡制限
　議決権優先株式の譲渡禁止及び発起株主が負う 3 年間の譲渡制限に加え，上場していない会社が，契約又は定款の規定に基づき，株式の譲渡の禁止又は制限を付すことができるかについては議論があった。2014 年企業法及び 2020 年企業法上では，法律で明示的に譲渡制限を定める場合以外にも，会社の定款で譲渡制限を付すことができることを明確にしている。但し，譲渡制限の定めは，株券にその旨が明記されているときのみ有効である。改正前から，実務上

---

37)　2 人以上有限会社のような先買権の規定はない。
38)　2020 年企業法 127 条 7 項。

Ⅲ　現地での事業運営

は，株主間で株式譲渡制限について合意した場合に，この合意を無効と解すべき理由がないこと，また会社が定款で株式譲渡制限を規定し，且つ株券に譲渡手続の概要として株式譲渡制限の内容を記載すれば，新しく株主となる者も不測の損害を受けるわけではないため，かかる譲渡制限を付すことも可能であると取り扱うことが多かった。

> **Column**
>
> ### 株式譲渡に関する特別な合意の有効性
>
> 　実務上，各株主の間において株主間契約を締結することが多い。もっとも，ベトナムではM&Aに関する2014年企業法及び2020年企業法上の論点についての議論が浸透していないこともあり，この株主間契約の交渉において，ベトナムの当事者側から，株式の譲渡に関する特別な合意，例えば，プットオプション，コールオプション，タグ・アロング（合弁当事者の一方が第三者に対して合弁会社株式を譲渡することを意図しているときに，他の合弁当事者が自ら保有する株式を同一の条件で当該第三者に譲渡するよう求めることができること）又はドラッグ・アロング（合弁当事者の一方が第三者に株式を譲渡することを意図しているときに，他の合弁当事者が保有する合弁会社株式を当該第三者に譲渡するよう他の合弁当事者に対して求めることができること）等の合意（以下，「株式譲渡に関する特別な合意」という）は，2014年企業法及び2020年企業法上，明示的にこれらのアレンジを認める規定がない以上，無効であり，株主間契約中に規定することは認められない，という主張がなされる場合もある。この主張がなされる理由の1つとして，実務上，外資系企業が合弁会社を設立する場合，当局に合弁契約の提出が求められており，当局の担当者が2014年企業法に明確な根拠規定のない株式譲渡に関する特別な合意を合弁契約に定めることを拒絶する可能性があったことが指摘されていた。2014年企業法施行後は，外資系企業が合弁会社を設立する場合であっても，合弁契約の当局への提出は要求されていないが，実務上，当局から合弁契約の提出が要請される場合がある。他方，2014年企業法及び2020年企業法に規定がないことと当事者間で合意することができないこととは全く次元の異なる議論であり，株式譲渡に関する特別な合意が株主間契約中で規定されることも多く，合弁契約に株式譲渡に関する特別な合意を規定することはベトナムにおいても実務として定着しつつあると評価することができる。発起株主の株式譲渡制限を定める2014年企業法119条3項及び2020年企業法120条3項や，会社による譲渡制限は定款及び株券にその旨の記載が必要であるとする2014年企業法126条1項及び2020年企業法

> 127条1項に反するようなアレンジメントを行わない限り，合弁契約の定めを当局が否定する根拠もないと解される。

⑧ 会社による株式の買戻し

(a) 反対株主による買取請求権

会社再編又は定款に記載された株主の権利又は義務の変更の議案に対して反対した株主は，会社に対して，その保有する株式の買取りを請求することができる。但し，会社は，株式の買取りのための支払を行った後においても会社の債務その他の財産上の義務を履行できなければならず，会社の債務その他の財産上の義務が履行できない場合には，株式の買取りは認められない。

株主が会社に対してその保有する株式の買取りを請求する場合，株主は書面で請求しなければならず，当該買取請求書には，株主の氏名，住所，買取りを請求する株式の種類及び数，希望買取価格及び買取りを請求する理由を記載しなければならない。また，株主は，買取事由となる事項を承認した株主総会の日から10日以内に，買取請求書を会社に送付しなければならない。

会社は，買取請求書を受領した日から90日以内に，市場価格又は定款に記載された条件によって決定される価格で，反対株主の買取請求にかかる株式を買い取らなければならない。買取価格について合意に達しない場合，関係者は，算定機関に株式価値の評価を依頼することができる。この場合，会社は少なくとも3つの算定機関を紹介しなければならず，株主が選択した算定機関の算定結果に従わなければならない。なお，2014年企業法及び2020年企業法は，算定機関に支払うべき報酬及び費用を誰が負担するかという点に関する規定を設けていない。もっとも，株式の買取請求権は，株主保護のための規定であることに鑑みると，これらの費用は会社が負担すべきという結論になると思われる。

買取りの実行により，会計帳簿に記載される会社の財産の総額が10％超減少した場合，会社は，買取りを実行した日から15日以内に，会社の債権者に対してその旨を通知しなければならない。

(b) 会社による自己株式の取得

会社は，2014年企業法及び2020年企業法の規定に従い，発行済普通株式

総数の 30% 以下の範囲で普通株式を買い戻し，また，発行された配当優先株の全部又は一部を買い戻すことができる。12 か月以内の期間で，各種類の発行済株式総数の 10% 以下の株式を買い戻す場合，取締役会が買戻しを決定することができるが，それ以外の場合には，株主総会の承認が必要である。普通株式の買戻価格は，取締役会が決定することができるが，買戻時の市場価格を上回ることはできず，また，優先株式の買戻価格も，定款で定める場合又は会社と優先株主との間で別途合意している場合を除き，市場価格を下回ることができない。

また，会社は，株主全員から，各株主の株式保有割合に応じて，株式の買戻しを行うことができる。この場合，会社は，買戻しの決定をした日から 30 日以内に，会社による買戻しの決定を全株主に対して通知しなければならない。この通知書には，会社の商号及び本店所在地，買戻しの対象となる株式の総数及び種類，買戻価格又は買戻価格の決定方法，支払手続及び期限，及び株主による買戻しへの応募の手続及び期限を記載しなければならない。買戻しに応じる株主は，通知書を受領した日から 30 日以内に買戻しに応じる旨を書面で通知しなければならない。会社は，かかる期限内に応募された株式についてのみ買戻しを行えば足りる。但し，会社は株式の買戻しのための支払を行った後においても，会社の債務その他の財産上の義務を履行できなければならず，会社の債務その他の財産上の義務が履行できない場合には，株式の買戻しは認められない。また，買戻しの実行により，会計帳簿に記載される会社の財産の総額が 10% 超減少した場合，会社は，買戻しを実行した日から 15 日以内に，会社の債権者に対してその旨を通知しなければならない。

⑨　配　当
　(a)　配当に関する規制

配当金は，会社に留保された純利益から支払われる。会社は，納税義務その他の財産上の義務が履行され，且つ法律及び定款に規定される各積立を行い，さらに従前の損失の塡補を行った後，配当金を支払ったとしても期限の到来した債務その他の財産上の債務の弁済ができる場合に限り，配当金を支払うことができる。

会社が，かかる規制に反して配当を行った場合，株主は，受け取った配当金

又は財産を会社に対して返還する義務を負う。株主が返還できない場合，会社の取締役全員が，返還されていない金額及び財産の範囲内で，会社の債務の履行に関して連帯責任を負う。

　(b)　配当の手続

　配当の支払を行うためには，株主総会において，各種類の株式の年間配当率を決定しなければならない。なお，この株主総会の決議は，普通決議である。次に，取締役会は，配当金の支払日よりも30日以上前までに，株式の配当率，配当金の支払日及び支払方法を決定し，且つ，配当金を受け取る株主の名簿を作成しなければならない。そして，会社は，配当支払日から15日前までに，株主名簿に登録された株主の住所に宛てて，取締役会議長及び法定代表者が署名する配当金支払通知を送付しなければならない。配当は，現金のみならず，会社の株式，定款の規定するその他の財産で行うこともできる。配当を現金で支払う場合には，ドン建てで支払わなければならない。もっとも，株主が外資系企業である場合には，配当金の金額はドンで決定しても，実際に送金する際には，外貨に交換した上で，送金することになる。

　配当金支払のための株主名簿が作成された後に，株式が譲渡された場合，譲渡人が配当金の支払を受ける。株式譲渡後に配当が行われる場合で，買主が配当金を受領したい場合には，株式譲渡契約書において，譲渡人に受領した配当金の買主への支払義務を課すか，又は譲渡代金から予定されている配当金相当額を予め控除する等の手当てが必要になる。他方，M&Aの場合などで買主において会社の資金の流出を防ぎたいという意向がある場合には，売主又は主要株主との間で，買主の事前の同意なく会社に配当金の支払を行わせないことを合意しておく必要がある。

　2014年企業法136条2項e号及び2020年企業法139条3項e号は，年次株主総会の決議事項の一つとして配当額の決定を挙げているが，期中に臨時株主総会を開催し，配当を決議することも可能と解される。実務上，公開会社では，事業年度終了前に当該事業年度の配当を支払うことが多い。もっとも，期中に配当を支払った後，決算をしめたら当該事業年度の配当可能額を超えて配当していたことが発覚した場合には，前記(a)に記載した責任を会社の取締役が負うおそれがあるので注意が必要である[39]。

(3) 株式会社②——機関設計

㋐ 株式会社の基本構造

株式会社は，以下のいずれかの機関設計を選択することができる。

> (i) 株主総会，取締役会，監査役会及び社長。監査役会は，個人株主が11名以上存在する場合又は発行済株式総数の50％以上を法人株主が保有している場合に限り，設置する必要がある。
> (ii) 株主総会，取締役会及び社長。この場合，取締役会メンバーの少なくとも20％が独立取締役で，取締役会の下に内部会計監査委員会を設置しなければならない。

なお，社長が取締役会議長を兼任することもできる。もっとも，実務上，社長とは別に取締役会議長を設置する会社も多いといわれている。

㋑ 株 主 総 会

株主総会は，議決権を有する株主によって構成される，会社の最高意思決定機関である。株主総会は，定時株主総会と臨時株主総会に分類される。2014年企業法上，以下の各事項については，株主総会の承認が必要とされていた。

〈普通決議事項〉
(i) 会社の発展計画の決定
(ii) 株式の種類ごとの毎年の配当額の決定
(iii) 取締役会の構成員及び監査役の選解任
(iv) 定款変更
(v) 年次財務諸表の承認
(vi) 各種類の株式についての発行済株式総数の10％を超えるものの買取り
(vii) 会社又は株主に損害を与える取締役会及び監査役会による違反行為の検討，処

---

39) 期中の配当が可能であること，配当可能額の制限があることは，有限会社も同様であると解される。

分
(viii) 年次事業計画の決定
(ix) 取締役会及び各取締役による経営管理及び活動結果に関する取締役会の報告書
(x) 取締役会及び社長による会社の経営管理及び活動結果に関する監査役会の報告書
(xi) 監査役会及び各監査役による活動結果に関する自己評価報告書
(xii) その他法令又は定款に定める事項

　さらに，2020年企業法では，株主総会の普通決議事項に以下の事項が追加されている[40]。
(xiii) 取締役会及び監査役会の報酬，賞与その他の利益にかかる予算又は総額の決定
(xiv) 内部管理規則並びに取締役会及び監査役会の運営規則の承認
(xv) 独立会計監査会社の一覧の承認，並びに会社の活動の監査を実施する独立会計監査会社の決定，及び必要な場合における独立会計監査人の解任

〈特別決議事項〉
(i) 発行する株式の種類及び種類ごとの発行可能株式数
(ii) 事業領域及び事業分野の変更
(iii) 管理組織機構の変更
(iv) 直近の財務諸表に記載された総資産額の35％（又は定款で規定する，より低い割合若しくは額）以上に相当する投資又は財産の譲渡
(v) 組織再編，解散
(vi) 関係者間取引（総資産額の35％以上又は定款で定めるそれ以下の比率以上の金額の取引）
(vii) その他定款で定める事項

　ベトナムの株式会社では，日本の株式会社とは異なり，会社の年次事業計画についても，株主総会が権限を有する事項とされている。もっとも，2014年

---

[40] 2020年企業法138条2項。

Ⅲ　現地での事業運営

　企業法及び 2020 年企業法は，会社の長期事業計画について，毎年又は定期的に株主総会で承認するよう求めているわけではないが，合弁会社を新たに設立する場合には，当事者間で事前に合意した事業計画について，合弁会社設立後，最初に開催される株主総会において承認を得ることも実務上行われている。株主総会で承認された事業計画を大幅に変更する場合には，変更された事業計画について，別途，株主総会の承認を得るべきものと解される。

① 　株主総会の招集

　株主総会は，定時株主総会又は臨時株主総会のいずれであっても，ベトナム国内で開催されなければならない。

　定時株主総会は，毎年 1 回開催しなければならず，その開催時期は，原則として，会計年度の終了日から 4 か月以内とされている。定款に異なる定めがある場合を除き，取締役会の決定によりその期限を延長することができるが，会計年度の終了日から 6 か月以内に開催しなければならない。

　臨時株主総会は，(i)取締役会が会社の利益のために臨時株主総会の開催が必要であると判断した場合，(ii)取締役会メンバー又は監査役会メンバーの人数が法律の規定する人数に満たなくなった場合，(iii)下記②に記載する株主の請求があった場合，(iv)監査役会の要求があった場合，又は(v)法令又は定款に規定されるその他の場合のいずれかに該当したときに開催される。なお，取締役会が，上記(ii)～(iv)に記載する臨時株主総会を開催すべき事由が生じたにもかかわらず，当該事由の発生から 30 日以内に臨時株主総会を開催しない場合，取締役会議長及び各取締役は，会社に生じた損害を賠償する責任を負い，監査役会が取締役会に代わり，その後 30 日以内に株主総会を開催しなければならない。監査役会が株主総会の開催を行わない場合，監査役会の長は，会社に生ずる損害を賠償する責任を負う。この場合，取締役会議長，取締役と監査役会の長のいずれもが会社に生じる損害を賠償する責任を負うことになり，2014 年企業法及び 2020 年企業法の明文はないものの，両者は連帯責任を負うことになると考えるのが合理的である。

　2014 年企業法では，株主総会の招集通知は，定款で別段の規定がない限り，株主総会の開催日の 10 日前までに，当該株主総会に出席する権利を有する全株主に対して送付されなければならないとされていた。2020 年企業法では，

株主総会の招集通知の送付期限は，株主総会開催日の 21 日前までに変更されている[41]。株主総会の招集通知には，会社の商号，本店所在地，企業コード，株主の氏名，住所，株主総会の開催日及び開催場所，並びに株主総会の出席者に対する諸要請を記載しなければならない。また，2014 年企業法では，株主総会の招集通知には，議事次第，補足資料，決議案，議決権行使書，及び委任状を添付しなければならないとされていた。但し，2020 年企業法では，委任状は添付書類から除外されている[42]。会社がウェブサイトを有している場合には，招集通知の添付書類の送付はウェブサイトへの掲載で代えることができる。なお，招集手続等が規定に従い行われなかった場合においても，発行済株式総数の 100% に相当する株主が出席した総会で可決された決議は，効力を有する。

また，2014 年企業法では，取締役会は，会社において保管されている株主名簿に基づき，株主総会の開催を決定後，株主総会の招集通知の発送日の前 5 日以内（定款でより長期の期間を定めている場合は，当該期間内）に，株主総会に出席することのできる株主の名簿を作成しなければならず，全ての株主が，当該名簿を閲覧し，謄写することができるとされていた。この点，2020 年企業法では，株主総会の招集通知の発送日の前 10 日以内（定款でより短い期間を定めている場合は，当該期間内）に当該名簿を作成しなければならないものと変更されている。また，全ての株主が，当該名簿を閲覧し，謄写することができるが，閲覧し，謄写することができる情報は，名称と連絡先住所に限定されている[43]。

② 少数株主による株主総会の招集請求権等

6 か月以上継続して普通株式の総数の 10% 以上（但し，定款でより低い割合を規定した場合には，当該割合）を単独又は複数で保有する株主（以下，「少数株主」という）は，(i)取締役会による株主の権利の侵害，管理職としての重大な義務違反，若しくは授権範囲を超える決定がなされた場合，(ii)取締役の任期満了後 6 か月経過しても，新取締役が選任されない場合，又は，(iii)その他定款に記載

---

41) 2020 年企業法 143 条 1 項。
42) 2020 年企業法 143 条 3 項。
43) 2020 年企業法 141 条。

Ⅲ　現地での事業運営

する場合，株主総会の開催を請求することができるとされていた。少数株主から株主総会の招集を求められた場合，前記①のとおり，取締役会は，招集を求められた日から 30 日以内に，臨時株主総会を開催する義務を負う。2020 年企業法では，普通株式の総数の 5% 以上を保有する株主又は株主グループは，株式を保有している期間に関わらず，(i)取締役会による株主の権利の侵害，管理職としての重大な義務違反，若しくは授権範囲を超える決定がなされた場合，及び(ii)定款に記載された場合に限り，株主総会の開催を請求することができるものとされている[44]。

また，少数株主は，定款において別段の規定がない限り，株主総会で審議される議案を提案することができる。この議案の提案は，書面で行われなければならず，且つ当該提案書は株主総会の開催日の 3 営業日前までに，会社に送付されていなければならない。なお，提案書には，株主の氏名，保有している株式の種類及び数，株主総会で審議されるべき議案を明記しなければならない。取締役会は，提案書の提出が期限に遅れた場合又は提案内容が不十分若しくは不適切である場合，提案された議案が株主総会における意思決定の対象とはならない場合，又はその他定款に記載する場合には，少数株主からの議案の提案を拒否することができる。なお，2020 年企業法では，少数株主からの議案を拒否した場合には，遅くとも株主総会の日の 2 営業日前までに，書面で理由を回答しなければならないこととされた[45]。取締役会は，これらの議案の提案に対する拒否理由がない場合，株主総会の予定議案として組み込む。提案は，株主総会において承認を得た場合に，正式に議案として組み込まれる。

少数株主グループが取締役又は監査役の選任議案を提案する場合には，取締役会はかかるグループの組成を，株主総会が開始する時までに出席株主に知らせなければならない。また，少数株主が，株主総会において選任可能な取締役又は監査役の人数を下回る数の取締役又は監査役候補者を指名した場合には，残りの取締役又は監査役は取締役会，監査役会又は他の株主が指名する。なお，2020 年企業法では，取締役又は監査役の選任議案の提案権を有するのは，普通株式の総数の 10%（又は定款により定められた 10% 以下の割合）以上を保有す

---

44)　2020 年企業法 115 条 3 項。
45)　2020 年企業法 142 条 3 項。

る株主又は株主グループに限られるため留意が必要である[46]。

2014年企業法上及び2020年企業法の少数株主による株主総会の招集請求権，議案提案権及び取締役又は監査役の指名権の全体構造を考えると，取締役の行為が違法若しくは義務違反を構成し，又は株主の権利を侵害する場合に，株主総会を招集し，且つ当該違法行為を行った取締役の解任と新たな取締役の選任を提案することが典型的な事例として想定されているといえる。

③ 定足数

2014年企業法では，株主総会は，原則として，全ての議決権株式の数に占める株主総会に出席する株主の議決権総数の割合が51％以上となれば開催することができるとされていた。2020年企業法では，当該株主総会の定足数は，株主の議決権総数の50％に緩和されている[47]。また，2014年企業法では，この定足数を満たさなかった場合，会社は，株主総会の開催予定日から30日以内に，別途株主総会を開催しなければならないとされていた。2度目の株主総会においては，出席する株主の議決権総数の割合が33％以上となれば，株主総会を開催することができる。さらに，2度目の株主総会において，この定足数を満たさなかった場合，会社は，2度目の株主総会の開催予定日から20日以内に，3度目の株主総会を開催しなければならないとされていた。3度目の株主総会は，出席する株主の人数及び議決権総数の割合にかかわらず，開催される。2020年企業法では，定足数を満たさなかった場合の，2度目及び3度目の株主総会について，1度目・2度目の株主総会の開催予定日からそれぞれ30日又は20日以内に，次の株主総会を開催することは要求されず，当該期間内に次の株主総会の招集通知が送付されることが要求されている[48]。

なお，株主は，自ら株主総会に出席し，又は書面で委任する第三者を出席させることができる。

④ 株主総会の議事及び進行

株主総会の議事進行は，株主総会の議長によって行われる。2014年企業法では，取締役会が株主総会を招集した場合には，原則として，取締役会議長が

---

[46] 2020年企業法115条5項。
[47] 2020年企業法145条1項。
[48] 2020年企業法145条。

Ⅲ　現地での事業運営

当該株主総会の議長となる。他方，2020年企業法では，取締役会が株主総会を招集した場合には，取締役会議長が当該株主総会の議長となるか，または，他の取締役に委任して議長とすることができる[49]。また，2014年企業法及び2020年企業法では，取締役会議長が株主総会に出席できない場合，残りの取締役がその中から多数決により議長となる者を選任する。議長を選任することができない場合，監査役会の長が，株主総会において議長を選任させ，最も多くの票を集めた者を議長とする。実務上，取締役会議長を株主総会の議長とし，事故等があり議長として議事進行できない場合には，議長となる者の順番（例えば，取締役会議長の次は社長，社長の次は副社長等）を予め定款で定めておく場合も多い。

議長は，株主総会の開催を宣言した後，議案一覧と議事次第について株主総会の承認を得る。2014年企業法では，議案一覧及び議事次第の承認は，株主総会の51％の承認で足りるものと解されていた。2020年企業法では，議案一覧及び議事次第の承認は，株主総会の出席株主の50％の承認で足りるものとされている[50]。

議長は，円滑且つ適切な議事進行に必要な措置を講じることができる。議長は，出席者全員に十分なスペースがないと判断した場合，株主総会会場の情報通信設備が，出席株主による審議・決議に適当ではないと判断した場合，又は，出席株主が議事進行を妨害し，株主総会が公正且つ適法に行われないおそれがあると判断した場合，株主総会の開催場所を変更し又は開催を延期することができる。なお，株主総会の開催を延期する場合には，2014年企業法では，当初の開催日から3日以内に改めて株主総会を開催しなければならないとされていた。2020年企業法では，当初の開催日から「3日以内」ではなく，「3営業日以内」に改めて開催しなければならないものとされている[51]。また，株主総会の開催者は，株主総会の参加者のセキュリティチェックを行うことができ，権限を有する機関に対して，議長の指導に従わず，議事進行を妨害する株主又はセキュリティチェック等の要請に従わない株主を株主総会から排除する

---

49)　2020年企業法146条2項a。
50)　2020年企業法148条2項。
51)　2020年企業法146条8項。

よう要請することができる。

議長は，各議案について審議を行い，採決をし，採決の結果については，株主総会が閉会する直前に出席株主に知らせなければならない。

> **Column**
>
> 審議及び採決の方法
>
> 　株主総会における審議及び採決の方法に関し，日本では，かつて，最初に各議案の審議を行い，その後採決をする一括上程方式と，各議案ごとに審議の後に採決をする個別上程方式のいずれの方法で審議・採決を行うべきかが論点となっていたが，現在では，若干の議論はあるものの，いずれの方法も適法であると解されている。ベトナムの2014年企業法及び2020年企業法は審議及び採決の方法について具体的な規定を設けていないものの，他方で議長に円滑な審議を委ねていることから，議長の裁量により，一括上程方式と個別上程方式のいずれの方法も採用することができると解すべきであろう。

⑤　決　議

株主総会の決議は，原則として，出席株主の議決権総数の少なくとも51％以上を有する株主の賛成により可決される。具体的な決議の割合は会社の定款で規定する。なお，2020年企業法では，株主総会の決議は，原則として，出席株主の議決権総数の過半数を有する株主の賛成により可決されるものとされている[52]。

株主総会決議事項のうち，(i)発行する株式の種類及び種類ごとの発行可能株式数，(ii)事業領域及び事業分野の変更，(iii)組織変更，(iv)直近の財務諸表の総資産の35％（又は定款で定めるより小さな割合若しくは価額）以上に相当する投資又は財産の譲渡，(v)組織再編，解散，(vi)関係者間取引（総資産額の35％以上又は定款で定めるそれ以下の比率以上の金額の取引。なお，2020年企業法では，会社と議決権付株式総数の51％以上を保有する株主又はその株主の関係者との間の，会社の総資産額の10％以上の価額の貸借又は財産の売却に関する契約及び取引が追加されている[53]）の承認，並びに(vii)その他定款で定める事項に関する決議は，出席株主

---

52)　2020年企業法148条2項。
53)　2020年企業法167条3項(b)

の議決権総数の 65％ 以上を有する株主の賛成により可決される（特別決議）。具体的な決議の割合は会社の定款で規定する。

　すなわち，定款の規定により，普通決議や特別決議の決議要件を法定の割合以上の任意の数値とすることや，普通決議と特別決議の決議要件をいずれも 66％ にするなど，両者を同じ割合とすることは可能であると解される。他方，2 名以上有限会社の場合（前記(1)(イ)）と異なり，2014 年企業法及び 2020 年企業法が最低限の割合を定めていることから，これを下回るような決議要件（特別決議について 65％ 未満）を定めることはできないと解される。また，2014 年企業法及び 2020 年企業法は可決に必要な議決権割合を定款で定めることができるとしているにすぎないため，「株主数の 65％」などといった頭数ベースで決議要件を定めることはできないと解される。

　取締役又は監査役の選任決議は，累積投票によって行われる。具体的には，各株主は，その保有する株式数に選任される候補者の人数を乗じた数の議決権を有し，当該議決権を 1 人又は複数の候補者に投票することができる。2005 年企業法では，累積投票を定款で排除することを明示的に認めていなかったが，2014 年企業法及び 2020 年企業法では定款でこれを排除できることが明確となった。

　ベトナムにおいても，書面投票制度が認められている。まず，書面投票を行う場合には，その対象となる議案が特別決議事項であるか否かを問わず，2014 年企業法のもとでは出席株主の議決権総数の 51％ 以上，2020 年企業法のもとでは 50％ 以上であって定款で定める割合を有する株主の賛成により可決されることになる。書面投票用紙を株主に対して送付する場合，議案及び説明資料を添付しなければならない。会社に送付された書面投票用紙の開票は，監査役会又は会社の管理職ではない株主の面前で行われなければならず，開票結果議事録を作成しなければならない。この開票結果議事録は，開票が終了した日から 15 日以内に，株主に送付しなければならない。

⑥　株主総会議事録

　株主総会議事録はベトナム語で作成されなければならないが，外国語版も作成することができる。ベトナム語と外国語の議事録の内容に相違がある場合，ベトナム語の議事録の内容が効力を有する。この議事録は，株主総会の終了前

に作成され，承認されなければならない。なお，議長は，株主総会議事録の作成のため，1人又は複数の書記を選任する。株主総会議事録には，議長及び書記役が署名し，株主総会の開催日から15日以内に，株主に対して送付されなければならない。議長及び書記役が署名し，もし，議長及び書記役が議事録への署名を拒否する場合には，関連する会議に出席した他の全ての取締役が署名し，議長及び書記役が議事録への署名を拒否する事実を明記した場合に有効となる[54]。

⑦ 株主総会の決議取消し

少数株主は，取締役会による株主総会招集手続が2014年企業法及び2020年企業法又は定款に違反していた場合，又は，採決の手続又は決議の内容が法令又は定款に違反している場合，議決権付き株式の100%の賛成の承認決議による場合を除き，株主総会議事録又は開票結果議事録を受領した日から90日以内に限り，株主総会決議の取消しを裁判所又は仲裁機関に求めることができる。

(ウ) 取 締 役 会

① 取締役会の権限

取締役会は，株式会社の管理機関であり，株主総会の承認が必要な事項を除き，会社の業務執行の決定権を有している。法律上，以下の各事項については，取締役会の承認が必要となる。

(i) 会社の中期発展計画及び年間経営計画の決定[55]
(ii) 発行可能な株式の種類及び数の提案
(iii) 発行可能株式数の範囲における新株の発行及びその他の資金調達方法の決定
(iv) 発行する株式又は社債の発行価格の決定
(v) 発行された株式の買戻しの決定

---

[54] 2020年企業法150条1項。
[55] 企業法上，年次経営計画（年次事業計画）の承認は，株主総会及び取締役会双方において決議事項とされている（2020年企業法139条3項(a)，153条2項(a)）。これらの規定を合理的に解釈するならば，年次経営計画は，①取締役会において作成し，②株主総会で審議，承認され，③社長によって執行されることになると考えられる。

Ⅲ　現地での事業運営

- (ⅵ) 法令に従った投資計画の決定
- (ⅶ) 市場拡大，マーケティング，技術に関する措置の決定
- (ⅷ) 直近の財務諸表の総資産額の 35％（定款が異なる割合又は価額を定めるときは，当該割合又は価額）以上に相当する，売買，借入又はその他の契約の締結の承認。但し，2020 年企業法では，(a)株主総会の権限に属する，直近の財務諸表の総資産額の 35％ 以上（定款が異なる割合又は価額を定めるときは，当該割合又は価額）に相当する資産の調達又は処分のための契約及び取引，(b)関係当事者との契約又は取引（総資産の 35％ 又は定款で定めた価額以上の取引），及び(c)会社とその議決権の 51％ 以上を保有する株主又は当該株主の関係者との間で行われる，直近の財務諸表の総資産額の 10％ を超える借入，貸与若しくは資産の売却にかかる契約又は取引は除かれる[56]。
- (ⅸ) 取締役会議長の任免，社長及びその他の重要な管理職の選解任並びにこれらの者の報酬その他の経済的利益の額の決定
- (ⅹ) 社長その他の管理職が行う日常業務の監督
- (ⅺ) 社内組織構成及び内部規程に関する決定，並びに子会社，支店又は営業所の設立，及び他の企業の株式又は持分の取得の決定
- (ⅻ) 株主総会の招集及び議案の決定
- (ⅹⅲ) 株主総会への年次財務諸表の提出
- (ⅹⅳ) 配当率の提案，配当の支払日及び支払手続，並びに損失が発生した場合の処理方法の決定
- (ⅹⅴ) 会社の組織変更，解散又は倒産の申立ての決定
- (ⅹⅵ) 関係者間取引（直近の財務諸表の総資産額の 35％ 未満又は定款で定めるそれ以下の比率に相当する金額の取引）
- (ⅹⅶ) その他法令又は定款に定める事項の決定

② 取締役会の運営

(a) 取締役会の開催

　取締役会は，最低でも四半期に 1 回の頻度で開催しなければならない。2014 年企業法では，取締役会は，会社の本店又はその他の場所で開催することができるとされていた。2020 年企業法 157 条には，取締役会の開催場所に

---

[56] 2020 年企業法 153 条 2 項 h 及び 167 条 1 項・3 項。

関する定めはなく，引き続き開催場所は自由に選定できるものと解される。定款で特段の定めがない限り，取締役会議長がその裁量により，取締役会の開催を決定することができる。但し，(i)監査役会又は独立取締役から書面での要請があった場合，(ii)社長又は5名以上の管理職からの書面での要請があった場合，(iii)取締役2名以上からの書面での要請があった場合，(iv)その他定款で定める場合には，取締役会議長は，取締役会を開催しなければならない。なお，監査役会又は取締役が書面で取締役会の開催を要求する場合，当該書面において，取締役会を開催する目的，審議・決議すべき事項を特定しなければならない。取締役会議長は，当該取締役会の開催請求書を受領した日から7営業日以内に取締役会を開催しなければならない。取締役会議長が，当該開催請求書を受領したにもかかわらず取締役会を開催しない場合，取締役会の開催を請求した者が，取締役会議長に代わり取締役会を開催することができる。取締役会を開催しなかった取締役会議長は，不開催により会社に発生した損害を賠償する責任を負う。

(b) 取締役会の招集通知

取締役会議長その他取締役会を招集する者は，定款で別段の定めがある場合を除き，取締役会の開催日の3営業日前までに，招集通知を送付しなければならない。招集通知には，取締役会の開催場所，日時及び議案を記載しなければならず，取締役会で使用される書類等も添付しなければならない。2014年企業法では，招集通知は，取締役の登録された住所への郵便，ファックス，又は電子メールその他の方法で送付することができるとされていた。2020年企業法では，「その他の方法」は定款で定められたものであることが必要となる[57]。取締役会の招集通知及び添付資料は，監査役全員に対しても送付しなければならない。なお，監査役は，取締役会に出席することはできるが，議決権を行使することはできない。

(c) 定足数及び取締役会決議

取締役会は，全取締役の4分の3以上の取締役が出席することにより開催される。オンライン会議その他類似の形式により出席することも可能とされて

---

57) 2020年企業法157条6項。

いる。取締役会に出席することのできない取締役は，議決権行使書を取締役会の1時間前までに送付するか，又は，取締役会の過半数の承認を得て，代理人を出席させることができる。

取締役会決議事項は，定款がより高い割合を定める場合を除き，出席取締役の過半数の賛成により可決される。なお，取締役会に出席できない取締役が議決権行使書を取締役会に送付した場合には，出席取締役全員の面前で開封しなければならない。取締役会決議事項につき可否同数であった場合には，取締役会議長が決定権を持つ。

③ 取締役

(a) 取締役の人数及び任期

取締役の人数は，3名以上11名以下でなければならない。具体的な人数は定款で定められる。取締役の任期は，5年以内であり，再任することも可能である。なお，再任回数には制限はない。但し，2020年企業法において，独立取締役として再任される回数は連続2期までとされている[58]。外国人及び非居住者であっても，取締役に就任することができるが，定款で居住者である取締役の人数が規定されている場合には，少なくとも当該人数の取締役は居住者でなければならない。

取締役全員の任期が満了した場合において，次の取締役が選任され業務を引き継ぐまでは，任期の満了した取締役が引き続き取締役として業務を行う。

2005年企業法では，「取締役会」の任期が5年で，各「取締役」の任期は5年以内とされていたが，2014年企業法及び2020年企業法では，「取締役会」の任期が何年であるかは法定されていない。

(b) 取締役の資格

2014年企業法では，取締役の資格として，(i)民事行為能力があり，且つ法令により取締役になることが禁止されている者ではないこと，及び(ii)会社の経営管理に関し専門性と経験を有すること，又は，定款で規定するその他の条件を満たすこと，が要求されている。2020年企業法では，(ii)の専門性と経験を有する対象につき，「会社の経営管理又は会社の行う事業」に広げられてい

---

58) 2020年企業法154条2項。

る[59]。取締役は，必ずしも会社の株式を保有している必要はない。
　(c)　取締役の義務
　取締役，社長及び会社の管理職は，以下の義務を負う。

> (i)　法令，定款及び株主総会決議に従って権利を行使し，義務を履行する。
> (ii)　会社の合法的利益を最大化するために，誠実，慎重且つ最善の方法で権利を行使し，義務を履行する。
> (iii)　会社及び株主の利益に忠実に義務を履行し，自己又は第三者の利益のために会社の情報，事業機会を使用してはならず，また，自己の権限又は会社の財産を悪用してはならない。
> (iv)　自己又は自己の関連当事者が他の企業の所有者であり，又は，他の企業の支配権を有するに足りる株式若しくは出資持分を保有する場合には，正確且つ適時に，当該企業について会社に対して通知する。当該通知は，会社の本店及び支店において，掲示されるものとする。なお，2020年企業法においては，会社の本店及び支店における掲示は要求されていない[60]。
> (v)　その他法令又は定款に定める義務を負う。

　2020年企業法は，上記義務に違反した取締役は，喪失した利益の賠償，受領した利益の返還並びに会社及び第三者に対する全ての損害賠償につき個人で又は連帯して責任を負うと規定している[61]。
　取締役は，上記の義務を履行するために，社長，副社長，又は各管理職に対して，会社の財務状況，経営活動に関する情報及び資料の提供を求めることができ，当該要求を受けた者は，遅滞なく十分且つ正確な情報を取締役に開示しなければならない。
　前記(iv)に関し，2014年企業法及び2020年企業法は，取締役，監査役，社長その他の管理者に対して，以下のとおり，より具体的な報告義務を課している。すなわち，これらの者は，自己が持分又は株式を保有している企業の名称，

---

59)　2020年企業法155条1項。
60)　2020年企業法165条1項(d)。
61)　2020年企業法165条2項。

企業コード，本店所在地，事業内容，出資比率及び出資時期を会社に報告するとともに，自己の関連当事者が単独又は共同して合計10％以上の出資又は株式を保有している企業の名称，企業コード，本店所在地，事業内容を報告しなければならない。なお，当該報告は，前記事由が発生した日から7営業日以内に行われなければならない。また，当該報告内容は，定時株主総会に報告し，且つ会社の本店又は支店で掲示しなければならない。

(d) 取締役の報酬

取締役全員の報酬の総額は，定時株主総会において決定される。当該株主総会の報酬総額の決定に基づき，取締役会は，各取締役の報酬を決定する。

社長の報酬も取締役会が決定する。社長が取締役でなければ，株主総会で決定された取締役の報酬総額とは別に取締役会が社長の報酬金額を決定する。

取締役，社長及び他の管理職の報酬は，年次財務諸表で独立した項目として記録しなければならず，定時株主総会に報告しなければならない。

(e) 関係者間取引の承認

(i)会社と普通株式総数の10％超を保有する株主との取引，(ii)会社と取締役若しくは社長（又は取締役若しくは社長の関係者）との取引，又は(iii)会社と取締役，社長，監査役その他の管理者（又はそれらの関係者）が10％超の株式を保有する会社との取引については，取引規模に応じて，取締役会又は株主総会の承認が必要となる。すなわち，直近の財務諸表の総資産額の35％未満又は定款で定めるそれ以下の比率に相当する金額の取引である場合には，取締役会の承認が必要となり，総資産額の35％以上又は定款で定めるそれ以下の比率以上の金額の取引である場合には，株主総会の承認が必要となる。上記に加え，2020年企業法では，会社と議決権の51％以上を保有する株主又は当該株主の関係者との間で行われる，財務諸表の総資産額の10％を超える借入，貸与又は資産の売却にかかる契約若しくは取引も株主総会の承認が必要となる[62]。

取締役会の承認を要する取引の場合，契約に署名した会社の代表者は，取引の関係者について通知するとともに，当該取引の契約書案又は主要な条件を記載した書面を各取締役及び監査役に送付しなければならない。取締役会は，か

---

62) 2020年企業法167条3項b．

かる取引内容の通知日から15日以内に承認するか否かを決めなければならない。なお、当該取引に利害関係を有する取締役には、議決権がない。他方、株主総会の承認を要する取引の場合、取締役会は、当該取引の契約書案又は主要な条件を株主総会に提示し、株主総会の承認を得なければならない。なお、かかる株主総会の承認は、定款が異なる定めを有する場合を除き、議決権総数の65％以上の多数（2020年企業法では、定款が異なる定めを有する場合を除き、株主総会を実際に開催する場合には出席株主の有する議決権総数の65％以上、書面決議の場合は議決権総数の50％以上の多数[63]）で決せられる。但し、利害関係を有する株主は、議決権を行使することはできない。

関係者間取引が取締役会又は株主総会の承認を得ずに行われた場合は、無効とみなされる。この場合、契約締結者、利害関係を有する株主、取締役及び社長は、当該取引から発生した損害を賠償し、且つ、当該取引から得た利益を会社に返還する義務を負う。

(f) 取締役の責任

取締役会が、法令又は定款の規定に違反する決議をし、これにより会社に損害が発生した場合、当該決議に賛成した取締役は、連帯して、会社に発生した損害を賠償しなければならない。他方、当該取締役会の決議又は決定に反対した取締役は、責任を負わない。2014年企業法では、会社の株式を継続して1年以上保有する株主は、取締役会に対して、当該決議に従った行為の実行を中止するよう請求することができるとされ、株主が取締役会に対して違反行為の中止請求を行使するための要件として、1年以上会社の株式を保有していることだけが要求されており、一定数以上の株式を保有していなければならない等の株式数に関する要件は課せられていなかった。2020年企業法のもとでは、上記株主による違反行為の中止請求は、裁判所に対して違反する決議や決定の取消しや、これに基づく行為の差止めを求めることができる権利に変更されており、また、株式の継続保有は要件とされていない[64]。

(g) 取締役の解任

2014年企業法では、取締役は、(i)取締役の資格要件を満たさなくなった場

---

63) 2020年企業法148条1項、148条4項、167条4項。
64) 2020年企業法153条4項。

合，(ii)取締役会の活動に 6 か月間参加しなかった場合，(iii)辞任届を出した場合，又は(iv)その他定款に記載する事由が発生した場合，自動的に解任されるとされていた。2020 企業法は，取締役の解任について，免任と罷免（性質は懲戒）の二つを区別した上で，いずれも株主総会の決議によるものとしている。具体的には，(i)取締役がその資格要件を満たさなくなった場合，(ii)取締役から辞任届の提出があり，これが承認された場合，又は(iii)定款で規定するその他の場合には，当該取締役は免任される。他方，(i) 6 か月間継続して取締役会の活動に参加していない場合，又は(ii)定款で規定されるその他の場合，当該取締役は罷免される[65]。

上記に加え，取締役は，株主総会決議に基づき必要と認められるときはいつでも解任される。なお，取締役解任（免任・罷免）のための株主総会の決議は，51% 以上の多数をもって決定される。

④　社　長

取締役会は，取締役又はその他の者の中から，社長を選任する。会社の取締役又は従業員ではない者を社長として選任することもできる。社長の任期は，5 年を超えてはならないが，再任することは可能であり，再任回数に制限はない。なお，取締役の中から社長を選任し，社長に取締役会議長を兼任させることも可能である。

社長は，取締役会の監督の下，会社の日常業務を行う。具体的には，以下の権限及び責任を負う。

(i)　取締役会決議が要求されない，会社の日常業務に関する事項の決定
(ii)　取締役会において承認された事項の実行
(iii)　事業計画又は投資計画の実行
(iv)　社内体制及び社内規程に関する提案
(v)　取締役会による選任が要求される役職を除く，管理職の選解任
(vi)　会社の従業員の報酬及び諸手当の決定
(vii)　労働者の雇用
(viii)　配当金の支払方法及び損失処理方法の提案

---

65)　2020 年企業法 160 条。

(ix) その他法令，定款又は取締役会決議に基づく事項

　社長は，法令，定款，会社との契約及び取締役会の決定に従い，日常業務を行う義務を負い，これに違反し，会社に損害が発生した場合，社長はその損害を賠償する責任を負う。

> **Column**
>
> 取締役会議長と社長について
>
> 　外資系企業がベトナムの現地パートナーと合弁会社を設立する場合，合弁会社の役員構成と，各役員をどちらの当事者が指名するかという点がビジネス上重要な論点になる。外資系企業がマジョリティ株主となる場合には，基本的に取締役の過半数及び社長を外資系企業が指名することになるが，ベトナム企業は，見た目のバランスを重視する傾向にあり，ベトナム企業からも相当程度の役職員を派遣しているという形を取りたがることが多く見受けられる。具体的には，取締役会議長はベトナム企業側で指名したいというリクエストがなされる場合があるが，取締役会議長の基本的な権限内容は，単なる取締役会の議長に過ぎない。したがって，マジョリティ株主である外資系企業が日常業務を実行する権限を有する社長を指名する権利を確保しておけば，取締役会議長をマイノリティ株主であるベトナム企業に指名させたとしても，以下の2点に留意すれば，外資系企業が不利益を被ることはあまりないといえる。すなわち，取締役会議長は，取締役会の決議が可否同数となったときに，キャスティングボートを握ることになるため，ベトナム企業が取締役会議長を指名することを認める場合には，取締役会の構成に鑑みて，可否同数となる可能性がないことを確認しておくことが重要であるといえる。また，法定代表者が1名の場合，定款で規定しなければ，取締役会議長が法定代表者となり，会社を代表する権限を有することになるため，ベトナム企業との交渉段階において，法定代表者は社長であり取締役会議長ではないことを事前に確認しておくことが望ましい。

(エ) 監査役会

　11名以上の株主が会社の株式を保有している場合又は法人株主が合計で総株式の50％以上を保有している場合，取締役の20％以上を独立取締役とし取締役会に属する内部会計監査委員会を設置しない限り，監査役会を設置しな

Ⅲ　現地での事業運営

ければならない。
① 　監査役会の権限

　監査役会は，取締役会及び社長による会社運営を監査する役割を担う。監査役会が，取締役会及び社長による会社運営を監査するために，2014年企業法では，以下の権限及び職務が監査役会に課せられている。なお，監査役会は，以下の権限を行使し又は職務を履行するにあたり，独立したアドバイザー，コンサルタントを起用することができる。

　(a)　財務諸表等の監査

　監査役会は，半期及び年次財務諸表，会社の事業運営及び取締役会の活動を監査し，その監査結果を株主総会に提出する。

　監査役会が財務諸表の監査を行うために，取締役会は，会計年度の終了後，遅くとも定時株主総会の開催日の30日前までに，会社の営業結果報告書，財務諸表，及び会社の経営管理報告書を監査役会に提出しなければならない。2014年企業法では，監査役会の報告書及び監査済の財務諸表及び取締役会が作成した報告書は，株主総会開催日の10日前までに，会社の本店及び支店において備え置かれなければならないとされていたが，2020年企業法では，これらの書類の支店での備え置きは必要とされていない[66]。会計監査を受けなければならない会社の場合，財務諸表に関しては，会計監査を受けた後のものを監査役会及び株主総会に提出する。会社の株式を1年以上保有する株主は，その保有株式数にかかわらず，自ら，又は，弁護士若しくは会計士とともに，会社に備え置かれたこれらの書類を閲覧する権利を有する。上記に加え，2020年企業法では，監査役会は，取締役会又は株主総会の承認を要する関係者間取引を精査し，勧告を行うものとされている[67]。

　(b)　業務監査及び違法行為の差止請求

　少数株主は，監査役会に対して，会社の経営及び管理に関する監査を要求することができる。監査役会は，当該株主からの要求を受けてから7営業日以内に，監査を行わなければならない。監査役会は，当該監査の終了後15日以内に，監査結果報告書を取締役会及び監査を要求した株主に対して送付する。

---

66)　2020年企業法175条4項。
67)　2020年企業法170条3項。

監査役会は，取締役又は社長が，法令，定款，株主総会の決議，又は管理職としての誠実義務若しくは忠実義務等に違反していることを発見した場合，取締役会に対して，その旨を書面で報告するとともに，違反行為者に対して当該違反行為の中止及び是正措置を要求しなければならない。

(c) 情報受領権及び情報提供請求権

監査役会が適切に取締役会及び社長の業務を監査するためには，監査役会が会社の業務遂行及び事業運営に関する情報にアクセスできる必要がある。そこで，2014年企業法及び2020年企業法では，監査役会に，以下のとおり，情報を受領する権利及び情報提供を請求する権利を認めている。

取締役会の招集通知及び当該招集通知に添付される書類は，監査役全員に対しても送付しなければならない。また，社長が取締役会に提出する報告その他の会社が発行する書類についても，監査役全員に対して送付しなければならない。

各監査役は，会社の営業時間中，会社の管理者及び従業員が勤務する場所に立ち入ることができ，会社の本店，支店その他の場所で保管されている全ての資料を閲覧することができる。取締役会，社長その他の管理職は，監査役から要求された資料を速やかに提出しなければならない。なお，取締役，社長その他の管理職又は従業員に対してヒアリングを実施する各監査役の権利については，国営企業を除き2014年企業法及び2020年企業法上明定されていないが，会社の通常業務の妨げとならない限り，監査権実施の手段として，当然に認められるものと解される。

(d) 業務改善提案権

監査役会は，会社の事業運営や管理監督体制の改善について，取締役会又は株主総会に対して提案することができる。なお，取締役会又は株主総会は，監査役会から事業運営や管理監督体制の改善に関する提案があった場合でも，かかる提案を受け入れる義務を負わない。なお，ベトナムでは取締役の善管注意義務及び経営判断の原則に関する裁判例の蓄積が乏しいものの，取締役会が，監査役会から管理監督体制の改善に関する提案があったにもかかわらず，当該提案を拒否し，その後，提案のあった管理監督体制の問題に関連して会社又は第三者に損害が発生した場合，取締役の責任が認められやすくなるものと考え

Ⅲ　現地での事業運営

(e)　監査役会の運営

　監査役会の運営方法に関しては，2014 年企業法及び 2020 年企業法上，明文の規定がない。監査役会は，年次財務諸表の監査を行うことが要求されているため，少なくとも年 1 回の開催は要求されるものと解される。また，監査役会の招集手続等については，2014 年企業法及び 2020 年企業法に規定されていないため，定款又は社内規程で定めることができる。監査役会の決議方法についても，2014 年企業法及び 2020 年企業法上の特段の規定はないが，出席監査役の過半数の賛成で決定することができるものと解される。

②　監査役

(a)　監査役の人数及び任期

　監査役会は，3 名以上 5 名以下の監査役によって構成される。監査役の過半数は，ベトナムに常駐している者でなければならない。また，監査役会は，監査役のうち 1 名を，監査役会の長として選任しなければならない。定款で別途定める場合を除き，監査役会の長は，会計士又は会計監査官の資格を有する者でなければならない。さらに，2020 年企業法では，監査役会の長は，経済，ファイナンス，会計，監査，法律，企業経営又はその他企業の事業活動に関連する学部のいずれかを専攻して大学を卒業していることが求められる（定款をもってより高い基準を設けている場合はそれによる[68]）。なお，2014 年企業法においては，監査役会の長は，常勤でなければならないとされていたが，2020 年企業法では，当該要件は削除されているため，監査役会の長が常勤である必要はない[69]。

　監査役の任期は 5 年以内でなければならないが，任期満了後に再任することもできる。監査役の任期が満了した場合であっても，新たな監査役が選任され，業務を引き継ぐまでは，任期が満了した監査役が引き続き監査業務を行う。

　監査役は，会社の管理職としての地位を兼務することはできない。したがって，監査役は，取締役，取締役会議長，社長その他の管理職以外の者から選任しなければならない。また，監査役として選任されるためには，民事行為能力

---

68)　2020 年企業法 168 条 2 項。
69)　2020 年企業法 168 条 2 項。

を有し，且つ，法令上会社の設立及び役員への就任が禁止されておらず，さらに，取締役，社長その他の管理職の配偶者，父母，兄弟，又は子ではないことが要求される。なお，会社の株主及び従業員は，会社の管理職の地位にない限り，監査役に就任することは可能である。

監査役会の設置義務がない場合には，監査役を設置する義務もない。但し，定款に規定することで，任意に監査役を置くことは可能であると解される。

(b) 監査役の義務及び責任

監査役は，会社及び株主の合法的利益を最大限確保するために，誠実，慎重且つ最善の方法で監査役の義務を履行しなければならない。また，監査役は，会社及び株主の利益に忠実でなければならず，自己又は第三者の利益のために会社の情報，財産又は事業機会を使用し，又は，自己の地位若しくは権限を悪用してはならない。

監査役がこれらの義務に違反し，会社又は第三者に損害を与えた場合，監査役は当該損害について，個人で又は連帯して賠償する責任を負う。2014年企業法のもとでは，取締役会は，監査役が義務に違反していることを発見した場合，監査役会に対して，その旨を書面で通知し，当該違反行為の中止及び是正を要求することができるとされていた。2020年企業法のもとでは，他の監査役が義務に違反していることを発見した場合に，監査役会に対して，その旨を書面で通知し，当該違反行為の中止及び是正を要求することは，取締役会の権限ではなく，各監査役の義務として定められている[70]。

監査役は，株主総会の決議に基づき解任される。監査役が割り当てられた任務を行わず，また，法令又は定款に定める重大な義務に違反した場合，取締役会は株主総会を招集し，義務違反をしている監査役を解任し，新たな監査役の選任を求めることになる。なお，2020年企業法は，監査役の解任について，免任と罷免（性質は懲戒）の二つを区別しているが，いずれも株主総会の決議によるものとしている。具体的には，(ⅰ)監査役がその資格要件を満たさなくなった場合，(ⅱ)監査役から辞任届の提出があり，これが承認された場合，又は(ⅲ)定款で規定するその他の場合には，当該監査役は免任される。他方，(ⅰ)割り当

---

[70] 2020年企業法173条6項。

てられた任務や作業を遂行しない場合，(ii) 6 か月間継続して監査役会の活動に参加していない場合，(iii)法令及び定款に規定された監査役の義務の重大な違反を複数回犯した場合，又は(iv)定款で規定するその他の場合には，当該監査役は罷免される[71]。

(c) 監査役の報酬

株主総会は，監査役全員の報酬総額及び年間活動予算を決定する。各監査役の報酬金額の決定方法については，2014 年企業法及び 2020 年企業法上明文の定めはないが，監査役の独立性を担保するという観点から，監査役会がこれを定めることができると解すべきである。

また，各監査役は，株主総会が承認した年間活動予算の範囲内で，監査役がその職務の遂行にあたり負担した食事代，宿泊代，交通費，及びアドバイザー等への報酬の支払を会社から受けることができる。

(4) 株式会社③——資金調達

会社は，金融機関その他の第三者からの借入等のほか，新株又は社債を発行することで資金調達を行うことができる。なお，過去 3 年間において，以前発行した社債の元本及び利息の支払，若しくは，期限の到来した債務の返済がなされなかったことがある場合，社債を発行することができない。

(ア) 新株発行

① 新株発行の態様

2014 年企業法及び 2020 年企業法上，株式会社が新株発行により定款資本を増加させるには，(i)現在の株主に対する引受募集，(ii)公募，(iii)私募の 3 つの方法がある。

(i)は，日本法でいうところの株主割当てである。

② 新株発行の手続

株式の種類及び種類ごとの発行可能株式総数は株主総会の特別決議事項だが，その範囲内での新株発行の決定は取締役会決議により行われ，新株発行の態様

---

[71] 2020 年企業法 174 条。

に応じて2014年及び2020年企業法に定められた手続を経る必要がある。また，上場会社を含む公開会社には証券法の規制が及ぶ。証券法の規制については前記Ⅱ5も参照されたい。

なお，(i)現在の株主に対する引受募集，(ii)公募，(iii)私募のいずれの方法による場合も，株式発行の終了後から10日以内に，定款資本の変更登記を行う必要がある。

(a) 現在の株主に対する引受募集

（公開会社に該当しない）株式会社が，現在の株主全員に，その保有割合に従って新株発行する場合，会社は，書面により，引受登録期限の15日前までに株主名簿上の住所又は連絡先として届け出た住所に確実に届く方法で通知しなければならない。通知事項は，次のとおりである。

> (i) 個人株主の場合は，氏名，住所，国籍，パスポート等のID番号。法人株主の場合は，商号，企業コード又は決定番号，本店所在地
> (ii) 現在の持株数及び持株比率
> (iii) 引受募集株式の総数及び当該株主が引き受けられる募集株式の数
> (iv) 引受登録期限
> (v) 会社の法定代表者の氏名，署名

通知には，登録用紙が添付される。引受権は譲渡可能だが，会社が定めた期限内に用紙が返送されなかった場合には，当該株主は引受けを拒否したものとみなされる。公開会社でない株式会社では，引受募集予定総数の全てが引き受けられなかった場合，株主総会の承認を要する場合を除き，会社は，各株主に対し引受募集した条件よりも有利でない条件且つ合理的な方法で，会社の株主その他の者に対して新株を発行することができる。

引受代金全額の払込みがあり，株主名簿に記載されたときに，新株の発行が行われたとみなされる。引受代金の払込後，会社は株券を発行して購入者に交付することになるが，株主の情報を株主名簿に登録し，株券を発行しないことも可能である。

Ⅲ　現地での事業運営

(b)　私　募

2014年企業法は，公開会社でない株式会社の私募について次のように規定していた。すなわち，会社は，当該募集を決定した日から5営業日以内に経営登記機関に対し，私募について通知しなければならない。会社が経営登記機関に対し以下の内容を含む通知を送付した日から5営業日以内に同局から反対意見が示されない場合，会社は株式を発行することができる。

具体的な通知事項は，次のとおりである。

(i)　会社名，本店所在地，企業コード
(ii)　引受募集株式総数，引受募集株式の種類及び種類ごとの数
(iii)　引受募集の時期及び方法
(iv)　会社の法定代表者の氏名，署名

これに対し，2020年企業法では，上記の通知手続は定められていない。
また，2020年企業法では，私募の場合，以下の要件を満たす必要がある[72]。

(i)　マスメディアを通じた引受募集は行わない。
(ii)　100名未満（機関投資家を除く）に対して，又は，機関投資家に対してのみ，引受募集を行う。

さらに，2020年企業法のもとでは，私募の場合，以下の手続をとらなければならない[73]（なお，外国投資家で，私募により株式を引き受ける者は，投資法に従った株式購入のための手続もとらなければならない）。

(i)　会社は，同法に従って私募の計画案を決定する。

---

72)　2020年企業法125条1項。
73)　2020年企業法125条2項。

> (ii) 株主は，株式について優先引受権を行使する。但し，会社の吸収合併や新設合併の場合はこの限りでない。
> (iii) 株主及び優先引受権の譲受人が全部の引受をしない場合，残余の株式は私募に関する計画に従い他の者に発行される。この場合，株主総会が別異の承認をしている場合を除き，株主に対して提示された募集条件より有利な条件とすることはできない。

③ 発 行 価 格

発行価格は取締役会決議で決定され，以下の場合を除き，引受募集時点における市場価格又は直近の株式の帳簿価額を下回らないこととされている。但し，下記(iii)の場合は，定款に定めがない限り，具体的な割引額又は割引率について株主総会の承認を得なければならない。

> (i) 発起株主でない者に対し，初めて引受募集する場合
> (ii) 全株主に対し，持株比率に応じて引受募集する場合
> (iii) ブローカー又は引受会社に対し，引受募集する場合
> (iv) その他定款で定めた割引率を適用する場合。なお，2020年企業法では株主総会決議で定めた割引率を適用する場合が追加されている[74]。

④ 出資の履行

新株の引受は，ドン，外貨，金，土地使用権，知的財産権，工業技術，技術ノウハウ，その他の定款で定める財産により行うことができるが，一括で払い込まなければならない。

(イ) 社債の発行
① 概　要

社債には，転換社債と転換権のない普通社債があり，いずれも担保付き又は無担保で発行することができる[75]。株式会社では，社債，転換社債並びに法

---
74) 2020年企業法126条4項。
75) 政令163号56条1項・27項。

令及び会社の定款の規定に基づくその他の種類の社債を発行することができる。公開会社でない株式会社による社債発行は 2014 年企業法及び 2020 年企業法に規定があり，公開会社の社債発行については証券法及びその下位規則に定めがある[76]。また，有限会社と同様，政令 163 号（その後の改正を含む）は株式会社も対象としているが，有限会社と異なり株式会社には転換社債の規定の適用があり，ベトナム国内で発行された転換社債は発行後 1 年間は譲渡できない点が特徴的である。

社債を購入することができるのは，ベトナム国内外の個人・法人である。社債権者は，社債を譲渡し，贈与し，遺贈し，相続財産とし，割り引き又は担保に供することができる。

② 公開会社でない株式会社の社債発行に関する 2014 年企業法及び 2020 年企業法上の規律
　(a) 発 行 要 件

2014 年企業法及び 2020 年企業法上，株式会社であっても，過去に発行した社債の元本及び利息を全額支払えていない会社又は過去 3 年間継続して弁済期の到来した債務全額について十分に支払が行われていない会社は，社債を発行することができない。この点，2014 年企業法及び 2020 年企業法は，選択された金融機関（selected financial institutions）には，かかる制限はかからないとするが，「選択された金融機関」の範囲は具体的には規定されていない。

上記の他，2020 企業法では，さらに追加の要件が明記されている。会社が満たすべき要件は次の通りである。(i)過去 3 年間において，会社が発行した社債の元利を全額支払又は支払期限を迎えた債務を全額弁済していること（あらかじめ選択された金融機関である債権者に対して行う社債募集の場合は除く），(ii)会社が発行年の前年度の財務諸表につき監査済みであること，(iii)会社が法定の営業期間に財務の安全性比率及び堅実性比率に関する条件を満たしていること，(iv)会社が関連する法令の規定するその他の条件を満たしていること。なお，これらの要件は既に政令 163 号により規定されていたが，2020 年企業法により法律上も規定されることとなった[77]。

---

76) 証券法 10 条 a・12 条 2 項。
77) 2020 年企業法 128 条 3 項。

(b) 社債の発行手続

定款に別段の定めがない限り，取締役会が社債の種類，総額及び発行時点を決定する権限を有する。但し，取締役会は，直近の株主総会において社債の発行に関する取締役会決議の資料及び説明書類を添えて報告を行わなければならない。

(c) 転換社債の発行手続

株式への転換権が付いた社債（以下，「転換社債」という）の発行は，新株発行の手続に則り行われる（前記(ア)参照）。但し，定款資本の変更登記は，社債から株式への転換が終了した日から10日以内に行う必要がある。

(d) 出資の履行

社債の購入は，ドン，外貨，金，土地使用権，知的財産権，工業技術，技術ノウハウ，その他の定款で定める財産により行うことができるが，一括で支払わなければならない点は，新株発行の場合と同様である。

③ 政令163号の規律

上記のほか，政令163号の下，社債の発行にあたっては以下の要件を満たす必要がある。これらは，1名有限会社，2名以上有限会社，株式会社のいずれの会社形態の場合にも適用される。

まず，社債の満期までの期間は，資金需要や市場状況に応じて，各発行トランシェごとに，発行企業の裁量で定められる[78]。国内市場で発行される社債の額面は，10万ドンの倍数（最低額10万ドン）とすることを要する[79]。他方，国際市場で発行される額面は，社債を発行する市場（法域）の法規制に従うこととなる[80]。ベトナム国内での発行はドン建てで，国際市場での発行の場合の通貨は社債を発行する市場（法域）の法規制に従う[81]。元本と金利は社債の発行通貨と同じ通貨で支払う必要がある[82]。

ベトナム国内での私募の場合，普通社債を発行するには，①1年以上営業していること，②前年度の計算書類につき公認会計士による監査を受けたこと，

---

78) 政令163号6条1項。
79) 政令163号6条4項a。
80) 政令163号6条4項b。
81) 政令163号6条3項a・b。
82) 政令163号6条3項c。

Ⅲ 現地での事業運営

③社債発行書類についてアドバイザーと契約していること（発行者自身が社債発行書類に関するコンサルティングサービスを提供することを許可された組織である場合を除く），④社債発行時における社債権者の人数制限を遵守すること（プロ投資家を除き100未満の投資家に発行すること，マスメディアやインターネットを利用しないこと），⑤社債発行計画が定款に従い適切な承認機関（株主総会，取締役会，社員総会，社長）により承認されること，⑥発行体が発行前3事業年度内に発行した社債の元本及び金利（もしあれば）を全額支払っていること，⑦特定の産業を営む発行体については，財政的健全性等の要件を満たしていること，⑧社債発行における私募により発行された社債の残高合計（発行予定の社債の予想残高を含む）が，承認を受けた直近の四半期財務諸表における株主資本の5倍を超えないこと，⑨各回の社債発行が，発行前の情報開示日から90日以内に完了し，次回の発行が前回の発行から最低6か月間空いていること，及び各回の社債発行条件が均一であることが条件となる[83]。但し，発行体が金融機関である場合，⑧及び⑨の要件を満たす必要はない。

　国際市場で普通社債を発行する場合，発行体は，①ベトナムで適正に設立されていること，②社債が発行される市場（法域）の規制に従って社債を発行する資格があること，③社債発行計画が定款に従い適切な承認機関（株主総会，取締役会，社員総会，社長）により承認されること，④外国為替管理規制並びに外国ローン及びその支払に関する規制を遵守すること，⑤特定の産業を営む発行体については，財政的健全性等の要件を満たしていることが条件となる[84]。株式会社が転換社債を発行する場合，関係法令に定める外国投資家の保有比率規制も遵守する必要がある[85]。

---

83) 政令163号10条1項。ベトナム国内・国外いずれの発行の場合も，転換社債の場合，前回の発行から6か月経過していること等も要件となる（政令163号10条2項d・18条2項c）。
84) 政令163号18条1項。
85) 政令163号18条2項。

2 契約法及び為替管理

(1) 民法及び商法

㋐ ベトナムにおける民法及び商法の特色
 日本と同じように，ベトナムにおいても契約を規律する主な一般法としては，民法及び商行為に関する特別法である商法を挙げることができる。
① 民法の特色
 ベトナムでは，ドイモイ政策における市場経済の導入などを受けて，社会的にも市場経済に適した法整備が必要となったため，1992年には旧憲法を改正する形で新たな憲法が制定され，1995年に民法が制定された。しかし，1995年民法は，市場経済に対する当時のベトナム社会の認識や同時期にソ連崩壊後のロシア共和国でも進められていた民法典制定作業の影響なども反映して，計画経済的な考え方が色濃く残された内容であった。その後 WTO 加盟を目指すベトナムが，より市場経済に適合し，国際的にも通用する内容とするため，独立行政法人国際協力機構（JICA）の法整備支援なども受けて，2005年に新たな民法が制定された[86]。
 2005年民法においては，1995年民法では法律の規定する範囲内でのみ認められていた契約自由の原則をより一般的な形で許容する[87]などの進展が見られたが，市場経済の要請に十分に応えられていない点があったり，行為規範的・倫理規範的な色彩が強く，そのため，規定の要件及び効果が明確でないといった点や，私法でありながら公法的な性格を持つ規定が散見された。
 その後，2005年民法で問題があるとされていた点を中心に，2015年に改正民法が公布され，2017年1月1日から施行されている[88]。

---

[86] 法律33/2005/QH11（以下，「2005年民法」という）。
[87] 2005年民法4条。
[88] 法律91/2015/QH13（以下，「2015年民法」又は単に「民法」という）。以下の内容は，原則として2015年民法に基づいている。

② 商法の特色

商法（法律36/2005/QH11。2005年制定）は，ベトナムにおいて行われる商行為に適用され，商法その他法律に定めのない商行為については，民法の規定が適用される[89]。商法において，商行為とは，営利目的の行為をいい，物品の売買，サービスの提供，投資，営業促進活動，その他の営利目的の行為と定義されている。

また，商法には，ベトナムにおいて外国商人が設立した駐在員事務所及び支店の権利義務についても規定されている。

(イ) 実務で問題となるポイント

以下では，実務でよく問題となるポイントに絞って，民法及び商法の規定を見ていくこととしたい。

① 契約書面作成の重要性，要式行為

日本では，例えば雇用契約について，労働条件通知書は交付されるものの，書面で雇用契約書が交わされていないことも少なくないと思われるが，そのようなやり方は諸外国では通用しない傾向が強い。特に，ベトナムでは，他の社会主義国と同様に書面や形式を重視する傾向が強い。

実務上，当事者の署名のある書面の存在が証拠として重視される傾向にあるという点のみならず，法律上，そもそも書面で作成することが義務付けられている契約（書面で作成しなければ効力を有しない契約）や，公証や認証まで要求される契約も数多くあるため，契約の様式にも注意を払う必要がある。

なお，契約書に用いる言語については，後述(2)(ウ)の消費者契約などの一定の例外を除けば，一般論としては制限されておらず，外国語（英語や日本語）を用いることも可能である。但し，当局への提出，登録又は認証等が必要な場合には，一般にベトナム語版（又は併記）が必要とされるほか，契約の相手方であるベトナムの会社や自社のベトナム人スタッフのために，ベトナム語版（又は併記）の作成を求められることも実務上は多いと思われる。

---

[89] 商法4条3項。

② 契約締結権限の確認

せっかく書面で契約を作成しても、それが契約相手方を代表して署名押印を行う適切な権限を有する者によって締結されたものでなければ、契約相手方がそれを追認しない限り、契約相手方を拘束することはできない。

日本では、権限がないことに善意無過失で契約を締結した当事者を保護する表見代理制度により取引の安全が図られているが、2005年民法の下ではこのような制度は採用されていなかった。2015年民法では、一部表見代理制度が明文化されたものの、その運用については事例が蓄積されておらず不透明である[90]。

そのため、契約の締結に際しては、契約相手方を代表して契約に署名押印する者が契約相手方の法的代表者であること、そうでない場合は契約相手方における適式な意思決定があり、当該署名者に適切な権限委譲がなされていることを確認するため、有効な取締役会の決定や委任状（Power of Attorney; POA）、投資許可証、定款の写し等も参照し、契約上も表明保証条項などの手当てをしておくことがきわめて重要となる。

③ 契約の準拠法

ベトナムにおいて、「外国の要素を含む民事関係」[91]については、当事者が外国法を準拠法として選択する合意をすることができるとされているが、それ以外はベトナム法が準拠法となる。例外的に、「外国の要素を含む民事関係」であっても、契約の目的が不動産である場合、不動産にかかる所有権その他の権利の移転、不動産の賃貸、不動産担保の準拠法は、不動産が所在する国の法令とされ、労働契約又は消費者契約において、契約当事者が準拠法として選択した法令が、ベトナムの法令に規定されている従業員又は消費者の最低限の権利・利益に悪影響を及ぼす場合には、ベトナムの法令が適用される[92]。さら

---

[90] 2015年民法では、無権代理人の行った取引が無効とされる場合が限定され、(a)本人が取引を認識した場合、(b)本人が知ったが合理的期間内に異議を述べなかった場合、(c)本人に故意過失があり、それにより、取引相手方が当該無権代理人が代理権を有していないことを知らず又は知ることができなかった場合には、当該取引は有効とされる（2015年民法142条1項）。

[91] 民法663条2項では、外国の要素を含む民事関係は、(a)一方又は両当事者が外国人又は外国法人である民事関係、又は(b)両当事者ともにベトナム人又はベトナム法人だが、その関係の成立、変更、実施又は終了が外国で発生している民事関係、若しくは(c)両当事者ともにベトナム人又はベトナム法人だが、その民事関係の対象が外国に所在している民事関係をいうとされている。

に，当該準拠法として合意した外国法がベトナムの法律の「基本原則」に違反していない場合に限るとされており[93]，外国法を準拠法として選択することの意義は限定的である点に留意が必要である。

④ 損害賠償と違約罰について

民法上，各契約当事者は，義務違反の際の違約罰の金額について合意することができるとされ，特段の上限は定められていない。損害賠償と違約罰の関係についても当事者で合意することができ，合意がない場合には違約罰の合意のみが適用され，損害賠償を求めることはできないとされている[94]。

他方，商法においては，各契約当事者は，義務違反の際の違約罰の金額について合意することはできるが，原則として，違反した契約上の義務の価額の8%を超えない限度という上限が定められている[95]。損害賠償と違約罰の関係についても，民法と同様に当事者で合意することができるが，合意がない場合には損害賠償のみを求めることができるとされており，民法とは異なる内容となっている[96]。

⑤ ベトナムにおける債権の管理及び回収

ベトナムにおいては，取引相手の債務の履行が滞った場合の債権回収の手段の透明性・信頼性・実効性が低く，平常時における債権管理が日本における場合と比べてより重要である。

ベトナムにおける債権回収の手段としては，日本と同様，まずは相手方と交渉を行い任意の債務履行を促すこととなるが，それでも履行されない場合には，裁判又は仲裁，及び強制執行の手続を検討することとなる。但し，こうした強制的な債権回収の手続については，後記3(2)及びⅣ3(2)で詳述するとおり，(i)相応の手間と時間がかかること，(ii)判決・決定に対する予測可能性が低いこと，(iii)実効的な執行が行われることへの期待可能性が必ずしも高くないことなどから，あまり多くを期待できないのが現状である。他方で，ベトナムにおける提訴期限は一般に3年[97]，場合によっては6か月などと短いため[98]，期限を徒

---

92) 民法683条4項～6項。
93) 民法670条1項，商法5条2項。
94) 民法418条。
95) 商法301条。
96) 商法307条。

過することのないように，債務不履行又は紛争状態を生じた場合には，迅速な行動及び判断が求められる。

このように，ベトナムにおける債権回収には様々な問題があることから，実際に取引先の債務不履行が生じてから慌てることのないようにするためにも，日々の債権管理が非常に重要になる。通常は，取引に入る前にまず相手方の信用状態を調査することになると思われるが，ベトナムにおいては，財務諸表やその他の会計書類が信用できない（それどころか，開示できる書類が存在しない，又は本来1つであるはずの書類が複数存在している）場合も少なくない。そのため，実務上は，様々なチャネルを活用して，幅広く情報収集することが求められる。また，取引期間中の債権管理においては，できるだけ早期の支払を求めたり，与信残高が過大とならないようにするといった伝統的な債権管理が重要となってくる。

与信の補完としての担保取得については，日本とは制度が異なる点も多いので注意が必要である。例えば，土地使用権や建物については，金融機関しか担保取得が認められていないため，一般の事業者はこれらの資産を自ら担保として取得することはできない。そのほか担保に関する留意点については，3で後述する。

(2) その他の特別法

⑺ 為替管理

ベトナムの外国為替管理に関する法令は，外国為替取引を伴う各種取引を幅広く規律しており，かかる規律には資本取引及び非資本取引（経常取引）も含まれる。

① 資本取引

資本取引とは，資本を移転する目的で行われる居住者及び非居住者間の取引であり，(i)直接投資，(ii)間接投資，(iii)外国ローンの借入及び返済等が含まれる。

---

97) 2015年民法429条。2005年民法においては，権利侵害の日から2年とされているが，2015年民法においては，権利侵害を受けた当事者が侵害を知り，又は知り得べきであった日から3年とされている。
98) 労働法202条など。

Ⅲ　現地での事業運営

　全ての資本取引は，ベトナム国内で運営を許可されている金融機関に開設された特定の口座を通じて行われなければならない。
　外国ローンは，ベトナム法の下で厳格に統制されている。外国ローンを受けることを希望する居住者は，一定の要件を満たさなければならない。さらに，期間1年超の外国ローンはベトナム中央銀行に（地方の支店を通じて）登録することが必要となる。また，期間1年以下の外国ローンは登録の必要はないものの，四半期ごとの報告が要請されている。ベトナム中央銀行は，首相によって毎年承認される外国ローンの限度額の範囲内で，ローンの登録にかかる審査を行う。外国ローンの詳細については，3(1)を参照されたい。

② 　非資本取引（経常取引）

　非資本取引とは，資本の移転を目的としない居住者及び非居住者間の取引である。商品及びサービスの輸入及び輸出のための支払は，非資本取引の典型例である。商品及びサービスの輸入及び輸出に関連する金銭の支払及び送金にかかる全ての取引は，ベトナム中央銀行により承認された現金支払の場合を除き，認可された金融機関を経由する送金の方法で行われなければならない。

③ 　現金による持込み又は持出し [99]

　ベトナムに持ち込み，又はベトナムから持ち出すことが許可されている現地通貨（ドン）の量に制限はないが，ベトナムへの入国又は出国に際して個人が運搬する通貨の量が1500万ドンを超える場合には，税関においてその金額を申告しなければならない。さらに，上記の基準額を超える現地通貨を所持して出国しようとする者は，ベトナムの金融機関により発行される証明書又はベトナム中央銀行による承認を得なければならない。
　ベトナムに持ち込み，又はベトナムから持ち出すことが許可されている外国通貨の量に制限はないが，ベトナムへの入国又は出国に際して外国通貨を5000米ドル相当を超えて所持している者は，税関においてその金額を申告しなければならない。かかる規制は現金に対してのみ適用があり，その他の支払手段（トラベラーズ・チェック，クレジットカード，預金通帳，証券など）には適用はない。

---

99) 通達15号（15/2011/TT-NHNN）。

上記の基準額を超える金額の外国通貨を所持してベトナムを出国しようとする場合には，当該所持者は，ベトナムの金融機関により発行された証明書又はベトナム中央銀行による承認を得なければならない場合がある。但し，当該外国通貨の金額が（たとえ基準を超えていても）過去12か月以内において直近のベトナム入国時に持ち込まれた金額よりも少ない場合には，かかる証明書の別途の取得は免除される。当該直近の入国時に取得した証明書が，かかる免除のために必要となる。

　また，ベトナムへ持ち込んだ外国通貨を金融機関に現金で預金しようとする者は，その金額にかかわらず税関でその旨を申告しなければならない点に留意する必要がある。かかる申告は，入国期日から60日間有効であるため，この期間内に預金する必要がある。

④　ベトナム国内における外貨の使用の制限

　ベトナム国内においては，一定の例外を除き，取引，支払，広告，見積り，価格設定等に外貨を使用することが一般的に禁止されている[100]。

　取引の内容によっては，為替リスクの観点などから，外貨をベースに価格等を定めたい場面も存在すると考えられるが，ベトナムではそのような取引等は禁止されていることに十分留意する必要がある。なお，直接に外貨で表示を行うのではなく，外貨を基準に価格を定める条項や為替レートの変動によって価格を調整する条項によって為替リスクをヘッジすることについても禁止されているので注意が必要である[101]。

　例外として，例えば以下のような場合には外貨の使用が認められる。

- 金融機関や外国銀行支店等が外国為替業務を行う場合
- 法人内部での資本の外貨送金
- ベトナムでの外国投資プロジェクトへの居住者による外貨での出資
- 居住者が輸出入を受託する一定の場合
- 一定の国際入札等の場合
- 居住者が保険会社である場合の一定の外貨使用

---

100) 通達32号（32/2013/TT-NHNN）。
101) 通達32号3条。

Ⅲ　現地での事業運営

- 免税品の販売事業に関する法律に基づく場合
- 居住者が外国の運送業者の代理人となる一定の場合
- 居住者が輸出加工企業である場合の一定の外貨使用
- 航空，ホテル，観光業における一定の外貨使用
- 外国人労働者への給与の支払
- 一定の非居住者への送金等
- その他，ベトナム中央銀行が定める場合

(イ)　製造物に関する責任

　ベトナムには，日本のように単行法としての「製造物責任法」は制定されていない。しかし，物品の欠陥により生じた損害を当該物品の製造者又は販売者が賠償する責任という意味における「製造物責任」については，以下の法律の中に関連する規定が見られる。

① 民　法

　不法行為責任[102]の1つの類型として，物品の製造その他の事業を行い，当該物品の品質を確保することを怠ったことにより，消費者に損害を生じさせた個人，法人その他の者は，かかる損害を賠償しなければならないと規定されている。

　また，売買契約の売主について，以下の規定が設けられている。

(ⅰ)　売買の目的物の品質の確保に関する売主の責任[103]
(ⅱ)　(合意等がある場合の) 売主の保証責任[104]
(ⅲ)　保証期間中に売買の目的物の技術的な欠陥により買主が被った損害についての売主の賠償責任[105]

---

102)　民法584条以下。
103)　民法445条。
104)　民法446条・447条。
105)　民法449条。

② 商法

売買目的物の保証に関して，売主が保証義務を実務上可能な限り短期間で履行すべきこと，関連する費用を負担すべきことが規定されている[106]。

③ 製品及び物品の品質に関する法律

製造者及び輸入業者は販売業者及び消費者に対して，販売業者は消費者に対して，製品及び物品の品質に関する規制違反によって生じた損害について，それぞれ完全に且つ迅速に補償されるべきこと等が規定されている。

④ 消費者権利保護法

(ウ)で後述するとおり，製造業者や販売業者の消費者に対する責任（物品や部品等の保証義務など）が規定されている。

⑤ 海外の製造業者・売主から購入した物品についての適用関係

上記の各規定は，いずれもベトナム領内の製造業者や売主には適用があるものの，ベトナム領外の製造業者や売主にも適用されるかどうかについて必ずしも明確ではない。なお，商法については，ベトナム領外で行われた商行為であって，（当事者の合意等により）ベトナム法に準拠するものとされた商行為に適用されると規定されていることから[107]，かかる場合にはベトナム領外の製造業者や売主にも適用があり得ると思われる。

(ウ) 消費者契約

2011年7月1日より施行された，消費者権利保護法（59/2010/QH12）において，消費者の権利及び事業者の義務は，以下のように規定されている。

① 消費者の権利

「消費者」とは，個人，家族又は組織の生活，消費の目的で，商品及びサービスを購入又は使用する者と定義されている。同法では，消費者の権利として主として以下のものが規定されている。

(i) 事業者により提供された商品又はサービスの取引又は使用において，消費者の

---

106) 商法49条。
107) 商法1条2項。

生命，健康，財産，その他の合法な権利・利益の安全性が確保されること。
(ⅱ) 事業者，商品又はサービスの取引の内容，商品の供給元及び原産国に関する正確且つ十分な情報を提供されること。消費者が購入又は使用する商品又はサービスに関するインボイス，領収書，その他の商品又はサービスに関連する書類その他の必要情報を提供されること。
(ⅲ) 消費者の需要及び実情に合致した商品又はサービス並びに事業者を選択すること。事業者との取引に参加しようとする場合に，取引に参加するかどうか，及び合意の内容を決定すること。
(ⅳ) 商品又はサービスの価格及び品質，サービスの方法，取引方法並びに消費者と事業者間の取引に関連するその他の事項について，事業者に対して消費者の意見を寄せること。
(ⅴ) 消費者権利保護に関する政策の立案及び実施並びに立法に参加すること。
(ⅵ) 商品又はサービスが技術基準又は規格，品質，量，特性，効用，価格，その他事業者が告知し，掲載し，広告し，請け負った事項に適合しないことによって生じた損害の賠償請求を行うこと。
(ⅶ) 苦情，告発の申立て及び訴訟を提起すること。本法及びその他の関連法令の規定に基づき，自らの権利を守るため，社会組織に訴訟を提起するように要求すること。
(ⅷ) 商品又はサービスの消費に関する知識について，助言，支援及び指導を受けること。

② 事業者が消費者に対して負う責任

　事業者は，営利を目的とする市場において，商品の製造から販売又はサービスの提供までの投資行為の1つ，複数又は全てを行う組織又は個人であって，商法に規定された商人又は事業登録を行うことなく恒常的に独立して経済活動を行う個人である者と定義されている。事業者が消費者に対して負う責任は多岐にわたり，以下の責任を含む様々なものが規定されている。

(ⅰ) 製造及び販売を行う事業者の消費者に対する情報提供責任
(ⅱ) 消費者との間で締結される契約に関して，消費者が契約書全体を検討できる状

況を確保するなど法の定める事項を遵守し，政府が定める様式を用いて契約を締結すること（首相の定める重要な商品又はサービスについては，標準様式契約及び一般取引条件の当局への登録が求められるようになっている）
(iii) 契約は消費者に有利な解釈をすることが法律上認められており，消費者に不利な一定の条項は無効となること（なお，事業者が仲裁条項を標準様式契約又は一般取引条件に挿入する場合でも，個人である消費者はその他の紛争解決方法を選択する権利を有するとされている点には注意が必要である）
(iv) 法又は消費者の求めに応じた領収書等の取引証拠の提供
(v) 商品保証及び欠陥商品に関する責任

Ⅲ　現地での事業運営

3　資金調達・担保

(1)　貸付に関する規制

(ア)　外国からの貸付に関する規制

　ベトナムに設立した子会社が運転資金を調達する方法として，親会社又はその子会社若しくは関連会社からの借入による方法，ベトナムの金融機関からの借入による方法等があるが，ベトナムの金利が比較的高いことから，親会社又はその子会社若しくは関連会社からの借入により，運転資金を調達することも多い。そこで，ベトナム国外からベトナム国内への貸付に関して適用される規制について述べることとする。

　ベトナム子会社による海外からの借入は，外国為替規制上，外国ローンとして扱われる。そして，借入期間が１年以下の外国ローン（以下，「短期ローン」という）の場合，ベトナム中央銀行への登録は要求されないものの，当該借入の目的は，①借主の外国からの借入資本を利用した事業及び生産計画若しくは投資プロジェクトの実施又は②借入費用を増加させることのない借主の外国からの債務の再編であることが要求される[108]。外国ローンの借入期間が１年を超える場合（当該ローンを以下「中長期ローン」という）には，上記の目的に加え，③借主が直接投資を行う企業による外国からの借入資本を利用した事業及び生産計画若しくは投資プロジェクトを実施する目的での借入も認められる。また，短期ローンは法令上，中期及び長期の資金調達を目的として使用してはならないとされているため，上記③を目的とすることは認められないことは明らかであるが，それ以外のいかなる場合に中期及び長期の資金調達に該当するかの基準は明記されていないため，資金使途等の具体的な事情と従前の実務上の取扱いを踏まえて整理することが必要と考えられる。

　中長期ローンの場合，債務者であるベトナムの子会社は，当該借入をベトナム中央銀行に登録すること及びその他の規制に服することとされている。仮に，

---

108)　通達 12/2014/TT-NHNN 5 条。

中長期ローンがベトナム中央銀行に登録されていない場合，送金銀行から，利子や返済金の送金を拒まれる可能性がある点に留意する必要がある。また，外国投資企業への直接投資資本となる中長期ローンの残高は，当該外国投資企業の投資登録証明書（投資証明書に記載された総投資資本と定款資本金の差額。国内ローンの残高も含む）を超過してはならないとされている。

さらに，ベトナムでは，国全体での外国ローンの総量規制をしており，国全体の外国ローンの残高が，首相が定める上限金額に達してしまっている場合には，中長期ローンのベトナム中央銀行への登録が拒絶される可能性がある点にも留意が必要である。また，外国ローンの借入，返済に用いられる銀行口座に関しても詳細な規制が課されている[109]。

外国ローンの当初の借入期間が1年以下であっても，当該ローンの期間を延長することにより，借入期間の合計が1年を超える場合，又は1年と10日を超えても債務残高がある場合には，当該借入をベトナム中央銀行に登録する必要が生じる[110]。また，この場合，延長されたローンは中長期ローンとみなされる可能性が高いため，中長期ローンが法令上充足すべき要件[111]を満たす必要があると考えられる点に注意が必要である。他方，短期ローンの満期において債務者であるベトナム子会社が債務の弁済を行い，その後，債務者であるベトナム子会社が別途新たに借入期間が1年以下の外国ローンの借入を行う場合には，新たな外国ローンが単なる既存の外国ローンの借り換えに過ぎず既存の外国ローンの期限の延長と同視されるような場合でなければ，新たな外国ローンの借入について，ベトナム中央銀行への登録を行う必要はないと考えられる。

外国ローンの借入は，特別法（セクター又は産業を支配する法）によって課された規制により許可されない可能性があることに留意されたい。

---

[109] 2016年2月26日付けの通達03/2016/TT-NHNN（2016年4月15日及び2017年6月30日にそれぞれ改正）の24条2項。

[110] 既存の短期ローンの期間を延長することはベトナム法上禁止されてはおらず，法令上かかる延長を前提とする規定も存在している。

[111] 例えば，前述の外国ローンの資金使途，銀行口座に関する規制内容は，短期ローンと中長期ローンで異なるため，延長されて中長期ローンとなったローンの取扱いについては不明瞭な点が残る。

Ⅲ　現地での事業運営

(イ)　**貸付債権の譲渡に関する規制**

　ベトナム国内のローンが外国投資家に売却された場合については，明確な規定はないものの，当該外国投資家と借主との関係は外国ローン契約関係とみなされ，外国ローンにかかる規制に服すると解される。譲渡時からの返済期間が1年を超える場合には，当該譲渡されたローンについては，債務者がベトナム中央銀行に対して登録を行わなければならないものと考えられる。なお，ベトナム中央銀行への登録には，登録義務者である債務者の協力が必要となる上，手続にも時間を要するため，仮に協力が得られない場合には，ベトナム中央銀行への登録ができず，送金銀行から，利子や返済金の送金を拒まれる可能性がある点に留意する必要がある。

　また，そもそも債権が外国投資家に譲渡された場合を想定したベトナム中央銀行の登録手続に関する規定がなく，手続内容が不明確であることから，個別事例ごとにベトナム中央銀行に対する照会が必要となり，外国投資家が不良債権を購入する際の障害の1つとなっている。さらに，外国ローンの登録に関する現行の規定は単独の債権の登録のみを念頭に置いており，複数の債権を一括で登録することは想定されていないため，不良債権のバルクセールを実施しようとした場合，円滑に登録することができない。

(2)　**担保及び担保登録制度**

(ア)　**民法その他の法令上の担保制度**

　ベトナム民法（91/2015/QH13）における主な担保の種類は以下のとおりである。

> (ⅰ)　抵当権（Mortgage）
> (ⅱ)　質権（Pledge）
> (ⅲ)　手付け（Deposit/Performance Bond）
> (ⅳ)　保証金（Security Deposit/Security Collateral）
> (ⅴ)　エスクロー（Escrow Account）
> (ⅵ)　所有権留保（Reserve of ownership rights）
> (ⅶ)　保証（Guarantee）

(viii) 身元保証（Fidelity guarantee）
(ix) 留置権（Lien/Retention of property）

上記のほか，民法以外の法令に基づく担保権も存在する。実務上，抵当権及び質権が最も頻繁に使用されている担保権と位置付けることができる。

(イ) 抵当権

抵当権とは，財物の所有者が，当該財物を移転することなく使用を継続することを前提として，私法上の義務の履行を担保するために当該財物に対して設定される担保権をいう。なお，当事者は，当該財物の占有を第三者に移すことを合意することもできる。抵当権は，原則として，土地使用権及び土地上の建物を含む，いかなる財物に対しても設定することが可能である。

土地使用権又は土地上の建物その他の資産に対して抵当権を有効に設定するためには，被保全債権の原契約とは別個の，法に従い公証又は認証された抵当権設定契約を締結し，関係当局に当該抵当権設定契約を登録することが必要である。

動産に対して抵当権を設定するためには，抵当権設定契約を締結すれば足り，当該抵当権設定契約の担保登録機関であるNational Registration Agency for Secured Transaction（以下，「NRAST」という）への登録までは要求されず，当該登録は任意に行うことができる。但し，当該抵当権設定契約の登録をしない場合，当該担保権は第三者に対して対抗することができない。

原則として，ベトナム国内において金融業の許認可を受けた所定の金融機関に限り，土地使用権及び土地上の建物その他の資産に抵当権を設定することができる（但し，ベトナム人の個人又は家族世帯が権利者である土地使用権及び土地上の建物その他の資産についてはこうした制限は付されていない）。

また，土地使用料が免除されている土地使用権について，抵当権を設定することは土地法所定の例外[112]を除き認められていない。

---

112) 土地法174条4項(a)及び174条2項。

Ⅲ　現地での事業運営

(ウ)　質　権

　質権とは，財物の所有者が，私法上の義務の履行を担保するために，当該財物の占有を移転することをいう。

　質権は，書面による質権設定契約により設定される[113]。質権は，原則としてその占有を保持することにより第三者に対抗できるものとされている[114]。なお，旧民法下では，株式や出資持分への担保設定には，質権を用いることが多かったが，現行民法下では，非公開会社については抵当権を用いてNRASTへの登録を行うことが一般的であり，Vietnam Security Depository（以下「VSD」という）への登録がなされている株式については，VSDを通じて質権の設定がなされる。

(エ)　担保権の特徴

　被保全債権が債権者から第三者に譲渡された場合，当該被保全債権を担保する担保権は随伴して当該第三者に承継される。NRASTに担保権が登録されている場合，担保権者の変更を登録することが必要とされている（但し，第三者に対する効力はあくまで当初登録時からであることに変わりはないとされている）。他方，合併，会社分割等の組織再編行為により被保全債権が第三者に承継された場合，担保権も随伴して承継されるかどうかは明らかではなく，実務上，別途担保権の承継を確認する内容の契約が取り交わされている。

　ベトナム法上，債権者は，将来において発生・消滅を繰り返す資産を対象として担保権を設定することも可能であると考えられている。そして，この集合動産担保契約では，担保の対象となる資産について個別具体的に特定する必要はなく，担保対象となる資産の範囲を一般的に記載すれば足りると解されている。

　担保権に関し，現在政令163/2006/ND-CPに代わる政令の草案（第三者の義務を担保する抵当権及び質権の細目，土地使用権のみに抵当権が設定された場合におけ

---

113)　法令に別段の定めがある場合は例外とされ，航空機に対する質権については登録が成立要件とされている。
114)　不動産については例外とされているが，そもそも実務上，不動産に設定する担保権としては質権の利用はあまり行われていない。

る土地に附属された財産の取扱い，預金証書（saving deposits certificate）に対する執行及び従前通達で定められていた執行手続に関する規定の政令への取込み等を内容とする）が検討されており，その動向が注目される。

(オ) 担保の実行

担保権設定者及び担保権者は，債務者が債務の履行を怠った場合の担保権の実行方法について，合意により定めることができ，担保権者は，裁判所の関与なしに，当該合意の内容に従い，担保権を実行することができる。なお，担保権設定者及び担保権者は，担保権の実行方法について，予め合意された価格又は価値算定人によって算定された価格において，担保権者又は第三者に譲渡・取得させることを合意することもできる。他方，当事者が，担保権の実行方法又は担保価値について合意することができなかった場合には，担保権者は競売手続を申し立てることも可能である。

もっとも，予め担保権の実行方法について合意していたとしても，仮に債務者が当該合意に違反し，担保実行に協力しない場合，実務上は，裁判所の判決を得なければ執行官又は競売機関は担保権の実行を行わない可能性があるため，執行段階で再度債務者の同意を得なければ，担保権の実行が難しい状況にある。担保法上，債務者が担保実行に協力しない場合，人民委員会及び警察に権利実行を保全するための申立てをすることができると規定されているが，有効に機能していないようである。

裁判所が倒産手続の開始決定を行った場合，裁判所が別途許可する場合を除き，担保権を実行することはできない。裁判所の審査の結果，担保財産が経営再建手続を実施するために使用される場合には，債権者集会の決議に従って担保財産を処理し，ほかの場合には，原則として，当該担保財産により弁済することとされている。もっとも，破産法上の「担保権」の定義については明らかではない。担保権者は，管財人の許可を得ることを条件として，担保権によって保全されている範囲内において，破産手続の対象会社から債権の弁済を受けることができる。破産法上，担保権者は，対象会社の資産評価に対して意見を述べる権利に加え，一定の限度で倒産手続に関与する権利を付与されている。

Ⅲ 現地での事業運営

㈹ 民間の債権回収業者（サービサー）

2020 年投資法において，債権回収業は経営禁止業種とされた[115]。同法が施行される 2021 年 1 月 1 日[116] 以降，それ以前に締結された債権回収業務を行うことを内容とする契約は効力を失い，その当事者は，民法及びその他関係法令の関係規定にしたがい，当該契約の解消に係る事務を行わなければならない[117]。

---

115) 2020 年投資法 6 条 1 項(h)。
116) 2020 年投資法 76 条 1 項。
117) 2020 年投資法 77 条 5 項。

4　輸出入規制

　ベトナムにおいては，外国投資企業であっても，原則として外国から原材料や製品を輸入でき，ベトナム国内で自ら購入又は製造した製品を海外に輸出することもできる。必要な手続については，概要，①申告書，インボイス等の必要書類の提出（原則電子通関が義務付けられている），②税金，検疫，食品安全，品質規格に関する規制等の観点からの検査（書類検査に加えて製品に対する物理的な検査が行われるか否か等の検査手続は製品の分類によって異なる），③関税，輸出税等（鉱物，木材，金属スクラップ等の天然資源には品目に応じて最高40％の輸出税が課される）の税金の支払等である[118]。留意点として，手続遅延等の実務上の問題が発生することがあり得る他，法令上も，一定の品目は輸出入が禁止又は制限され，一部外国投資企業にのみ適用される規制が存在することが挙げられる。以下，日系企業の関心が高い輸出入関連規制をいくつか紹介する。

(1)　輸出入が禁止・制限される品目

　代表的な品目として，武器弾薬，一定の要件を満たす爆薬，有毒化学品等は輸出入双方が，一定の要件を満たす中古機械・中古消費財・中古車両・中古IT製品，廃棄物等は輸入が，一定の要件を満たす木材，動植物等の天然資源や国家機密保持に関わる暗号化ソフトウェア等は輸出が禁止・制限される。これらの品目の詳細な要件及びこれらの品目以外に輸出入が禁止・制限される品目については，関連する政令・通達に規定されている。例えば，中古機械・設備・生産ラインについては，製造から10年以内かつ安全・省エネ・環境保護等の観点からの基準を満たすもの以外は輸入が禁止されている[119]（なお，近年

---

[118]　なお，ベトナムから製品を輸出する者は，①連続した2年間の税関関連法令の遵守，②会計監査関連法令及びベトナム会計基準の遵守，③輸入及び輸出のサプライチェーンを管理・監視しコントロールするためのシステム及び手続の整備及び維持，④所定の輸出及び輸入の取引高の維持という要件を満たすことで，迅速かつ簡易な輸出手続により製品を輸出することが許される（政令08/2015/ND-CP10条）。例えば，限定的な書類検査，製品に対する物理的検査の免除，税関申告書の追記による手続進行の許容，課税手続における優先権の付与等の優遇を受けることができる（関税法43条）。
[119]　通達23/2015/TT-BKHCN。

III　現地での事業運営

規制が緩和され，一定の製品については，10年を超えるものも一定の要件・手続を充足することで輸入が可能となった)[120]。また，廃棄物については，近年規制が強化されており，鉄スクラップ，プラスチックスクラップ，紙くず，ガラススクラップ，非鉄金属スクラップ，スチールスラグ等の製造原料用廃棄物であっても，不純物含有許容量等の要件を満たさない限り輸入が禁止され，要件を満たす場合も通関手続で厳格な検査の対象となる[121]。

(2)　外国投資企業による保税倉庫内の所有権移転販売事業の禁止

上記(1)で述べた規制は，原則として，ベトナム現地企業及び外国投資企業に等しく適用されるものである。もっとも，外国投資企業が製品の輸出入を伴う事業を行う場合，ベトナム現地企業に許される事業活動が禁止される場合が存在する。その例として，保税倉庫内の所有権移転販売事業が挙げられる。

当該事業は，EPE 企業（輸出加工区内で設立され操業している企業や，工業団地内又は経済区内で操業し製品全てを輸出する企業）に対して，ベトナム国内への輸入・通関手続を行うことなく，保税倉庫内で原材料等を販売する事業である。EPE 企業は，当該事業を行う企業から原材料等を購入することにより，関税等を負担することなく国外から原材料等を調達し，製造した製品を国外に輸出することができる。

この点，ベトナム現地企業であれば，当該事業を行うことで，外国で調達しベトナムの保税倉庫内に保管している原材料等を EPE 企業に（関税等の負担なしに）販売することが許される。しかし，製品の輸入及び販売を事業とする外国投資企業については，ベトナム法上付与されるライセンスが，「ベトナム国内で製造した若しくは購入した又はベトナムに適法に輸入された製品」を販売するライセンスであると定められている[122]。そして，国外で製造された後にベトナム国内の保税倉庫で保管されている製品は，ベトナムに輸入されていな

---

120)　首相決定 18/2019/QD-TTg。HS コードの 84 類及び 85 類に該当する中古機械・設備・生産ラインのうち，①中古生産ラインについては，一定の条件を満たせば年数にかかわらず輸入することができ，②一部の中古機械・設備については，製造から 20 年（又は 15 年）以内であれば輸入することができるようになった。
121)　通達 08/2018/TT-BTNMT，通達 09/2018/TT-BTNMT。
122)　政令 09/2018/ND-CP7 条。

いと扱われるため、上記のいずれにも該当しない。したがって、外国投資企業は、保税倉庫内の製品を（関税等の負担なしに）EPE企業に販売する事業を行うことができないと解されている。

(3) 外国投資企業による三国間貿易の禁止

　上記(2)の他に外国投資企業にのみ適用される輸出入関連規制として、三国間貿易（二国間の貿易取引に製造や船積みを伴わない第三国の当事者が参加し、輸出者・輸入者双方と製品購入・販売契約を締結するが、物流は二国間のみに発生する貿易の形態）の禁止が挙げられる。すなわち、ベトナム現地企業であれば、外国で購入した製品を一度ベトナムに輸入することなく、直接異なる外国に輸出する（製品は購入国から直接当該外国に輸出される）ことが可能である。しかし、ベトナム法上、ベトナムで設立された外国投資企業は、このような事業を行うことを明確に禁止されている[123]。

---

123)　政令69/2018/ND-CP18.2条。

Ⅲ　現地での事業運営

5　労　働　法

　現在，ベトナムにおける労働法制の基本法は，2013年5月1日に施行された2012年労働法（10/2012/QH13）であるが，2021年1月1日より，2019年労働法（45/2019/QH14）の施行が予定されている。
　以下では，現在施行されている2012年労働法の解説を中心としつつ，2019年労働法のうち，特に日系企業への影響が大きいと思われる点について併記する。

(1)　は じ め に

　労働関連法制を労働法を管轄する中央政府の省庁は，労働傷病兵社会福祉省（Ministry of Labour, Invalids and Social Affairs. 以下，「MOLISA」という）であり，地方の省（province）又は直轄市レベルではこれに対応する労働傷病兵社会福祉局（Department of Labour, Invalids and Social Affairs. 以下，「DOLISA」という）が管轄当局となる。
　ベトナムでは，法律の条文が必ずしも明確ではない場合があり，実務上の運用は管轄当局の裁量によるところも大きいが，各地方のDOLISAごとに解釈が異なることがあるため，当局照会を行う場合は，問題となる就業場所を管轄するDOLISAごとに，都度確認をすることが必要となる。

(2)　労働関連法制の構成

　ベトナムにおける労働関連法制を規律する法律としては，2012年及び2019年の労働法のほか，労働組合法（12/2012/QH13）[124]，社会保険法（58/2014/QH13），健康保険法（25/2008/QH12）などの各法律から構成されており，また，各法律の下位規則として多くの政令（Decree），通達（Circular）等が発布されている。代表的な政令及び通達の例は以下のとおりである[125]が，下記以外に

---

124)　以下，法令に関しては制定時点における法令番号等を記載するが，その後の改正内容も含む趣旨である。なお，労働関連法制は，他の分野と比較しても特に法改正が行われる頻度が高い傾向にあるため，常に最新の法令を確認する必要性が高い。

も多くの下位規則があり、ベトナムにおいて、労働関連法制を正確に理解するためには、これらの下位規則も参照しなければならない。

(i) 労働契約に関する政令 44/2013/ND-CP
(ii) 労働時間、休憩時間、労働安全衛生に関する政令 45/2013/ND-CP（以下、「政令 45 号」という）
(iii) 労働争議に関する政令 46/2013/ND-CP
(iv) 賃金に関する政令 49/2013/ND-CP
(v) 労働者派遣に関する政令 29/2019/ND-CP
(vi) 職場における民主的規則に関する政令 149/2018/ND-CP（以下、「政令 149 号」という）
(vii) 労働法違反の場合の罰則規定に関する政令 28/2020/ND-CP（以下、「政令 28 号」という）
(viii) 外国人労働者に関する政令 11/2016/ND-CP（以下、「政令 11 号」という）
(ix) 労働法の細則に関する政令 05/2015/ND-CP（以下、「政令 05 号」という）、及びその施行細則に関する通達 23/2015/TT-BLDTBXH（以下、「通達 23 号」という）
(x) 女性労働者に関する労働法の施行細則に関する政令 85/2015/ND-CP（以下、「政令 85 号」という）など

(3) 労働契約と就業規則

(ア) 労働法の適用範囲

　実務上、実質的には労働契約であっても、サービス供給契約や代理店契約、コンサルティング契約などの名目をとることで、労働法の適用を免れている事例が特にローカル企業などを中心に見受けられた。

　2012 年労働法では、労働法の適用範囲について明文の規定はなく、解釈によりこうした契約が労働契約と認定されるリスクがあるに留まっていた。この点、2019 年労働法では、契約の名称を問わず、職務、賃金及び一方当事者に

---

125) 以下で紹介する下位規則は、いずれも 2012 年労働法に基づくものであり、近々改正が予定されている。

よる管理・監督が規定された契約は労働契約とみなす旨が規定された（2019年労働法13条）。

　労働契約とみなされた場合，企業側においては，労働関連法制の遵守が義務づけられ，例えば，残業，社会保険に関する支払義務及びこれまでの未払に伴う違反責任等が課されるリスクがある。改正労働法の適用範囲が明確化されたことで，当局による運用が厳格化される可能性もあり，今後の実務動向を注視されたい。

(イ) 労働契約の締結義務と記載内容

　2012年労働法上，使用者は，労働者との間で，3か月以上の労働契約を締結する場合には，雇用開始前に，書面による労働契約を締結する義務がある（2012年労働法16条・18条1項）。

　労働契約の法定記載内容は以下のとおりであり，これらの項目は必ず，契約書に含める必要がある（2012年労働法23条1項，政令05号4条）。

> (i) 使用者の名前及び住所並びにその法的代表者の氏名，身分証明書番号，生年月日，住所等
> (ii) 労働者の氏名，生年月日，性別，住所，身分証明書番号（外国人労働者の場合は労働許可証の番号，発給日，発給機関）等
> (iii) 職務内容及び就業場所
> (iv) 契約期間
> (v) 給与額，給与等の支払方法及び時期，手当等
> (vi) 昇給制度
> (vii) 労働時間及び休日
> (viii) 労働者保護のための設備
> (ix) 社会保険，失業保険及び健康保険に関する，使用者と労働者の負担割合，納付方法，期間
> (x) 訓練及び技術改善に関する事項等

　上記の各項目は具体的に記載をする必要があるため，例えば，(iii)の「就業場

所」については、「ベトナム」といった抽象的な記載ではなく、より具体的に場所を特定する必要があると解釈されている（例えば、「ホーチミン市」など）。そして、使用者が労働者に対して、労働契約上の「就業場所」とは異なる場所への転勤を命じたい場合（例えば、勤務地がホーチミン市である場合に、ハノイ市への転勤を命じたい場合など）には、原則として一方的な転勤命令で転勤をさせることはできず、当該労働者との間の労働契約の変更、すなわち、当該労働者との合意が必要である点には留意する必要がある。同様に、「職務内容」も具体的に記載をする必要があり、「当社の業務全般」といった抽象的な記載は認められない可能性が高い。したがって、転勤と同様、配置転換を行いたい場合には、当該労働者の労働契約を確認した上で、労働契約の変更の要否を検討する必要がある。かかる労働契約の変更を行うことなく、一方的に転勤や配置転換を命じた場合、労働契約違反となる可能性があるため注意する必要がある。

　2019年労働法においても、使用者及び労働者は、労務提供を開始する前に、労働契約を締結しなければならないが（2019年労働法13条2項）、2019年労働法では、書面に加えて電子的方式で締結することも認められた（2019年労働法14条1項）。また、2019年労働法においても、労働契約書には一定の事項を記載する必要があるとされており、その内容は概ね2012年労働法と同一であるが（2019年労働法21条1項）、それに加えて、新たに労働契約締結時の情報提供義務が定められている点に留意が必要である（2019年労働法16条1項）。

(ウ)　労働契約の種類

　2012年労働法上、労働契約の契約期間は以下の3種類のみが認められている（2012年労働法22条）。

> (i)　期間の定めのない契約
> (ii)　12か月から36か月の有期契約
> (iii)　12か月未満の有期契約

　2019年労働法では、労働契約の区分が見直され、①期間の定めのない契約

Ⅲ　現地での事業運営

及び②36か月までの有期労働契約の2種類のみ定められた（2019年労働法20条1項）。上記(ⅲ)12か月未満の有期契約は、②に包括された形となる。

　2012年労働法上、(ⅲ)の12か月未満の有期契約は、季節的労働又は特定の労働契約の場合にのみ認められており、通常12か月以上続くような一般の業務に関して12か月未満の労働契約を締結することは、兵役、出産休暇、傷病休暇、労災事故による休暇、その他、従業員の一時的不在の代替として勤務する場合を除き、認められていなかった（2012年労働法22条3項）。しかし、2019年労働法による上記の改正により、2012年労働法下では許容されていなかった一般業務での12か月未満の短期労働契約を締結することが可能となった。労働需要に応じた柔軟な契約期間の設定が認められるようになったことは評価できる。

　ベトナムでは、期間の定めがない労働契約を会社側から解除することは非常に難しい一方で、有期契約であれば、特段の正当事由がなくとも、期間満了時に契約を終了させることができる（更新を拒絶することができる）ことから、有期契約での締結が会社側に有利に働くことが多い。但し、有期契約の更新に際しては次の㈎のような注意点もあるため、これらの点に留意しつつ契約期間の管理は適切に行われる必要がある。

㈎　有期契約の更新

　有期契約としての更新は1回しか認められず、2回目の更新の際には、いかなる有期契約も期限の定めのない労働契約となるので留意が必要である（2012年労働法22条2項、2019年労働法20条2項c）。すなわち、例えば、1年間の有期労働契約を締結し、更に1年間の有期契約として更新を行った場合には、次の更新時からは期限の定めのない労働契約となる。なお、2012年労働法では、契約の種類を変更しない限り、一度に限り、当該契約の付属書による契約期間の変更（延長）が認められていたが（政令05号5条）、2019年労働法では、付属書による契約期間の変更（延長）は認められないこととなった（2019年労働法22条2項）。また、外国人労働者については、2012年労働法上、上記枠組みに従って無期限の契約となる場合には、労働許可証の期間との不一致が生じてしまうため、（法令上は例外規定はなかったものの実務上）3回以上の有期契約

の締結が例外的に認められていたところ，2019年労働法では，かかる例外が明文化され，外国人労働者，高齢労働者，国営企業の役員，従業員代表組織の幹部については，回数制限なく有期契約が締結できると定められた（2019年労働法20条2項c但書）。

また，有期契約更新時の注意点として，2012年労働法下では，仮に1回目の更新において両当事者が有期契約として更新することに合意をした場合であっても，当該更新時から30日以内に，書面による更新契約を締結しない場合には，(i) 12～36か月の期限付契約は無期限の契約に，(ii) 12か月未満の契約は24か月の契約になり，自動的に期限が延長又は撤廃される（2012年労働法22条2項）。

さらに，2019年労働法では，そもそも後者の12か月未満の有期契約という契約類型がなくなり，36か月までの有期契約に一本化されるため，12か月未満の有期契約を含めて有期労働契約終了日から30日以内に新たな契約を締結しない場合には，無期契約となる（2019年労働法20条2項b）。

以上のとおりであるから，有期契約での更新の合意をした場合には，速やかに労働契約を締結すべきである。

2012年労働法上，有期契約の期限到来に際して，更新を行わない場合には，使用者は，労働者に対し期間満了15日前までに書面による通知を行う義務があるので，忘れずに通知を行うよう留意する必要がある（2012年労働法47条1項）。この点，2019年労働法では，有期契約の終了に際し書面による通知を行えばよいとだけ定められており，具体的な法定期間を設けていない（2019年労働法45条1項）。今後，政令などの下位法規にて詳細が定められる可能性があるため，留意されたい。

このように，ベトナムでは，有期契約を締結した場合は，契約期間の管理がきわめて重要となる。労働者の数が多い場合には，例えば，有期契約の契約終了日をなるべく12月31日など一定の時期に揃え，一括して，更新の手続を進められるようにするなどの工夫も有用である。

(オ) 試用期間

2012年労働法上，試用期間は，業務の内容に応じて定められており，具体

的には以下のような期間とされている（2012年労働法27条）。

職　種	試用期間
(i) 短大以上のレベルの専門的又は技術的な職種	60日以内
(ii) 職業訓練学校，専門学校，技術を伴う労働者，経験を有する事務職レベルの専門スタッフ	30日以内
(iii) その他の職種	6営業日以内

　2019年労働法下では，上記の3種類の試用期間に加えて，管理職について，180日を限度とする試用期間が新たに設けられている。

　実務上は，試用契約と労働契約（本契約）を別々で締結する場合だけでなく，労働契約に試用期間の契約内容を含めることも広く行われているが，2012年労働法下では後者について明確な言及がなかった。2019年労働法では，労働契約に試用期間の契約内容を含めることができる旨，明記された（2019年労働法24条1項）。

　なお，試用期間中の給与は，当該職種の賃金の85％以上とされている（2012年労働法28条，2019年労働法26条）。

　2012年労働法下では，使用者は，上記(i)又は(ii)の職種については試用期間満了日の3日前までに，上記(iii)の職種については試用期間満了日までに，採用の可否を通知しなければならない（政令05号7条）。他方，2019年労働法では，職種に関する区分を問わず，使用者は，試用期間が満了したとき，労働者に対し試用の結果を通知しなけれならないと定められている（2019年労働法27条1項）。今後，政令などの下位法規にて詳細が定められる可能性があるため，留意されたい。

　使用者及び労働者は，労働者の試用期間中の労働が，両者で合意した条件を満たさない場合には，いずれの側からも試用期間にかかる労働契約を取り消すことができるが，使用者は，試用期間中の労働者の労働が両者で合意した条件を満たす場合は，試用期間満了時に労働契約を締結しなければならない（2019年労働法下では，試用契約の場合には新規労働契約を締結し，労働契約の場合は締結済み契約の履行を継続しなければならない）ので注意が必要である（2012年労働法29条，2019年労働法27条1項）。

㈹ 就業規則の制定義務と記載内容

　労働者を10人以上雇用する場合は，就業規則を制定する必要がある（2012年労働法119条1項，2019年労働法118条1項）。制定された就業規則は，管轄の労働当局に登録する必要があり，原則として，労働当局が登録書類を受理した日から15日後に効力が発生するとされている（2012年労働法122条，2019年労働法119条2項，3項）。登録に際しては，2012年労働法では，社内労働組合がない場合には，地域の上部組合団体の意見を聴取することが必要とされており（2012年労働法121条3項），これが実務上，登録時の大きな負担となっていた。2019年労働法では，こうした上部組合団体の意見聴取義務は廃止されているように見受けられ（同法120条3項参照），今後，政令などの下位法規でもそうした義務が定められないようであれば，社内労働組合がない会社における登録時の負担は軽減される可能性がある。

　就業規則の法定記載内容は以下のとおりであり，これらの項目は必ず，就業規則に含める必要がある（2012年労働法119条2項，2019年労働法118条2項）。

(i)　労働時間及び休憩時間
(ii)　就労場所の秩序
(iii)　労働安全及び衛生
(iv)　使用者の設備及び機密の保護
(v)　懲戒事由及び処分・損害賠償の内容等

　上記のうち，(v)の懲戒事由については，現行法上は，就業規則に記載がないと，法令上認められている懲戒事由であるとしても，これを労働者に適用することができないため（2012年労働法128条3項），特に細心の注意を払って記載を確認すべきである。

㈱ 兼業禁止

　ベトナムでは，労働者は各労働契約上の義務を完全に履行できる限り複数の労働契約を締結する権利を有するとされており，労働者の兼業の権利が保障さ

Ⅲ　現地での事業運営

れている（2012年労働法21条1項，2019年労働法19条1項）。したがって，労働契約や就業規則において兼業を一律に禁止する条項を設けた場合は，ベトナム労働法違反となり，当該条項が無効と解釈される可能性が高い点には留意が必要である。

(ク)　在職中の競業禁止

　上記のとおり兼業そのものを禁止することはできないとしても，当該兼業先が，使用者と競業関係にある場合にのみ，当該競業他社での兼業を禁止できるかについては，労働法上の明文がないため解釈が分かれるものと思われる。筆者らが一般論として電話照会をしたある地方の労働当局では，2012年労働法21条1項が明示的に労働者が複数の雇用主と契約できる旨を規定していること，及び，2012年労働法5条1項の職業選択の自由の原則を根拠に，在職中の，競業他社への就職禁止の義務を労働者に課すことはできないとの解釈が採られているようであった。但し，下記(ケ)に記載のとおり，過去の裁判例を踏まえ，実務上は，在職中の兼業禁止の規定を労働契約に盛り込むケースも多く見られるようになっている。

　2019年労働法下でも，労働者に対して職業選択の自由が保障されている旨（2019年労働法5条1項a）及び複数雇用主との労働契約を締結できる旨（2019年労働法19条1項）が定められており，差し当たりは実務上の解釈に大きな変更はないものと見込まれる。

(ケ)　競業他社への転職禁止

　では，労働契約や就業規則において，退職後一定期間，競業他社への転職を禁止する旨を規定することはどうであろうか。

　この点についても，結局のところ，当該規定の有効性に関する労働法上の明文がないため解釈が分かれることになると思われる。この点，最近の裁判例・仲裁判断では，競業避止義務条項が労働者の職業選択の権利を侵害することを理由に違法であると判断したものと，労働者が自由意思により締結したのであれば職業選択の権利を侵害しないなどと述べて適法であると判断したものに分かれており，競業避止義務の有効性に関して，画一の規範が定立されていると

は言い難い。

現時点では，競業他社への転職禁止規定が有効となる可能性を少しでも高めるためには，(a)労働契約や就業規則に定めるのではなく，退職時に，独立当事者同士の民事上の契約として，競業他社への転職禁止を合意することや，(b)転職を禁止する期間，地域，職種などを合理的な範囲に限定し，職業選択の自由の侵害とはならないと判断されやすくするなどの工夫が必要と思われる。

㈡ 秘密保持義務

労働法上，使用者は，「営業上の秘密，又は，技術上のノウハウに直接に関係する仕事をしている労働者との間で，営業上の秘密又は技術上のノウハウに対する保護，並びに，労働者がこれに違反した場合における使用者の権利及び損害賠償について，その内容及び条件を書面により合意することができる」と定められている（2012 年労働法 23 条 2 項，2019 年労働法 21 条 2 項）。

したがって，少なくとも，「営業上の秘密，又は技術上のノウハウ」に接する業務を行う労働者については，上記のような内容の秘密保持契約を締結しておくことが望ましいと考えられる[126]。

一方，労働者との間で上記以外の秘密保持契約を締結できるか否かについては，2012 年労働法上の条文がないため，反対解釈から，そのような秘密保持契約は無効であると主張される可能性もある点には留意が必要である（但し，仮に無効だと主張されるリスクがあるとしても，そのような秘密保持契約の締結を禁止した条文があるわけでもないため，全労働者との間で一般的な秘密保持契約を締結して

---

[126] また，2012 年労働法には，使用者の「資産」に損害をもたらした場合に，労働者が使用者に対して賠償義務を負う旨を定める規定がある（2012 年労働法 130 条）。この規定は，労働者保護の観点から，使用者の労働者に対する損害賠償請求が認められる場合を限定していると解釈されているが，この条文の解釈上，情報のような無形物が「資産」に該当するかは必ずしも明らかではないため，秘密保持契約が雇用関係を基礎として締結される場合には，この規定の適用があり，労働者の情報漏洩時の使用者からの損害賠償請求が，（秘密保持契約に明らかに違反しているにもかかわらず）制限される可能性がある。そこで，実務上，「労働法の適用はなく民事法が規律する契約である」ことを明示した秘密保持契約書を締結することも行われている。これは，2012 年労働法 130 条の適用を排除し，労働者による情報漏洩の場合に使用者が損害賠償請求できる可能性を高めることを狙いとしている。2019 年労働法においても，使用者の「資産」に損害をもたらした場合における労働者の損害賠償義務規定が存在することから（2019 年労働法 129 条），同様の実務方針が継続される可能性がある。

Ⅲ　現地での事業運営

おくことは実務上ありえる措置であると考えられる）。

　加えて，入社時に秘密保持契約を締結し，当該秘密保持契約の中で退職後も秘密保持義務が継続すると定めることについては，当該秘密保持契約も労働契約の一部であると解釈された場合，労働契約の終了により当該秘密保持義務も終了する，又は，労働関係終了後も労働者に義務を課す労働契約は労働法に反し認められないと解釈される可能性もある。したがって，当該無効リスクを少しでも減らすためには，入社時に秘密保持契約を締結するだけではなく，退職時にも，退職後の個人と会社との間の一般民事契約として改めて秘密保持契約を締結し直すことも考えられる。

(サ)　情報管理体制の構築

　ベトナムにおける情報管理に対する意識は，日本に比べて相対的に低い。さらに，ベトナムでは，労働慣習として，少しでも良い条件で働くために転職を繰り返す者も多く，また，上記のとおり，競業他社との兼業や競業他社への転職を完全に禁止できるかどうかも定かではないため，ノウハウや顧客情報等の秘密情報の漏洩防止は，会社にとって最重要課題となる。

　情報漏洩リスクへの事前対策としては，情報へのアクセス権者の限定，情報管理の重要性を従業員に周知徹底するなどの教育・研修による対策や，情報の持ち出しを困難にして万一情報漏洩が行われた場合に痕跡を辿れるようなITシステムを構築しておくなどといった対策を取ることはもちろんのことであるが，これらに加え，秘密保持契約の締結など法的にも可能な対策を予め講じておくことが望ましい。

　また，秘密保持契約に記載されている守秘義務の内容や，知的財産法上の営業秘密保護の枠組み，情報漏洩を行った場合の効果などについて，研修等を通して改めて労働者に周知徹底することも重要である。

(4)　労働時間及び休暇

(ア)　労 働 時 間

　通常の労働時間は1日8時間及び週48時間を超えないものとされている（2012年労働法104条1項，2019年労働法105条1項）。労働法上は，週40時間

労働が推奨されているものの、週休2日制とすることは義務ではない（2012年労働法104条2項、2019年労働法105条2項）。

2012年労働法では、8時間連続勤務の場合、最低30分（夜間勤務の場合は45分）の休憩が必要とされており、それらは労働時間に含まれるとされていたが（同法108条）、2019年労働法では、1日の労働時間が6時間以上の場合、最低30分（夜間勤務の場合は45分）の連続した休憩を与えることが求められており、シフト形式で6時間以上連続する場合には、休憩時間も勤務時間にカウントするとされている（同法109条）。また、シフト形式の場合は、次の勤務に入る前に少なくとも12時間の休憩が必要とされている（2012年労働法109条、2019年労働法110条）。

なお、使用者は、1日あたりではなく、週あたりの労働時間を規定することもできる。週あたり労働時間を定める場合は、通常の労働時間は1日10時間、週48時間を超えないものとされている（2012年労働法104条2項、2019年労働法105条2項）。

(イ) 時間外労働

2012年労働法上、使用者及び労働者は、法定労働時間を超える時間外労働を合意することができるが、原則として1日の労働時間の50％、1か月30時間、且つ1年間200時間（但し、特別な場合は1年間300時間）を超えてはならないとされている（2012年労働法106条2項a及びb）。

なお、年間300時間までの時間外労働が認められる「特別な場合」とは、(a)輸出用の繊維製品、衣料品、皮製品、靴製品及び農林水産品の生産並びに加工を行う企業、(b)発電、電力供給、通信、石油精製、給排水を行う企業、(c)その他緊急で遅延できない作業を行う場合を指し、当局（省級人民委員会の労働者管理支援専門機関）に書面で通知をすることにより、300時間までの時間外労働を行わせることができる。

仮にこのような時間外労働に関する法定上限に違反した場合、使用者が法人の場合には最大で1億5000万ドンまでの罰金（使用者が個人の場合には最大で7500万ドンまでの罰金）を受ける可能性がある（政令28号17条4項、5条1項）。

2019年労働法下では、1か月の上限が40時間に引き上げられているが

Ⅲ 現地での事業運営

(2019年労働法107条2項b)，それ以外の上限時間については最終的には引き上げられなかった。年間300時間の上限が認められる「特別な場合」に関しては，要望の多かった電気・電子製品が項目に加えられるなど若干緩和された一方で，緊急で遅延できない作業の内容が限定されるなどしており，具体的には以下の事由が定められている（2019年労働法107条3項）。

(i) 繊維，衣類，皮革，靴，電気，電子製品の輸出のための製造及び加工並びに農業，林業，塩業，水産業に係る製品の加工
(ii) 専門性，技術レベルの高い労働者が要求され，労働市場が提供できない業種
(iii) 季節性，原材料時期により遅延できない緊急な場合，又は気候，天災，火災，戦争，電力不足，原材料不足若しくは生産ラインの技術的問題による予期せぬ原因によって生じた状況を解決するための業務に従事する場合

(ウ) **時間外労働手当**

2012年労働法下では，時間外労働を行った場合に支払われる給与は，以下の金額以上とされている（2012年労働法97条，通達23号）。

時間外勤務の種類	給与
平日残業	通常給料の150%
週休日勤務	同200%
祝日及び有給休暇日勤務	同300%
深夜勤務（22時〜6時）	上記に加え通常給料の30%の割増
深夜且つ残業	深夜勤務の給与に加え当該日の非深夜時間の給与の20%の割増

祝日に深夜且つ時間外労働を行った場合は，通常勤務日に実際に支給される時間給をXとした場合，以下のような計算式により時間外労働手当が計算される。

> （X×300％＋X×30％＋祝日の非深夜時間の時間給×20％）×深夜時間外労働の時間数

2019年労働法下でも，上記の表と同旨の定めが設けられているが（2019年労働法98条1項～3項），詳細に関しては下位規則により定められることとされているため（同4項），今後の動向を注視したい。

㈡ 休 日
① 週 休 日
使用者は，毎週1日，24時間以上連続する週休日を与える必要がある。この週休日は，日曜日又はその他の特定日とされているため，日曜日以外でもよいが，「特定日」とされていることから（2012年労働法110条1項・2項，2019年労働法111条2項），基本的には固定の曜日又は一定の決められた日を週休日とする必要があると考えられる。但し，職務の性質により，週休を取ることが不可能な場合には，1か月に平均4日以上の休日を与える必要があるとされている（2012年労働法110条1項，2019年労働法111条1項）。

② 祝 日
2012年ベトナム労働法下では，ベトナム労働法上の祝日は，以下のとおり，計10日間とされている（2012年労働法115条1項）。

> （i） 太陽暦正月（陽暦1月1日）
> （ii） 旧正月（5日間）
> （iii） フン王忌日（陰暦3月10日）
> （iv） 戦勝記念日（陽暦4月30日）
> （v） メーデー（陽暦5月1日）
> （vi） 建国記念日（陽暦9月2日）

2019年労働法では，新しい祝日として，毎年9月2日の前日又は翌日が追

Ⅲ　現地での事業運営

加される（2019年労働法112条1項）。これにより，年間の祝日は，計11日間となる。

　2012年労働法では，上記のうち旧正月については，「使用者」が，(a)旧正月前1日＋旧正月後4日又は(b)旧正月前2日＋旧正月後3日のいずれかを選び，30日前までに労働者に通知することとされていたが（政令45号8条），2019年労働法では，旧正月及び新たに設けられた建国記念日前後の祝日の詳細を「首相」が定めることとしている（2019年労働法112条3項）。

　また，外国人労働者は，上記に加え，母国の「伝統的な公休日」及び「建国記念日」に1日ずつ休暇を取る権利がある（2012年労働法115条2項，2019年労働法112条2項）。

(オ)　休　暇
① 　年次有給休暇

　2012年労働法上，労働者は，勤続12か月以上につき原則として12日間の有給休暇を取得でき，以後，5年勤続ごとに有給休暇が1日ずつ追加される（2012年労働法111条・112条）。勤続12か月未満の場合は，月割りで有給休暇を取得することができる（労働法114条2項，2019年労働法113条1項，114条）。

　なお，未消化有給休暇は金銭で清算されると定められている（2012年労働法114条1項，2019年労働法113条3項）。この点，2012年労働法では，「退職，失業その他の理由により」という文言が用いられていた一方で，2019年労働法では「その他の理由」という文言が削除されているため，退職・失業時以外の理由での清算（例えば，労使合意に基づく年次での清算など）が認められないこととなり，実務に影響が出るのではないかと懸念されているが，本稿執筆時点では下位規則も未制定のため明らかではない。清算基準となる賃金額は，2012年労働法下では，直近6か月間の雇用契約に基づく平均賃金（就労期間が6か月未満である場合は全勤務期間における雇用契約の平均賃金）を基に計算されることとされている（政令05号26条3項）。

② 　慶弔休暇

　労働者は，慶弔休暇として，以下の有給又は無給の休暇を取得することができる（2012年労働法116条1項・2項，2019年労働法115条1項・2項）。

有給休暇	無給休暇
本人の結婚　3日	祖父母又は兄弟姉妹の死亡，両親又は兄弟姉妹の結婚　1日
子供の結婚　1日	
両親（配偶者の両親を含む）・配偶者・子供の死亡　3日	

③　出産休暇

女性労働者は，原則として6か月の出産休暇を取得できる（2012年労働法157条1項，2019年労働法139条1項）。なお，女性労働者が希望する場合は，6か月よりも早期の職場復帰を認めることができるが，その場合は，最低4か月を経過した場合であって，復帰が健康上の問題を生じない旨の医師の診断書がある場合に限るという条件があるため（2012年労働法157条4項，2019年労働法139条4項），会社として早期の職場復帰を認める場合は，上記の条件を満たしているかを確認する必要がある。

(5)　労働契約の終了，懲戒処分及び損害賠償

(ア)　労働契約の自動終了事由

2012年労働法上，労働契約の自動終了事由は以下のとおりとされている（2012年労働法36条）。

(i)　契約期間が満了した場合（労働者が労働組合幹部である場合を除く）
(ii)　契約にかかる業務が完了した場合
(iii)　労使双方の合意がある場合
(iv)　労働者が社会保険受給のための雇用期間を満たし，年金受給年齢（男性60歳，女性55歳）に達した場合
(v)　裁判所の判決により労働者が懲役，死刑又は復職禁止の刑を受けた場合
(vi)　労働者が死亡，裁判所により，民事行為能力喪失，失跡宣告，又は死亡認定を受けた場合
(vii)　使用者が死亡，裁判所の失跡宣告，若しくは民事行為能力喪失の宣告を受けた場合，又は個人ではない使用者が経営活動を終了した場合

> (viii) 労働者が懲戒解雇処分を受けた場合
> (ix) 労働者が労働法 37 条に基づき労働契約を解除した場合
> (x) 使用者が労働法 38 条に基づき労働契約を解除した場合及び整理解雇（組織・技術の変更，経済上の困難，合併・会社分割等による解雇）を行った場合

　2019 年労働法下では，上記(iv)が削除され，代わりに，労働者及び使用者側からの一方的解除事由として「定年に達した者」が追加された（2019 年労働法 35 条 2 項 e・36 条 1 項 dd）。上記(v)から執行猶予を受けた場合及び懲役期間が勾留期間より短く釈放された場合が除外された。上記(vii)に，個人でない使用者が省級人民委員会に属する経営登録に関する専門機関から，法定代表者又は法定代表者から委任を受けた者が不在である旨の通知の発行を受けた場合が追加された。労働契約の自動終了事由として，外国人労働者が強制退去処分を受けた場合及び労働許可証が無効になった場合，試用期間中に試用の要求を満たさなかった場合等が新たに明記された。

(イ) 労働契約の解除

　上記(ア)(ix)及び(x)記載の，労働者又は使用者からの労働契約の解除事由は以下のとおりである。

① 労働者側からの解除事由

　(a) 期間の定めのない労働契約に基づく労働者は，原則として，45 日前の事前通知でいつでも労働契約を解除できる（2012 年労働法 37 条 3 項）。

　(b) 期間の定めがある労働契約に基づく労働者も，以下の場合は事由ごとに定められた期間の事前通知で労働契約を解除できる（2012 年労働法 37 条 1 項）。

> (i) 使用者が，労働契約に記載された労働内容，労働場所その他の条件に違反した場合
> (ii) 使用者が労働契約に定めた給与を支給しない又は支払遅延した場合
> (iii) 労働者が不当に取り扱われ，セクシャルハラスメントを受け，又は，強制労働

をさせられた場合
(iv) 個人的又は家族的理由で就業が困難になった場合
(v) 居住地の公的組織におけるフルタイムの職に選出され，又は，国家機関の業務に任命された場合
(vi) 妊娠中の女性労働者が，認定を受けた医療機関の指示に基づき業務を停止すべきとされた場合
(vii) 労働者が有期契約の場合は90日間，12か月未満の季節的業務又は特定業務の契約の場合は契約期間の4分の1において，継続して治療を受けたにもかかわらず労働能力を回復できない場合

上記の解除事由がある場合，労働者は，使用者に対し，上記(i)，(ii)，(iii)及び(vii)の場合は少なくとも3営業日前，上記(iv)及び(v)の場合は少なくとも30日前（12か月未満の季節労働又は特定業務の場合は3営業日前），上記(vi)の場合は医療機関の指示による期間の事前通告により労働契約を解除することができる（2012年労働法37条2項）。特に，上記(iv)の事由は法令の規定自体が曖昧であるため，解釈によっては期間の定めがある契約であるとしても，労働者側からは容易に解除できると解釈される可能性がある点には留意が必要である。

上記の通り，2012年労働法では，有期労働契約の労働者については（かなり広範であるとはいえ）一定の法定事由がなければ，契約期間中は労働者側からの一方的な解除をすることができなかったが，2019年労働法では，以下のとおり，期限の定めのない契約だけでなく有期労働契約についても，理由を問わない一方的な解除を行うことが認められた（2019年労働法35条1項）。

(i) 期間の定めのない労働契約の場合：45日前の事前通知
(ii) 12か月から36か月の期間の定めがある労働契約の場合：30日前の事前通知
(iii) 12か月未満の期間の定めがある労働契約の場合：3営業日前の事前通知

2019年労働法でも上述の2012年労働法下の個別の契約解除事由と同様の事由が定められているが，事前通知は不要とされている。さらに，不当な取扱

いの内容が明確化され（2019 年労働法 35 条 2 項 c），セクシャルハラスメントについて明確な定義が置かれるとともに（2019 年労働法 3 条 9 項），上記(vii)については削除され，代わりに以下の事項が規定されている（2019 年労働法 35 条 2 項 e・g）。

> (i) 定年に達した場合（既述の通り，自動終了事由からの変更）
> (ii) 使用者が業務，勤務地，労働条件，勤務時間，休憩時間，労働安全衛生，給与，給与の支払形態，各種強制保険，企業秘密・技術上の秘密の保護規定などについて正確な情報を労働者に提供せず，労働契約の履行に影響する場合

② 使用者側からの解除事由

2012 年労働法上，使用者側から労働契約を解除できる場合は，次の(ウ)(エ)で述べる整理解雇及び懲戒解雇の場合のほかは，以下の場合に限定されている（2012 年労働法 38 条 1 項）。

> (i) 労働者が労働契約上の義務の不履行を繰り返す場合
> (ii) 労働者が，病気又は事故で連続して 12 か月（無期契約の場合），6 か月（有期契約の場合），契約期間の 2 分の 1 以上（12 か月未満の季節的業務又は特定業務の労働契約の場合）に亘り療養したにもかかわらず労働能力回復の見込みがない場合
> (iii) 自然災害，火災等の不可抗力事由に基づいて使用者が人員削減を行わなければならない場合
> (iv) 労働者が労働法 32 条に定める労働契約の一時停止期間[127]終了後 15 日経過後も職場に復帰しない場合

上記の解除事由がある場合，使用者は，労働者に対し，期限の定めのない労働契約である場合は 45 日前，有期の労働契約である場合は 30 日前までの事

---

127) 兵役期間中，逮捕・拘留中などの期間。

前通知を行うことにより，労働契約を解除することができる（2012年労働法38条2項）。なお，上記のうち，会社側が主張する可能性のある解除事由は，(i)が最も多いと考えられるが，(i)の「労働契約上の義務の不履行を繰り返す場合」であるかどうかを評価するためには，社内規則において業務の完了の程度を評価する具体的な基準を定める必要があるとされているため，まずはそのような社内規則を整備する必要がある（政令05号12条1項）。

また，解除に際して，未払残業代等の精算が必要である場合，会社は契約終了後7営業日以内に精算しなければならないため留意が必要である（特別な場合は30日まで延長ができる）（2012年労働法47条2項）。

2019年労働法では，使用者が労働契約を一方的に解除できる場合として，上記(i)から(iv)に加えて以下の事由が定められている（2019年労働法36条1項(d) 以下）。

(v) 労働者が定年退職の年齢に達した場合（既述の通り，自動終了事由からの変更）
(vi) 正当な理由なく連続5営業日以上欠勤した場合
(vii) 労働者が労働契約締結時，採用に影響を与える不実の情報を提供した場合

上記(vi)が追加されたことにより，「連続」5営業日の正当な理由のない欠勤の場合には，後述の厳格な手続を要する懲戒手続を経ずに，労働契約を一方的に解除することが可能となる。なお，この(vi)の場合と前述の(iv)の場合には，労働契約の解除に当たり事前通知を要しないこととされた（2019年労働法36条3項）。

(vii)については，ベトナムでは，労働者による経歴，学歴，資格等の詐称事案が少なからず見受けられるところ，2012年労働法では，こうした場合であっても使用者側から一方的な労働契約の解除が可能とは明記されていなかったため，実務上問題となっていた。また，(v)労働者が定年に達した場合でも，社会保険受給のための雇用期間を満たさなければ，労働契約が終了しなかった。2019年労働法は，これらの法律上の不備を解消したものと評価できる。

Ⅲ　現地での事業運営

(ウ)　**整理解雇**

　2012年労働法の下では，①多数の労働者に影響を与える組織・技術を変更する場合（労働組織変更や労働者リストラ，製品構造変更，製造／事業のための手続，技術，機械，設備の変更を含む（政令05号13条1項）），②経済的理由（経済危機，又は，経済再構築若しくは国際的事業の実施についての国家政策の実施を含む（政令05号13条2項））により多数の労働者が失業するおそれがある場合（2012年労働法44条），及び③合併・会社分割等の企業再編において，譲り受ける（存続する）使用者が既存の労働者の全てを雇用することができない場合（2012年労働法45条）に，使用者は，労働使用計画（配置転換計画）を作成した上で労働者を解雇することができるとされている（なお，企業再編において雇用を継続した労働者を解雇する場合は，譲り受ける使用者が労働者の組織再編前からの実際の雇用期間に応じて，退職給付を支払う（政令05号13条3項））。

　労働使用計画には，(a)継続して雇用される労働者の名簿及び人数，並びに雇用に向けて再訓練を行う労働者の名簿及び人数，(b)解雇される労働者の名簿及び人数，(c)パートタイムに移行される労働者の名簿及び人数，又は労働契約が終了する労働者の名簿及び人数，並びに(d)当該計画を実施するための方法及び資金に関する事項が含まれていなければならない。

　上記①②の事由に基づく場合，使用者は，職場レベルの労働団体の代表組織と話合いを行い，省級の労働当局に30営業日前までの事前通知を行った後にのみ，多数の労働者を解雇することができる。前述のとおり，労働使用計画には労働団体の代表組織の同意は必要ではないが，例えば労働団体の代表組織から異議が出される等して労働者側との協議に時間がかかることも予想されるため，留意が必要である。

　2019年労働法下でも，2012年労働法と概ね同様の要件により整理解雇が認められている。ただし，本書執筆時点では，2012年労働法において整理解雇の詳細を定めた政令05号に当たる下位法令が公表されていない。そのため，手続等には不明確な点も多く，継続的に法令の施行状況を確認する必要がある。

　現時点で判明している改正点としては，労働使用計画に労働使用計画の実施における使用者，労働者及び各関連当事者の権利義務を記載しなければならない点（2019年労働法44条1項），労働使用計画の策定に当たっては，(基礎レベ

ル労働代表者組織を有する場合，使用者は当該組織との間で意見交換をした上で，）採択された日から 15 日以内に労働者に対して公開・通知しなければならない点（2019 年労働法 44 条 2 項）である。

労働使用計画の公開・通知が要求される点は，2012 年労働法下では使用者に課されていなかった義務であるため留意されたい。

(エ) 懲戒及び懲戒解雇
① 懲戒処分の種類

2012 年労働法上，懲戒の種類は以下の 3 種類に限定されている（2012 年労働法 125 条）。

> (ⅰ) 戒告
> (ⅱ) 給料の最長 6 か月間の据置き，降格処分
> (ⅲ) 解雇

上記以外の形態の懲戒は認められていないため，例えば，減給処分などの懲戒方法は違法無効と解釈される可能性がある。なお，懲戒処分の時効は，原則として違反行為から 6 か月，違反行為が使用者の財務，資産，技術上・営業上の秘密の漏洩に直接関係する場合は 12 か月とされているため（2012 年労働法 124 条），上記の期間内に下記にて説明した懲戒手続を履践し，懲戒処分を決定する必要がある。

2019 年労働法では，上記(ⅱ)記載の 2 つの処分がそれぞれ分けられて 4 つの形式となり，降格処分の方がより重い処分として扱われている（2019 年労働法 124 条）。

② 懲戒解雇事由

2012 年労働法では，懲戒処分のうち，懲戒解雇の事由は以下の事由に限定されているので留意が必要である（2012 年労働法 126 条）。

Ⅲ　現地での事業運営

> (ⅰ) 窃盗，横領，賭博，故意に人を傷つける行為，職場内での麻薬の使用，技術的機密及び企業秘密の漏洩，知的財産侵害，その他使用者の財産及び利益に対して重大な損害を与える行為又はそのおそれがある行為を行った場合
> (ⅱ) 懲戒処分として給料の据置き及び降格処分が行われた場合において，再び同一内容の違反を犯した場合
> (ⅲ) 正当な理由なく月5日又は年間20日欠勤した場合

　上記(ⅲ)の正当な理由とは，天災，火災，自己又は親戚の病気（適格な病院からの証明書が必要），その他就業規則に定める場合を意味するとされている。
　2019年労働法では，(ⅰ)の事由の中に，「就業規則で規定されるセクシャルハラスメントを行った場合」が追加された（2019年労働法125条2項）。ベトナムでは，日本などの先進国と比較して，ハラスメント行為が軽視される傾向にあると言われることもあったが，2019年労働法下では，懲戒解雇事由に含まれている。

③　懲戒手続

　労働者がいずれかの懲戒事由に該当するとして使用者が懲戒を行うためには，法定の手続を経なければならない。当該手続において，使用者は労働者の過失を証明しなければならないほか，労働者代表組織が出席しなければならないとされている。また，労働者は弁護士等の代理人を選任する権利があり，労働者が，2012年労働法では18歳未満の場合及び2019年労働法では15歳未満の場合，親権者又は法定代理人が出席しなければならない。さらに，当該手続に関する議事録の作成義務があるとされている（2012年労働法123条1項，2019年労働法122条1項）。
　これらの手続に少しでもミスがあると，手続違反による違法な懲戒とされる可能性があるため，実際に懲戒手続を行う場合は，弁護士等の専門家のアドバイスの下，厳格な手続を遵守して行うべきである。
　なお，妊娠中若しくは出産休暇中，又は12か月未満の子供を養育中の女性労働者など，一定の労働者に対しては懲戒処分を行うことができないため留意が必要である（2012年労働法123条4項，2019年労働法122条4項）。

㈹ 解雇手当及び違法解雇

① 解 雇 手 当

労働契約が終了する際に，法定の解雇手当の支払が必要となる場合がある。具体的には終了の形態により以下の金額の解雇手当が必要となる（2012年労働法48条・49条，2019年労働法46条・47条）。

終了理由	解雇手当
一般終了	勤続12か月以上の労働者に対し，「勤続年数×月給半額」
懲戒解雇[128]	なし
整理解雇	「勤続年数×月給」（但し，最低2か月分）

但し，会社が失業保険に加入している場合は，当該保険でカバーされるため，使用者は，保険でカバーされる期間の解雇手当を支払う必要はない。また，通常解雇及び整理解雇時の解雇手当の算出基準となる「月給」は，いずれも，労働者が失業する直前6か月の平均賃金に基づく（2012年労働法48条3項・49条3項，2019年労働法46条3項・47条3項）。

② 違 法 解 雇

仮に手続違反などで違法解雇と認定された場合，使用者は，以下の責任を負う（2012年労働法42条，2019年労働法41条）。

> (i) 労働者の復職を認め，解雇されていた期間の給料，社会保険，健康保険（追加）を支払い，加えて給料の最低2か月分の賠償金を支払う必要がある。
> (ii) 労働者が復職を望まない場合は，さらに勤続年数×給料の半月分の解雇手当を支払う必要がある。
> (iii) 使用者が労働者を復帰させることを望まず，労働者もそれに同意する場合には，労使は，上記(i)及び(ii)の金額に加えて，さらに，使用者が給料2か月分以上の金額の賠償金を支払うことを合意した上で，労働契約の解除を行うことができる。

---

128) 2019年労働法では，懲戒解雇の場合（同34条8項）に加えて，外国人労働者が退去強制処分を受けた場合（同34条5項）も含む。

Ⅲ　現地での事業運営

　上記のように，正当な解雇事由のない解雇を行った場合や，解雇手続に違反があった場合には，違法解雇としての効果が発生するため，解雇を行う場合は慎重に検討をする必要がある。

　さらに，法人ではなく，解雇を決定した個人については，一定の場合には，刑事責任を問われる可能性がある。ベトナム刑法上，個人的な利益又は他の個人的な動機で，以下の行為のいずれかを行った者は，1000万ドン以上1億ドン以下の罰金，1年以下の非拘束矯正又は3か月以上1年以下の懲役に処すとされている（2015年刑法162条1項）。また，以下の行為を2人以上の者に行った場合などにおいては，刑が加重される（2015年刑法162条2項）。

> (ⅰ)　公務員，職員に対して違法に強制退職決定を出す
> (ⅱ)　労働者を違法に解雇する
> (ⅲ)　労働者，公務員，職員に強要，脅迫して強制的に退職させる

　したがって，これらのリスクを未然に防止するという観点から，一方的な解雇を行うのではなく，労働者との合意に基づき，労働契約の終了契約を締結するという形をとることで，違法解雇とされるリスクを回避する方法も実務上は選択される手法である。

⑷　損害賠償

　労働者が，雇用者の機器や設備を損壊した場合その他の損害を与えた場合は，法令に基づき損害を賠償しなければならない。

　なお，不注意により生じた損害が重大なものではなく，損害の額が，その地域で適用される政府が公布した10か月分の最低賃金を超えない場合には，賠償は最高で給料の3か月分までとし，給料と相殺できるとされている（2012年労働法130条，2019年労働法129条1項）。

(6) 外国人労働者

(ア) 外国人労働者の就労条件

ベトナム国内で就労する外国人労働者は，以下の条件を満たす必要がある（労働法169条1項，2019年労働法151条1項）。

> (i) 民事上の十分な行為能力を有していること
> (ii) 業務に適する専門的レベル及び技能を有し，健康であること
> (iii) ベトナム及び外国において，犯罪を犯し又は刑事責任を追及されていないこと
> (iv) 一定の例外的な場合を除き，労働許可証を取得していること

上記(iv)の労働許可証の取得が免除される者は，以下のとおりとされている（2012年労働法172条）。

> (a) 有限会社の出資者又は所有者
> (b) 株式会社の取締役
> (c) 国際組織，非政府組織のベトナムにおける駐在員事務所又はプロジェクトの代表者
> (d) 販売活動のためにベトナムに3か月未満滞在する者
> (e) 生産経営に影響を与える，又は影響を与えるおそれのある事故や複雑な技術上の不測の事態が生じ，ベトナム人専門家及びベトナム滞在中の外国人専門家では対処できない場合に，これらに対処するためにベトナムに3か月未満滞在する者
> (f) 弁護士法の規定に基づき，ベトナムで弁護士業務を許可された外国人弁護士
> (g) ベトナムが加盟した国際条約の規定に基づく者
> (h) ベトナムで就学中の学生がベトナムで就労する場合。但し，雇用者は労働に関する省級国家管理機関に7日前までに通知をしなければならない
> (i) 政府の規定によるその他の場合（例：専門家，管理者，代表取締役社長又は技術者としての立場で入国し，連続30日未満，年間合計90日以内の期間就労する者やベトナムのWTOコミットメントのサービス分野に規定されたサービ

Ⅲ　現地での事業運営

ス業の範囲内で，企業内異動としてベトナムで勤務する外国人など〔政令11号7条2項各号〕）

　2019年労働法でも概ね同様の要件が維持されているが，(a)有限会社の出資者又は所有者及び(b)株式会社の取締役については要件が厳格になり，政府が定める最低額以上の資本の払込みがされていることが要件に追加された（2019年労働法154条1項，2項）。また，上記の(h)の代わりに，「ベトナム人と結婚し，かつベトナム国内で生活する外国人」が新たな例外として定められた（2019年労働法154条8項）。

　2012年労働法では，(a)の「有限会社の出資者」については，あくまで当該労働者自身が（個人で）出資者である場合を意味しており，出資者である日本の親会社から派遣された日本人駐在員はこれには含まれないとの解釈が一般的であるため，日本企業がベトナムに所在する有限会社である子会社へ駐在員を派遣する場合には，一般的には労働許可証の取得が必要となるケースがほとんどであると考えられる。

　実務運用を引き続き確認する必要があるが，2019年労働法下でもこの点に変わりないと考えられる。

　なお，上記(a)～(i)のうち，(d)販売活動のためにベトナムに3か月未満滞在する者，(e)生産経営に影響を与える，又は影響を与えるおそれのある事故や複雑な技術上の不測の事態が生じ，ベトナム人専門家及びベトナム滞在中の外国人専門家では対処できない場合に，これらに対処するためにベトナムに3か月未満滞在する者，(i)のうち，専門家，管理者，代表取締役社長又は技術者としての立場で入国し，連続30日未満，年間合計90日以内の期間就労する者などについては，自動的に労働許可証取得が免除される一方で（政令11号8条3項)[129]，これらに該当しない労働者に関しては，使用者が，外国人労働者の勤務開始日から原則として最低7営業日前に，外国人労働者が勤務する地方

---

129)　なお，従前は，上記(a)～(i)のいずれの場合においても，労働許可証取得の免除申請を行う必要があったが，政令140/2018/ND-CP11条5項により，政令11号8条3項などが改正され，自動免除制度が制定された。

の労働当局に，労働許可証の発行が不要であることの承認を受ける必要がある点には留意が必要である（政令11号8条2項）。そして，実務上は，上記の「労働許可証の発行が不要であることの承認」を受けるための手続にも書類の準備や当局の審査にそれなりの時間がかかることや，結果的に免除のための承認が下りず，労働許可証の取得を要求されたという事例も存在するようであり[130]，労働許可証取得の免除を受けること自体が容易ではない場合もあるようである。

(イ) 労働許可証

労働許可証の発行条件は，以下のとおりとされている（政令11号9条）。

> (i) 民事行為能力を有すること
> (ii) 仕事に適する健康状態であること
> (iii) 管理者，最高経営責任者，専門家又は技術者であること
> (iv) ベトナム法及び外国法における犯罪者又は刑事責任を追及された者でないこと
> (v) 権限機関の書面によって外国人労働者の雇用が承認されていること

上記のうち，(iii)の「管理者」とは，2014年企業法4条18項に規定される企業を管理する者又は組織の長・副長とされており（政令11号3条4項），「専門家」とは，外国の組織又は企業の証明書を有するか，学士以上の学位を有し，当該分野で3年以上の職務経験を有することなど，一定の要件があるため，留意が必要である。

なお，2020年企業法では，2014年企業法から，「企業の管理者」の定義が若干変更されており，今後政令11号が改正される際には，これに合わせて政令11号3条4項における「管理者」の定義が変更される可能性がある点，留

---

[130] 異動先がベトナムの駐在員事務所である場合，駐在員事務所が行うことができる活動範囲の性質上，WTOコミットメントに規定された11分野に属する事業を行っていない等の理由により，労働許可証の取得免除の要件を充足しないものとして，免除のための承認が下りない例もあるようである。

意されたい。

(ウ) 外国人労働者の種類

　ベトナムで働く外国人労働者には様々なタイプの者がいるが，日本企業の子会社で働く日本人駐在員の就労形態としては，(a)ベトナム子会社との間の労働契約に基づき就労する労働者及び，(b)親会社からの社内人事異動（企業内異動）としてベトナム子会社で就労する労働者である場合が多い（政令11号2条1項a及びb）。

　このうち，社内人事異動として就労する労働者は，ベトナムに駐在員事務所又は法人を設立する外国企業の管理者，最高経営責任者，専門家又は技術的労働者であって，当該外国企業に過去12か月以上在籍している必要がある（政令11号3条1項）。したがって，ベトナムへの社内人事異動の形で駐在させることを予定して新規に従業員を採用したとしても，原則として，採用から12か月以内は，社内人事異動の形でのベトナム駐在をさせることはできないため，例えば子会社と労働契約を締結する等の方法で労働許可証を取得させる必要がある点には留意が必要である。なお，社会保険加入義務の例外要件との関係については，下記(キ)を参照。

(エ) 外国人労働者の採用

　外国人労働者を雇用しようとする使用者は，政令11号4条1項の定めに従って，使用者の本社が所在する省又は中央直轄市の人民委員会委員長へ，外国人労働者の雇用需要を報告しなければならない。したがって，外国人従業員を雇用する段階で，上記の雇用需要の報告を行っていない場合は，早急にこれを行い，人民委員会委員長の書面による許可を得てから雇用を行うようにする必要がある。

(オ) 労働許可証の更新

　労働許可証の有効期間は2年間とされているが（2012年労働法173条），労働契約の期限や社内人事異動による派遣期間が2年未満の場合にはそれと同期間とされているため（政令11号11条1項・2項），仮に労働契約が1年である

場合は労働許可証の期限も1年となる。

　労働許可証の有効期間が経過した場合，労働法上は，労働許可証の期限の延長申請ではなく，再発行申請を行う必要がある（政令11号13条2項）。ただし，実務上，再発行に関しては，特に回数制限がなく，またベトナム出国などの制限が課されることもなく，広く認められている。

　法令上，労働許可証の再発行手続は，有効期間の残期間が5日以上45日以下となった場合に申請をすることとされているが（政令11号13条2項），再発行申請を行ったとしても，当局サイドの手続が遅延し，労働許可証の有効期間を経過しても新たな労働許可証が発給されないというトラブルも現地で目にすることがある。したがって，実務上，労働許可証の再発行手続を行う際は，必要書類や再発行手続を確認するため，なるべく早めに当局に確認をすることが望ましい。

　2019年労働法下では，1回のみ更新が認められ，更新期間は最大2年間と定められた（2019年労働法155条）。ただし，本書執筆時点では，かかる更新制度が，現状のように簡易な再発行される実務が維持されたまま，より簡易な手続で延長できるのか，それとも，実務からむしろ後退することになるのか混乱が見られる。今後のガイダンスや実務運用の動向を注視する必要がある。

(カ) 労働許可証取得義務違反の効果

　外国人労働者が，労働許可証を取得せずにベトナムで就労していた場合，当該労働者自身が国外退去処分となる可能性があるほか，当該外国人労働者を就労させた使用者も，法規に基づき処罰される可能性がある（2012年労働法171条2項・3項，2019年労働法153条2項・3項）。また，外国人労働者は，管轄国家機関から要求を受けた場合には，労働許可証を提示しなければならないとされているため（2012年労働法171条1項，2019年労働法153条1項），万一，空港等の出入国審査の際に提示を求められ，これを提示できなかった場合は，当該外国人の出入国手続にも影響を与える可能性がある点には留意が必要である。

(キ) 外国人の社会保険加入義務

　ベトナムでは，2018年12月1日に施行された政令143/2018/ND-CPによ

り，外国人労働者のうち，雇用期間が1年以上の労働契約を締結し，かつ労働許可証等の証明書を有する者については，社会保険プログラムへの加入が義務づけられるようになった（政令143号2条1項）。ただし，同加入義務対象には例外が設けられており，ベトナム現地商業拠点を設立した外国企業の監理者，代表取締役社長，専門家，技術労働者として当該企業に12か月以上前に採用され，企業内からベトナム現地商業拠点に一時的に異動する者（社内人事異動による者）（政令11/2016/ND-CP第3条）や，2012年労働法187条1項に定める定年を迎えている外国人労働者については，同プログラム加入義務の対象外となる（政令143号2条2項）。

外国人労働者の社会保険プログラムに関する保険料負担率は，以下のとおり定められている。2022年1月以降，負担率の引上げが予定されているため，留意されたい。

保険料負担者		社会保険		失業保険		健康保険	
		使用者	労働者	使用者	労働者	使用者	労働者
負担率	2018年12月1日以降	3.5%	無	無	無	3%	1.5%
	2022年1月1日以降	17.5%	8%				

(7) 女性労働者の権利

女性労働者は，生理期間中は1日30分，12か月未満の子の養育期間中は1日に60分の休憩を取ることが認められている（2012年労働法155条5項，2019年労働法137条4項）。2012年労働法下では，下位法規により生理休憩は月に3日間であるなどといった詳細が定められている（政令85号7条2項a）。2019年労働法においても，今後，同様の下位法規が施行されると考えられ，継続的に法改正の確認が必要となる。

出産休暇については(4)オ③を参照されたい。出産休暇を取得する女性労働者は，出産休暇期間中，社会保険制度に基づく給付を受けることができる。

2019年労働法下での留意点として，出産休暇中又は12か月未満の子の養育期間中に労働契約の期限を迎えた場合，使用者は，「優先して新しい労働契約を締結しなければならない」と定められている（2019年労働法137条3項）。

今後公表される下位法規により詳細が明らかになると思われるが，現時点では，当該期間中に終了する労働契約について，使用者に更新義務を課す規定と考えられている。仮に2回目の更新となれば，上記(3)(エ)記載のとおり，期限の定めのない労働契約となるリスクがあることから，実務に影響が出る可能性がある。

(8) 労 働 組 合

2012年労働法では，ベトナム労働総同盟（VGCL）に属する労働組合の設立のみ認められていたところ，2019年労働法では，VGCLから独立した労働者代表組織の立上げも認められるようになった。また，社内に労働者代表組織が設置されていない場合に2012年労働法下において必要とされていた地域の上級組合との協議又は立会いは，2019年労働法では規定されておらず，就業規則，賃金表，賃金テーブル，賞与規程を作成し，又は懲戒処分を行う際であっても社内に労働者代表組織が設置されていない場合には，地域の上級組合との協議又は立会いが不要とされている。地域の上級組合の関与は，実務的に大きな負担となっており，これを避けられることが社内労働組合を設立するメリットの1つと言われてきたものの，2019年労働法下では，このような負担が解消される可能性がある。

もっとも，このような労働者代表組織が，憲法で労働者の政治・社会組織として定められているベトナム労働組合との関係でどのように位置付けられるのかをはじめ，実務への具体的な影響については不透明な点も少なくなく，今後の動向を注視する必要がある。

(9) 労 働 紛 争

(ア) 個人労働争議の解決手続

2012年労働法上，労働者個人と使用者との争いである個人労働争議の解決に際しては，解雇に起因するものなどの一定の争議を除いて労働調停員の調停手続を前置しなければ裁判所に訴えることができない（2012年労働法201条1項）。この点，2019年労働法下では，労働調停員による調停手続を前置しなければならない点には変わりないが，紛争解決手段として，裁判所又は労働仲裁

評議会に対して申立てを行うことができると定められた（2019年労働法188条1項）。

2012年労働法上，個人労働争議を調停に付することができるのは，当事者が自己の権利侵害を知った日から6か月，また，裁判所に訴えることができるのは同日から1年とされている（2012年労働法202条）。この点は，2019年労働法下においても変更されていない。新しく追加された労働仲裁評議会への申立てに関しては，侵害を知った日から9か月である（2019年労働法190条1項）。ただし，これらの調停，裁判，仲裁申立てに関して，申立人が，不可抗力により当該期間内に申立てを行うことができなかった旨を証明することができた場合，その期間については提訴期間制限に含めない点が明記された（2019年労働法190条4項）。

(イ) 団体労働争議の解決手続

2012年労働法上，労働組合と使用者との争いである団体労働争議は，既存の法的合意の解釈・履行に関する争いである「権利に関する団体労働争議」と，労働組合が新たな法的合意を求める「利益に関する団体労働争議」に区別される。2019年労働法でも，「権利に関する集団労働紛争」及び「利益に関する集団労働紛争」という区分が維持されている。

2012年労働法上，権利に関する団体労働争議は，まず，労働調停員による調停手続を経て，それが功を奏さなかった場合は県級の人民委員会の委員長の調停に付することとされている。それでも解決できない場合には裁判所に提訴できることとされている（2012年労働法204条1項，201条）。

他方，2019年労働法では，権利に関する集団労働紛争は，労働調停員による調停手続を経るところまでは同一であるが，調停手続により解決できない場合には，県級の人民委員会の委員長の調停を経ずに，労働仲裁評議会又は裁判所に対して申立てを行うこととされた（2019年労働法192条1項，188条2項〜6項）。

2012年労働法上，これら権利に関する団体労働争議に係る調停手続，裁判の申立期間制限は，権利侵害を知った日から1年間である。この点，2019年労働法においては，労働調停員による調停手続に関しては権利侵害を知った日

から6か月間，労働仲裁評議会については同日から9か月，裁判については同日から1年である（2019年労働法194条）。

　2012年労働法上，利益に関する団体労働争議は，権利に関する団体労働争議と同様，まず，労働調停員による調停手続を経て，それが功を奏さなかった場合は労働仲裁評議会の調停に付すこととなる。この調停によっても解決できない場合，労働組合はストライキを行うことができることとされている（2012年労働法209条）。他方，2019年労働法では，労働調停員による調停手続を経る点は変わらないものの，これが功を奏さなかった場合，労働仲裁評議会に申し立てるか，又は評議会を経ずにストライキを実施することが可能とされた（2019年労働法196条1項，188条2項～5項，196条3項）。

⑽　ストライキ

㋐　ストライキの手続

　ストライキとは，労働集団が労働争議の解決を目的として一時的及び自発的に職場を放棄することを意味する（2012年労働法209条1項，2019年労働法198条）。ストライキは，利益に関する団体労働争議の場合で，労働争議が不調となった場合にのみ決行することができる（2012年労働法209条2項，2019年労働法199条。ただし，前述のとおり2019年労働法では労働仲裁評議会による申立てが不要となった点に留意されたい）。ストライキに参加した労働者に対するストライキ期間中の給与の支払義務はないが，ストライキに参加していなかったがストライキのために就業できなかった労働者に対しては，給与の支払義務があるので注意が必要である（2012年労働法218条，2019年労働法207条1項）。

　ストライキの正しい手続は次頁の図のとおりであるが，ベトナムにおけるストライキのほとんどは，こうした法定の手続を踏まずに行われているのが実態である。

㋑　違法ストライキの認定

　省級人民委員会の委員長は，ストライキが国民経済及び公益に重大な損害を及ぼすおそれがあると判断する場合，ストライキの延期及び中止を決定できる（2012年労働法221条，2019年労働法210条1項）。

Ⅲ　現地での事業運営

〈ストライキの手続〉

```
┌─────────────────────────────────────────────────┐
│ 労働者代表（労働組合がある事業所は，労働組合の執行部）から，スト │
│ ライキの日時・場所・実施範囲・要求事項等についての意見聴取を行う。当 │
│ 該意見聴取の1日前までに使用者にも通告。                │
└─────────────────────────────────────────────────┘
                        ↓
┌─────────────────────────────────────────────────┐
│ 意見の 50％超がストライキに賛成の場合，労働者代表組織がストライキの │
│ 決定書を作成。                            │
└─────────────────────────────────────────────────┘
                        ↓
┌─────────────────────────────────────────────────┐
│ ストライキ開始の5営業日前までに労働者代表組織が使用者にストライキ │
│ 決定書を送付。                            │
└─────────────────────────────────────────────────┘
                        ↓
┌─────────────────────────────────────────────────┐
│ ストライキの開始日時までに，使用者が労働者代表組織の要求を受け入れ │
│ ない場合                                │
└─────────────────────────────────────────────────┘
                        ↓
┌─────────────────────────────────────────────────┐
│       労働組合の執行部はストライキを組織・指導できる。       │
└─────────────────────────────────────────────────┘
```

　県級人民委員会の委員長は，ストライキの手順，意見聴取，決定及び通知手続を遵守しないストライキの通知を受けてから 12 時間以内に，意見を聴取するため，また，各当事者が解決策を見つけ通常の生産経営活動に復帰することを補助するために，使用者及び基礎レベル労働者代表組織の幹部と面談・指導を行う（2012 年労働法 222 条 2 項，2019 年労働法 211 条）。

　また，人民委員会による上記手続とは別に，省級人民裁判所によるストライキの適法性検討手続も存在する（2015 年民事訴訟法 408 条以下）。省レベルの人民裁判所長官は，ストライキの適法性検討の申立書を受領したとき，直ちにストライキの適法性検討評議会を設立し，裁判所 1 名を申立書解決主裁に指名する（2015 年民事訴訟法 410 条 1 項）。一般的に，ストライキの適法性検討評議会による適法性判断には，一定の時間を要することから，現在実行中のストライキの手続を中止させるには間に合わないことが多い。しかし，裁判所がスト

ライキの実施が不適法である旨の判断をすることにより，ストライキを組織・指導した労働者代表組織に対して損害賠償請求をする手段として用いることができる点で意義がある（2012年労働法233条2項，2019年労働法217条2項）。

なお，ストライキ期間中，参加者やストライキの指導者の労働契約を解除すること，労働規律処分を行うこと，差別的取扱い又は報復を行うことは禁止されている（2012年労働法219条，2019年労働法208条4項・5項）。

(11) 労働者派遣

労働者派遣とは，派遣業許可を得ている派遣会社が，その従業員を，雇用関係を維持しつつ他の企業の下で働かせ，当該他の企業の管理に服させることをいう（2012年労働法53条，2019年労働法52条1項）。労働法上，派遣期間は12か月以内とされており，派遣元会社は，20億ドンのデポジットを支払う必要がある。労働者派遣の詳細についてはⅡ2(2)(エ)を参照されたい。

なお，ベトナム人労働者を海外に派遣する場合には，「契約に基づき海外で就労するベトナム人労働者に関する法律」（法律72/2006/QH11）や同法に関連する下位法令などによる別段の規制も存在し，更に，受入れ国側の規制（日本を例にとれば，「外国人の技能実習の適正な実施及び技能実習生の保護に関する法律」〔平成28年法律第89号〕や「出入国管理及び難民認定法」〔昭和26年政令319号〕なども）存在する。このように海外派遣の場合には，国内での労働者派遣とは異なる規制が存在することに注意するべきである。

(12) 職場における民主主義

2012年労働法上，使用者は，少なくとも3か月（90日）に1回は職場における協議を行う必要がある。また，従業員10名以上の事業所においては，少なくとも1年に1回は労働者との労働者会議を行う必要があるとされている（政令149号9条・12条2項）。協議事項は以下のとおりとされている（2012年労働法64条）。

(i) 使用者の生産及び経営の状況

(ii) 労働契約，労働協約，就業規則等の履行状況
(iii) 労働環境
(iv) 労働者から使用者への要求事項
(v) 使用者から労働者・労働組合への要求事項
(vi) その他

　2019年労働法では，少なくとも1年に1回又は一方若しくは双方の要求がある場合に協議を行わなければならないとして（2019年労働法64条2項a・b），協議の頻度に係る規制が緩和されている。また，協議事項につき，以下の事由が追加されている。

(vii) 雇用者が発行した業務の完成度に係る評価基準と指標に関する規定の作成
(viii) 雇用者による機構・技術の変更又は経済的な理由による一方的な労働契約の解除
(ix) 労働者の使用計画作成
(x) 賃金テーブルの作成
(xi) 賞与に関する規定
(xii) 就業規則の作成
(xiii) 一時的な業務停止

⒀　最低賃金，賃金テーブル

　ベトナムでは，ほぼ毎年1回，最低賃金が上昇しており，近年の状況は以下のとおりである[131]。

地　　域	2017年1月～	2018年1月～	2019年1月～	2020年1月～
第1種地域	375万ドン	398万ドン	418万ドン	442万ドン

---

131) 法改正による変更がありうるものの，2019年9月現在では，第1種地域にはハノイ・ホーチミンなどの大都市が含まれ，第2種地域には，ダナンなどの中規模都市が含まれる。

第2種地域	332万ドン	353万ドン	371万ドン	392万ドン
第3種地域	290万ドン	309万ドン	325万ドン	343万ドン
第4種地域	258万ドン	276万ドン	292万ドン	307万ドン

（いずれも月額）

　研修を行った従業員の最低賃金は上記より7％高い金額とされており，また，当該「研修」は，社内研修であってもこれに該当すると解釈される可能性があることから，実質的な最低賃金は上記の7％高い金額である場合がある点には留意が必要である。

　なお，2012年労働法では，使用者は，政府が規定した作成原則に基づき賃金テーブルを作成の上，県（State）級の労働当局に届け出る必要がある（2012年労働法93条2項）。この点，2019年労働法では，賃金テーブルの作成義務は引き続き定められているが（2019年労働法93条1項），労働当局への届出義務が明記されておらず，不要になった可能性がある。今後，下位法規にて義務付けされないか確認されたい。

(14) 労働法違反の罰則

　会社が労働法の規定に違反した場合は，その違反の程度に応じて，規律違反処分，行政罰，刑事訴追を受けることがあり，また，損害を生じさせた場合は法律に基づき損害賠償を行わなければならない（2012年労働法239条，2019年労働法217条1項）。

　上記の罰則は，政令28号で具体化されており，例えば，下記のような罰則が規定されているが，ほとんどの労働法違反には罰則規定があると考えておいた方がよいと思われる。

〈使用者が法人の場合の罰則の例 [132]〉
- 労働契約書記載の就労場所とは異なる場所での就労を命じた場合：600万ドン

---

[132] なお，下記の罰則は，いずれも，使用者が法人の場合に関する規定であり，使用者が個人の場合と比較して下限及び上限が，ともに2倍に加重されている（政令11号3条）。

Ⅲ　現地での事業運営

　　以上1400万ドン以下の罰金（政令28号10条2項(a)・5条1項）。
- 法定の時間外労働の上限を超えて時間外労働をさせた場合：1億2000万ドン以上1億5000万ドン以下の罰金（政令28号17条4項・5条1項）。

6 知的財産法

(1) 知的財産法の概要と運用実態

㋐ 知的財産法の成立

　WTO加盟に伴い，ベトナムはTRIPS協定（知的財産権の貿易関連の側面に関する協定。知的財産権の保護に関して，WTO加盟国が遵守すべきミニマムスタンダードとして機能している）に沿うよう，知的財産分野の法整備を行った。2005年，民法から独立する形で知的財産法（50/2005/QH11）が成立し，2006年7月1日から施行された。その後2009年に法改正し，改正知的財産法（Law 36/2009/QH12）が2010年1月1日から施行された。さらに，2019年1月に発効した環太平洋パートナーシップに関する包括的及び先進的な協定（CPTPP）への加盟に伴い，2019年6月，同協定の規定と平仄を合わせるための改正法（Law 42/2019/QH14）[133]が成立し，2021年にも改正が予定されている。

㋑ 知的財産権の種類

　知的財産法において保護される知的財産権は，大別して①工業所有権（商標，工業意匠，回路配置利用権，特許発明，実用新案，地理的表示，商号及び営業秘密），②著作権及び著作隣接権，並びに③植物品種権に分けられる。①工業所有権については科学技術省の下にある国家知的財産庁（National Office of Intellectual Property of Vietnam. 以下，「NOIP」という）が，②著作権及び著作隣接権は文化スポーツ観光省の下にある著作権局（Copyright Office of Vietnam）が，③植物品種権については農業農村開発省の下にある植物品種保護事務所（New Plant Variety Protection Office）が，それぞれ所管している。

　以下，①及び②について特徴を概説する。

① 工業所有権

　工業所有権の保有者には，(i)工業所有権の行使（発明の実施，商標の使用等）

---

[133] 2019年改正法はCPTPP加盟日である同年1月14日に遡って適用される。

をする権利，又は他人に行使を認める権利，(ii)他人による工業所有権の行使を禁止する権利，(iii)工業所有権を処分（譲渡又はライセンス付与）する権利が認められている（知的財産法123条）。そして，工業所有権のうち，商標，工業意匠，回路配置，特許発明及び実用新案，並びに地理的表示はNOIPに登録することによって法的に保護される[134]。各権利に関する登録の有効期間は下記(a)～(e)を参照されたい[135]。

(a) 商　標

商標権は権利付与日から保護され，出願日から10年間有効である。10年ごとの更新が可能で，更新の回数に制限はない。

なお，ベトナム全土において広く知れ渡っている商標（いわゆる周知商標）については，権利付与に関する登録手続に関わりなく，その使用に基づいて権利が発生すると定められている（知的財産法6条3項a）。周知商標といえるかどうかは，商標を付した商品の購入等を通じて当該商標を知っている消費者の数や，商標を付した商品等の流通範囲といった法定事由を勘案して判断される[136]。

(b) 工 業 意 匠

工業意匠権は権利付与日から保護され，出願日から5年間有効である。5年ごとの更新が可能であるが，更新回数は2回までである。

(c) 回路配置利用権

半導体集積回路の回路配置利用権は，かかる回路配置が独創性あるもの（オリジナルのもの）で，商業上新規性があるものである場合，法的保護の対象となる[137]。回路配置利用権は権利付与日から保護され，(i)出願日から10年間，(ii)出願権を有する者又はライセンスを有する者によって当該回路配置が商業的に利用又はライセンシーが登録されてから10年間，又は(iii)回路配置創出日から15年間，のうち，最も早い日付まで保護される。

---

134) 知的財産法6条3項。
135) 知的財産法93条。
136) 知的財産法75条。
137) 知的財産法68条。

(d) 特許発明及び実用新案

発明は，新規であり，進歩性があり，且つ，産業に利用できるものが保護される。特許権は権利付与日から保護され，出願日から20年間有効である。当該期間を延長することはできない。

発明者が，雇用や業務委託の形で，使用者の資金や設備を利用して発明を行った場合（いわゆる，職務発明の場合）には，当事者間で別段の合意がない限り，使用者に特許権を受ける権利が帰属する（工業意匠権や回路配置利用権も同様である）[138]。その場合，特許権者は発明者に報酬を支払う義務があり，当事者間で合意がない場合，最低限の報酬としては，(i)特許権者が当該発明の利用によって得た利益の10％，又は，(ii)特許権者が当該発明のライセンスを付与した場合において，ライセンス料として受け取る総額の15％，と規定されている（知的財産法135条2項）。

新規であり，且つ産業に利用できる発明のうち，通常の知識によらないものを実用新案という。実用新案権は権利付与日から保護され，出願日から10年間有効である。当該期間を延長することはできない。

(e) 地理的表示

法的保護の対象となる地理的表示は，(i)地理的表示を付された商品が，地理的表示で示された地域，領域，国等で産出されたものであること，(ii)地理的表示を付された商品が，地理的表示で示される地域，領域，国等の地理的条件に起因する名声・質・特徴を有すること，の要件を満たす必要がある[139]。

地理的表示は権利付与日から保護され，保護の期間に制限はない。

(f) 商　号

商号は登録をしなくても知的財産法上の保護の対象となり得るが，他の事業体と識別可能であることを要する[140]。

(g) 営 業 秘 密

営業秘密が知的財産法上の保護を受けるためには登録することを要しないが，

---

138) 知的財産法86条1項b。
139) 知的財産法79条。
140) 知的財産法76条。なお，企業法上，会社を設立する際，既存会社と同一商号又は紛らわしい商号を選択することは禁止されている（2014年企業法39条1項・42条）。

(i)一般に知られておらず，簡単に入手できるものではないこと，(ii)当該秘密をビジネスに用いる場合，当該秘密を保有している者は保有していない者に比べて優位性があること，(iii)当該秘密が公開されないよう，又は簡単にアクセスできないよう，必要な措置を講じて秘密性を維持していること，の各要件を満たしていることが必要となる[141]。そして，営業秘密を営業秘密の所有者の許可なく開示又は使用することや，秘密保持契約に違反すること等が，営業秘密に対する侵害として知的財産法に定められている[142]。

また，競争法 (23/2018/QH14) において営業秘密に対する侵害が「不正競争」に含まれることが規定されているが，実務上，営業秘密を守る手段としては，取引相手あるいは従業員との間で秘密保持契約を締結する方法が一般的であろう。その場合，特に営業秘密の範囲，例外的に公開が許容される場合，及び秘匿すべき期間について，契約相手方と交渉し，当該秘密保持契約において規定しておくことが望ましい。

なお，一般的にベトナムでは秘密保持の意識が低い傾向があり転職も多いため，営業秘密漏洩のリスクは高いと言わざるを得ない。そして，一度営業秘密が漏洩してしまうと，裁判所の信頼性が低いこともあって，秘密保持契約を締結していても被害の回復は難しいことが多い。そのため，秘密保持契約に加えて，秘密表示・アクセス制限，コピー・持ち出し制限等の秘密管理措置を社内ルールとして明確に定めて従業員に周知し実施することで，営業秘密漏洩を未然に防ぐことが重要である。

② 著作権及び著作隣接権

(a) 著　作　権

著作権には，著作者人格権（著作物に名称を付ける，著作物に実名を表示する，著作物を公表する権利等)[143]と，財産権（著作物を複製する，著作物又は複製物を流通させる権利等)[144]がある。著作権によって保護される著作物の種類については，日本と大きな違いはなく，コンピュータープログラムも著作権によって保

---

141) 知的財産法 84 条。
142) 知的財産法 127 条。
143) 知的財産法 19 条。
144) 知的財産法 20 条。

護されるし,職務著作の規定 145) も存在する。

著作者人格権は,著作物を公表する権利・他者に公表を許可する権利を除き,期間の制限なく保護される 146)。

他方,人格権のうち著作物を公表する権利・他者に公表を許可する権利及び財産権のうち,映画の著作物,写真の著作物,応用芸術の著作物及び匿名の著作物にかかる権利は,最初の公表から 75 年間保護される。但し,これらの著作物の完成日から 25 年間公表されなかった場合には,保護期間は完成日(当該著作物の固定)から 100 年となる。それ以外の著作物(例:言語の著作物や建築の著作物等)にかかる権利については,著作者の生存期間中及びその者の死亡の年から 50 年間保護される 147)。

(b) 著作隣接権

著作隣接権とは,実演者,録音・録画の製作者(以下,「レコード製作者」という)及び放送事業者に認められる権利である。例えば,実演者には,パフォーマンス時や複製物の流通時に氏名・名称を紹介される等の人格権と,ライブパフォーマンスを録音・録画媒体に固定すること,固定化されたパフォーマンスを複製すること等の財産権が認められる(パフォーマンスの実演者と出資者が異なる場合には,実演者には人格権が,出資者には財産権が認められる)148)。レコード製作者にはそのレコードを複製する権利及び売買や賃貸等によってレコードを流通させる権利が認められている 149)。放送事業者には,放送する権利,放送を固定する(録音・録画する)権利等が認められている 150)。

実演者の権利の保護期間は,パフォーマンスを完成(固定)した年の翌年から 50 年である。レコード製作者の権利は公表された年の翌年から 50 年,公表されていないものは完成(固定)した年の翌年から 50 年間保護される。放送事業者に与えられる権利は,番組放送の翌年から 50 年間保護される 151)。

---

145) 知的財産法 39 条。
146) 知的財産法 27 条 1 項。
147) 知的財産法 27 条 2 項。
148) 知的財産法 29 条。
149) 知的財産法 30 条。
150) 知的財産法 31 条。
151) 知的財産法 34 条。

Ⅲ　現地での事業運営

⑺　登録制度及びその運用実態
① 工業所有権

前記のとおり，商号及び営業秘密を除き，工業所有権は登録によって法的保護の対象となる。登録手続は，知的財産法 100 条以下に規定されているが，NOIP のウェブサイトにて，手続や申請フォームを確認することができる。

商標，工業意匠，特許発明及び実用新案に関する登録については，先願主義が採用されており（知的財産法 90 条），出願日又は優先権の基礎となった出願日の最も早いもののみが保護されることになる。

ベトナムは「工業所有権の保護に関するパリ条約」に加盟しており，パリ条約の同盟国において最初にされた出願に基づき優先権を主張することが認められている。優先権を主張するためには，特許発明及び実用新案については，パリ条約の同盟国における最初の出願日から 12 か月以内に，商標と工業意匠については当該同盟国における最初の出願日から 6 か月以内に，ベトナムで出願を行う必要がある [152]。近年の出願，登録状況は次頁の表のとおりである [153]。

なお，NOIP の公表情報によれば，平成 29 年における特許権及び実用新案権への出願件数について，日本からの出願件数は 1395 件に上り，各国の中で最も多い出願件数であった。同年の商標権への出願件数については，日本からの出願件数は直接間接合わせ 1780 件に上り，ベトナム，アメリカ，中国について 4 番目に多い出願件数であった。

このように，ベトナムの経済発展やベトナム現地の開発拠点の増加に伴い，日系企業を含む外資系企業のベトナムへの工業所有権の出願は徐々に増えてきている。もっとも，審査期間が長くなる傾向がある，審査基準が先進国に比べて不明確である，外国語書面出願制度や誤訳訂正制度がない，ベトナム人が発明者となった発明やベトナム国内で発明された発明について第一国出願義務が存在し先に外国出願をしてしまうとベトナムで登録できなくなる，日本語等の外国文字商標が原則として登録できない等，外資系企業にとって未だ不便な点が存在することは否定できない。

---

152) 政令 103 号（103/2006/ND-CP）10 条。
153) 世界知的所有権機関（以下，「WIPO」という）の公表資料に基づく（https://www.wipo.int/ipstats/en/statistics/country_profile/profile.jsp?code=VN）。

6 知的財産法

	特許権			
	出願件数		特許権付与件数	
	居住者	非居住者	居住者	非居住者
2014 年	487	3,960	36	1,361
2015 年	582	4,451	63	1,325
2016 年	560	4,668	76	1,347
2017 年	592	4,790	111	1,634

	実用新案権			
	出願件数		実用新案権付与件数	
	居住者	非居住者	居住者	非居住者
2014 年	246	126	—	—
2015 年	310	140	—	—
2016 年	326	152	—	—
2017 年	273	161	—	—

(注:—の箇所は WIPO のウェブサイトにて不見当であった)

	商標権(区分数)			
	出願区分数		商標権付与区分数	
	居住者	非居住者	居住者	非居住者
2014 年	38,854	22,308	23,831	21,724
2015 年	45,230	22,514	21,971	22,875
2016 年	54,963	26,960	20,466	20,857
2017 年	55,313	29,451	22,504	24,836

	工業意匠権			
	出願件数		工業意匠権付与件数	
	居住者	非居住者	居住者	非居住者
2014 年	1,736	873	1,144	819
2015 年	1,839	1,046	1,029	652
2016 年	2,060	1,334	988	671
2017 年	1,763	1,420	1,504	1,104

Ⅲ 現地での事業運営

② 著作権及び著作隣接権

著作権は著作物が創作された時点で自動的に発生するものであり（知的財産法6条1項），著作権が保護されるためには必ずしも登録することを要しない。但し，例えば著作権侵害で訴訟になった場合に著作権保持者であることを著作権登録証書によって証明することができる[154]などの一定の効果があるため，登録を行っておくことが望ましい。

著作隣接権についても，登録が権利の発生要件ではないことは上記と同様である。

著作権及び著作隣接権の登録方法は知的財産法50条以下及び政令22号（22/2018/ND-CP）に規定されており，著作権局へ申請後[155]，15営業日以内に登録証書が交付されるものとされている。

著作権事務所著作権局の公表資料によると，2012年には，4148件の登録証明書を発給している（このうち，著作権登録証明書は4135件，著作隣接権登録証明書は13件である）。

(エ) 知的財産権の侵害に対する措置

① 民事的措置，行政措置，刑事罰

知的財産権の侵害に対する措置としては，民事的措置，行政措置，刑事罰が考えられる。民事的措置として，裁判所は，侵害行為の差止め，謝罪，民事的義務の履行，損害賠償等を強制する救済措置を採ることができる[156]。行政措置としては，警告や罰金，模倣品の没収，一定期間の営業停止，模倣品の強制廃棄や強制排除等が規定されている[157]。2013年10月15日施行の政令99号（99/2013/ND-CP）によって罰金額の明確化や，管轄当局の権限拡大，ドメイン名のサイバースクワッティングや知的財産侵害に対する行政措置が規定されている。刑事罰としては，著作権を侵害する罪[158]や工業所有権の侵害に対する罪[159]が規定されており，組織的な行為や常習的な行為に対してはより重

---

154) 知的財産法203条2項a参照。
155) 登録申請書は著作権局のウェブサイト（http://www.cov.gov.vn）で取得可能。
156) 知的財産法202条。
157) 知的財産法214条。
158) 刑法（100/2015/QH13）225条。

い刑罰が科せられる。

　これらの措置のうち，実務的には行政措置がよく用いられており，侵害の客観的証拠が十分に揃っており侵害者も捕足し易い案件では，迅速かつ安価に侵害排除が可能な場合もある。また，実務上は，これらの措置のいずれを行う場合も，科学技術省直轄の調査機関であるベトナム知的財産研究所（VIPRI）による侵害判定が重要な役割を果たしており，裁判所や行政機関に知的財産権の侵害非侵害の判断をできる人材が乏しいこともあって，それらの機関においてもVIPRIの判断がそのまま採用されることが多い。

② 水際対策

　現状，ベトナム国内では，ハノイ市やホーチミン市を中心に模倣品が氾濫しており，その多くは中国から流入しているといわれている[160]。したがって，国外からの模倣品の流入を防ぐ水際対策が重要な課題である。

　かかる水際対策として，知的財産法では216条以下において知的所有権に関連する商品の輸出入に関する国境管理，すなわち税関での対応について規定しており，さらに政令105号（105/2006/ND-CP。119/2010/ND-CPによって改正）や通達13号（13/2015/TT-BTC）において細則が定められている。

　具体的な手続の流れは，概要，以下のとおりである。

　(a) 知的財産権者は，知的財産権を侵害する商品に関する情報及び証拠を収集するため，まずは，税関総局に対し申請書類（申請者の権利を証する書面，真正品と侵害品とを識別するための説明等）を提出して，知的財産権侵害のおそれのある輸出入商品の検査又は監視を請求することができる。

　(b) 税関が検査・監視請求を受理した場合，当該商品に関する検査・監視が開始される[161]。税関が知的財産権侵害のおそれのある商品を発見した場合，通関手続を一時停止し，知的財産権者に通知される。

---

159) 刑法226条。
160) 日本貿易振興機構バンコク事務所知的財産部『経済産業省委託事業 ASEANにおける模倣品及び海賊版の消費・流通実態調査』（2014年3月）13頁以下参照。
161) 2014年の税関法改正（54/2014/QH13）により，知的財産権の保護が求められる商品の税関検査と輸出入差止措置の適用期限は，税関当局が知的財産権保有者から要請を受理した日から2年間に延長されている（2015年1月1日施行）。

(c) 知的財産権者は，上記の通知を受けてから3営業日以内に，通関手続の停止を請求する。請求に際しては，停止対象となる商品の価値の20％相当額，又は価値の算定が困難である場合には少なくとも2000万ドンを供託する必要がある。

(d) 通関手続停止期間は，税関手続の一時停止の申請者がその一時停止に関する税関機関の通知を受領した日から10日間である（正当な理由があれば20日間まで延長可能）[162]。知的財産権者は，当該期間内に，停止対象品に関する情報及び証拠を収集し，民事的措置や行政措置を求めていくことになる。

(2) 知的財産権の譲渡及びライセンスの付与

㋐ 工業所有権の譲渡及びライセンスの付与

① 譲　渡

後記③の例外を除き，工業所有権は譲渡することが可能である。但し，譲渡契約は書面で締結することを要し，NOIPに登録することによって効力を生じる（知的財産法138条2項・148条1項）。

譲渡契約には，(i)譲渡人及び譲受人の氏名（名称）・住所（所在地），(ii)譲渡の理由，(iii)譲渡価格，(iv)両当事者の権利義務などを規定する必要がある[163]。

譲渡契約書は外国語での締結も可能であるが，登録の際，ベトナム語版を併せて提出する必要がある。

近年の譲渡契約の登録状況は以下のとおりである。

契約当事者	登録申請件数			登録件数		
	越―越	越―外国	外国―外国	越―越	越―外国	外国―外国
2016年	720	43	359	614	46	334
2017年	761	58	361	630	46	339

（出典：NOIPのウェブサイト掲載資料に基づく）

---

162) 知的財産法218条2項。
163) 知的財産法140条。

② ライセンス付与

　後記③の例外を除き，工業所有権のライセンスを第三者に付与することが可能である。譲渡契約と同様，ライセンス契約は書面で締結することを要する。ライセンス契約の効力発生のためには当局に登録することを要しないが，ライセンス契約の効力を第三者に主張するためには，商標権ライセンスを除き[164]ライセンス契約を当局に登録することが必要となる（知的財産法148条2項）。

　ライセンス契約には，(i)両当事者の氏名・住所，(ii)ライセンス付与の理由，(iii)契約の種類（独占的契約，非独占的契約，又はサブライセンス契約），(iv)ライセンスの範囲（使用権の制限，又は地域の制限を含む），(v)契約期間，(vi)ライセンス価格（価格について特段，法令上の制限はない），(vii)両当事者の権利義務などを規定する必要がある。他方，ライセンス契約において，ライセンスを受ける者（以下，「ライセンシー」といい，ライセンスを付与する者を「ライセンサー」という）の権利を不合理に制限する条項を規定することは禁止されている。例えば，ライセンシーによる工業所有権（商標を除く）の改良を禁止すること，改良部分に関する工業所有権を無償でライセンサーに譲渡させること，品質の維持という目的でないにもかかわらず原材料をライセンサー又はライセンサーが指定する第三者から購入することを義務付けること等が禁止されているので，留意されたい[165]。

　ライセンス契約は外国語での締結も可能であるが，登録の際，ベトナム語版を併せて提出する必要がある。

　近年のライセンス契約の登録状況は以下のとおりである。

契約当事者	登録申請数			登録数		
	越―越	越―外国	外国―外国	越―越	越―外国	外国―外国
2016年	112	89	14	118	89	18
2017年	150	75	14	107	61	10

（出典：NOIPのウェブサイト掲載資料に基づく）

---

[164] 2019年改正法によって改正された。
[165] 知的財産法144条2項。

③ 例　外
(a)　商　号

商号は，商号保有者の全ての営業施設及びその商号によって行うビジネス全てを移転することに伴う場合にのみ，譲渡することが可能である[166]。また，商号についてライセンスを付与することはできない[167]。

(b)　地理的表示

地理的表示は譲渡することもライセンスを付与することもできない[168]。

(c)　営業秘密

営業秘密の提供及びライセンスの付与は可能であるが，そもそも営業秘密は当局に登録することを求められていないことから，提供及びライセンス付与に関しても，その効力発生又は第三者対抗要件として当局に登録することは法律上要請されていない。

(イ)　著作権及び著作隣接権の譲渡及びライセンスの付与
① 譲　渡

著作権及び著作隣接権の譲渡を登録することは求められていないが，譲渡契約は書面で行うことを要する。契約には，(a)両当事者の氏名・住所，(b)譲渡の理由，(c)価格及び支払方法，(d)両当事者の権利義務，(e)契約に違反した場合の責任，などを盛り込む必要がある[169]。

② ライセンス付与

譲渡と同様，著作権及び著作隣接権のライセンスの付与を登録することは求められていないが，ライセンス契約は書面で行うことを要する。契約には，(a)両当事者の氏名・住所，(b)ライセンス付与の理由，(c)ライセンスの範囲，(d)価格及び支払方法，(e)両当事者の権利義務，(f)契約に違反した場合の責任，などを盛り込む必要がある[170]。

なお，著作権及び著作隣接権に含まれる人格権（著作人格権に含まれる公表権

---

166)　知的財産法 139 条 3 項。
167)　知的財産法 142 条 1 項。
168)　知的財産法 139 条 2 項・142 条 1 項。
169)　知的財産法 46 条。
170)　知的財産法 48 条。

を除く）を他人に譲渡し，ライセンスを付与することはできない。

(ウ) 技術移転

　知的財産権の対象にとどまらず，「技術」の移転に関しては，技術の促進等の国家政策の下，技術移転法（Law on Technology Transfer）が整備されている。2017年，従前の技術移転法（Law80/2006/QH11）に代わって改正技術移転法（Law07/2017/QH14）（以下単に「技術移転法」という）が成立し，その実施細則を定める政令76号（Decree 76/2018/ND-CP）とともに，2018年7月1日から施行されている。

　技術の移転とは，典型的には製品を製造するための特許や営業秘密の譲渡又はライセンス付与であるが，これにとどまらず，売買契約，業務委託契約，秘密保持契約等であっても，契約に伴い一定の技術やノウハウをベトナム—外国間で移転する場合は，同法の規制対象となり得るので，留意が必要である。

　すなわち，技術移転法上，「技術」とは，道具や設備に付帯しているかどうかにかかわらず，資源を製品に転換するために用いられる解決法・過程・技術ノウハウをいい，「技術移転」とは，技術の全部若しくは一部を保有又は使用する権利を譲受人に移転することをいい，技術移転は，(i)専門技術的ノウハウ及び科学技術的ノウハウ，(ii)科学技術計画及び過程，技術的解決策，パラメーター，図面，図表，公式，コンピュータ，ソフトウェア及びデータ情報，(iii)製造の最適化及び技術革新のための解決策，並びに，(iv)これらのいずれかを伴う機械及び装置，を広く対象としている[171]。

　技術移転法は，①このような技術移転の方法を規定し，②クロスボーダーの技術移転一般について広く登録義務を課すとともに，③禁止される技術移転，④制限される技術移転，⑤奨励される技術移転を規定している。また，親子会社間や関係会社間で技術が移転される場合等は，技術移転価格が監査され税務関係規制を遵守している必要がある旨も規定している[172]。

　技術移転法に規定された①の技術移転の方法は，以下のとおりである。

---

171)　技術移転法4条1項。
172)　技術移転法27条3項。

Ⅲ 現地での事業運営

移転の態様	移転の形式 [173]	契約書に規定すべき内容 [174]
単独の技術移転	契約書	・移転される技術の名称 ・移転される技術の対象，移転技術により製造される製品，製品の技術的標準及び仕様 ・技術を保有及び／又は使用する権利の移転 ・技術移転の方法 ・当事者の権利及び義務 ・対価及び支払方法 ・契約の発効時期及び有効期間 ・技術移転契約において使用される定義及び用語（もしあれば） ・技術移転の計画，スケジュール及び場所 ・移転技術に関する保証責任 ・契約違反に対する罰則 ・契約違反に対する責任 ・紛争解決機関 ・当事者によって合意されたその他の事項
技術の出資による技術移転		
投資プロジェクトにおける技術移転	契約書，契約書の条項若しくは別紙，又は投資プロジェクト申請書類	
フランチャイズによる技術移転		
知的財産権移転による技術移転		
機械・装置の譲渡による技術移転		

　②の登録義務は，(a)外国からベトナムへの技術移転，(b)ベトナムから外国への技術移転，又は，(c)科学技術研究の実施成果の登録証明書が発行された場合を除く国家資本又は国家予算を使用するベトナム国内の技術移転を行う場合に，科学技術省又は科学技術局（投資プロジェクトの承認機関等によって異なる）に技術移転契約の登録を行う必要がある旨定めている。当該登録義務は，基本的には製品製造プロセスに使用される技術について問題になると思われるものの [175]，上記のとおり技術移転の対象は広く規定されているため，登録義務の有無については慎重な確認が必要となる。

　このように広く登録義務が課されたのは，特にグループ会社間のクロスボーダーライセンス契約等において，技術移転価格が税務上適正な価格か否かのチェックを可能とし，税務メリットを得るための恣意的な価格設定を防止するた

---

173) 技術移転法5条4項。
174) 技術移転法23条。
175) 科学技術省がそのような見解を前提とするオフィシャルレター（2018年9月28日付3050/BKHCN-DTG）を発行している。

めだと言われており,登録義務に違反した場合,関連する費用について税務上否認される可能性があるので留意が必要である。なお,登録手続としては,技術移転契約の締結から90日以内に申請を行う必要があり,申請書類の受理後,5日以内に技術移転証明書が発給される旨規定されている。

③の禁止される技術移転では,ベトナムから海外に移転することを禁止する技術として,ベトナムが加盟している国際条約によって移転が禁止されている技術が規定されているほか,海外からベトナムに移転することを禁止する技術として,クローン技術や電波妨害に関する技術,麻薬の生成に関する技術等が挙げられている[176]。

④の制限される技術移転では,ベトナムから海外に移転することを制限する技術として,主要な輸出品である水産物の飼育技術等が挙げられているほか,海外からベトナムに移転することを制限する技術として,紙幣の印刷技術等が挙げられている。制限された技術移転を行う場合には,まず当局(科学技術省)の承認を得てから技術移転契約に署名し,さらに締結済みの技術移転契約を当局に提出することで,当局から技術移転に対する許可証を発給してもらう手続が必要となるが,別途登録手続を行う必要はない。⑤の奨励される技術移転では,海外からベトナムに移転することを奨励する技術として,ナノテクノロジー,宇宙に関する技術,海洋技術,ワクチン製造に関する技術など,新製品を創出する技術や健康を守る技術が列挙されている。奨励される技術移転については,税務上の優遇措置の対象となる。

---

[176] ①②③につき,政令76号のAppendix 1, 2, 3を参照。

7 税　務

(1) 法人所得税（Corporate Income Tax）

(ア) 概　要

　ベトナムでは，課税所得を稼得する物品の製造及び販売並びにサービスの提供に関する事業を行う法人に対し，法人所得税を課している[177]。

　法人所得税の額は，課税対象期間における課税所得に税率を乗じて得られる金額である。監査済み財務諸表の税引き前利益に，税務上の調整項目を加算減算して，課税所得が計算される。

　一般に，ベトナム法に基づき設立された企業（内国法人）は，ベトナム国内での所得に加え，一定の海外での所得に対する法人所得税を支払わなければならない。一方で，外国法人であっても，ベトナム国内源泉所得については法人所得税を支払う義務がある（後述(3)参照）。さらに，外国法人がベトナム国内に恒久的施設を有している場合には，ベトナム国外での所得であっても，その恒久的施設の事業に帰属する一定の所得については税金を支払わなければならない。外国法人の恒久的施設とは，支店，事業所，工場，作業場，運搬車両，鉱山，油田及びガス田，建設工事現場，代理人等を含む。

(イ) 税率及び優遇措置

　2016年1月1日より，標準税率は，20％とされている。

　石油，ガス及び天然資源の探査の分野で事業を行う会社の税率は，特定のプロジェクトごとに32％から50％の範囲で適用される。

　税制上の優遇措置は，一定の条件が満たされる場合に適用される。例えば，事業内容及び実施される投資プロジェクトの立地に基づき，税の免除又は減額，10％，15％又は17％の優遇税率が，それぞれ限定された期間内において適

---

[177]　なお，法人所得税法（14/2008/QH12）上は，「課税所得を稼得する物品及びサービスに関する事業又は生産を行う法人」という表現が用いられているが本文ではわかりやすい表現に改めている。

用される。

(ウ) 損金算入

ベトナムにおいては，法令において列挙されている損金不算入項目に該当するもの及び以下の3つの要件を全て満たさないものは，損金として算入することが認められない。

> (i) 事業活動に関連して実際に発生した費用であること
> (ii) 正規のインボイスその他の証憑により証明できる費用であること
> (iii) 2000万ドン以上の支払に関しては，銀行送金等の支払証憑により証明できる費用であること

このように，法令上，損金算入に関しては厳格な要件が定められているが，実務上も，例えば，上記(ii)のインボイスに関して，正式なインボイスであるにもかかわらず，単に会社名に誤記があったり，記入漏れがあったりするだけで，損金算入が否定されるなど，厳格な運用がなされることがある点に留意が必要である。

(エ) 申告及び納税

法人所得税の申告及び納税については，各四半期終了後30日以内に予定納税を行い，年度末に確定申告を行う。なお，予定納税額の合計額が確定申告による最終納付額の8割を下回る場合には延滞利息が発生するとされている点に留意が必要である。

(オ) 移転価格文書化

ベトナムにおいてもBEPS（税源浸食と利益移転）に関する取組みの観点から，2017年に新たな移転価格税制が導入されている。これに伴い，法人税確定申告書に加え，国外関連当事者間取引に関する文書（ローカルファイル，マスターファイル及国別報告書）を作成し，これらを所管税務署に提出するという義務

(2) 付加価値税（Value Added Tax）

　付加価値税は，ベトナムにおいて生産，取引又は消費のために使用される物品又はサービスに対して課される税金である（海外から輸入される物品及びサービスを含む）。

(ア) 申告及び納税

　日本の消費税と同様に，企業は，仕入時に付加価値税を支払い，売上時に付加価値税を受け取り，その差額を当局に対して納税又は還付請求をすることとなる（控除方式）。但し，ベトナム法による会計帳簿等を整備しない外国法人や個人事業主については，簡易な申告・納付方式が認められている（直接方式）。

　申告・納付のスケジュールは原則として月次であるが，新規設立企業及び前年度の売上が500億ドン未満の場合には，四半期での申告・納付が認められる。

(イ) 税率

　付加価値税の税率は，物品又はサービスの種類又は内容により0％，5％又は10％である。一定の物品及びサービスは非課税とされる。なお，上記の0％の課税取引と非課税取引の違いについては，前者はあくまで課税取引であるため，仕入時の付加価値税の還付が認められるが，後者はかかる還付が認められないという違いがある点を指摘することができる。

(ウ) インボイス

　従前よりベトナムでは物品及びサービスの提供時に付加価値税の金額を記載した紙のインボイス（レッドインボイス）の発行が義務づけられているが，2018年，これを電子化することを義務づける法令が定められている。移行期間を経た後の強制適用開始時期は，従前2020年11月1日と発表されていたが，2022年7月1日に延期されている。

(エ) 留 意 点

　控除方式による納税を行う企業は，控除しきれなかった支払分の付加価値税について還付申告することが可能である。もっとも，還付申告の要件は厳しく，且つ実務上もその手続がスムーズに行われているわけではないことから，留意が必要である。

(3) 外国契約者税（Foreign Contractor Tax）

(ア) 概 要

　ベトナム源泉所得を有する外国法人は，外国契約者税が課される。外国契約者税は，実際には個別の税ではなく，付加価値税と法人所得税から構成される。外国契約者税は，ベトナムで事業を行っている又はベトナムで所得を得ているベトナムの法人組織の地位を有しない外国法人及び外国の個人（以下，「外国契約者」という）が，ベトナムの個人又は法人等と締結する契約その他の合意に従い，ベトナム国内（あるいは領域内）で経済活動を実施することによって稼得した所得に対して課される。

(イ) 申告及び納税

　法人形態である外国契約者の場合，次の3つの方法のうちのいずれかの方法で外国契約者税を支払うことができる（次の(ii)又は(iii)の場合は一定の条件を満たす場合に限る）。

　すなわち，(i)ベトナム側契約者を通じて間接的に支払う方法（以下，「源泉徴収法」という），(ii)ベトナム会計基準を採用し，その他の条件を満たしている場合に，ベトナム政府に直接支払う方法，(iii)支払方法及び税率について(i)の源泉徴収法と(ii)の方法を組み合わせた方法に基づき支払う方法（以下，「折衷法」という）により，税金を支払うことができる。

(ウ) 税 率

　外国契約者がベトナム会計基準を採用する場合，付加価値税及び法人所得税の税率は，当該外国契約者の所得に応じて異なり，ベトナムの内国法人に適用される付加価値税及び法人所得税と同じである。上記(i)の源泉徴収法及び(iii)の

折衷法が採られる場合，現地で適用される付加価値税の税率は変わらず，一方，法人所得税の税率は，提供される製品又はサービスの性質に基づき定められる（例えば，建設2%，一般サービス・貸付利子5%，ロイヤルティ10%）。

(エ) 留意点

外国契約者税は，ベトナムへの物品の販売（輸出）を行う場合であっても，例えば，機械や設備の据付サービスを行うときや，ベトナム国内での運送輸送サービスを行うときには付加され得る税金であることに留意する必要がある（特に，保税倉庫を利用するときは注意が必要である）。その場合，税率の異なる各サービスごとの金額が契約上明記されていない場合には，実務上，全体について最も高い税率が適用されてしまう可能性があるため，その点にも留意する必要がある。

(4) その他の税制

(ア) 個人所得税（Personal Income Tax）

① 概　要

個人所得税は，その名のとおり，個人に対してのみ課される。事業，給与及び賃金，資本投資，資本譲渡，不動産譲渡，賞金又は獲得金，フランチャイズ，ロイヤルティ，相続並びに贈与による所得の全てに所得税が課される。ベトナム人居住者及び外国人居住者の双方に同じ税率が適用されるが，居住者と非居住者とは，適用される税率が異なる。居住者はその全世界での所得に対して所得税を課されるが，非居住者はベトナムの国内源泉所得についてのみ課税される。

② 居住者及び非居住者の判定

以下のいずれかの条件を満たす個人は，居住者となる。

> (i) ある個人が暦年で又はベトナムに入国した日から数えて連続する12か月間のうち，183日以上ベトナム国内に滞在している場合
> (ii) ベトナムに定常的な居所を有する場合（183日以上の賃貸借契約を有する場合）

③ 税　率

　居住者に関しては，給与及び賃金の形式をとる所得には5％ごとの累進税率が適用される。1か月あたりの所得が500万ドン以下の場合には所得税の税率は5％であり，所得の金額に応じて税率が上がり，1か月あたりの所得8000万ドン超の場合には，所得税の税率は，上限の35％が適用される。その他の所得については，特定の税率で課税がなされる。例えば，不動産譲渡の場合には取引額の2％の税率による課税がなされる。

　一方，非居住者は給与及び賃金からの所得には20％の均一の税率が適用され，また，その他の所得については所得の種類に応じて異なる税率（例えば，サービスの提供による所得には5％）で個人所得税を支払う。

　従前，特別経済特区内の労働者の個人所得税は，50％減税措置が実施されていたが，2018年7月10日に施行された新政令により，当該減税措置は廃止されている。当時既に税制優遇を受けていた企業については，引き続き減税の恩恵を受けられるよう当局への働きかけが行われたが，財務省からは，2018年7月10日以降は一律，減税措置は認められない旨の見解が改めて示されている。

④　新規赴任者の課税年度

　赴任初年度の暦年での滞在日数が183日以上か183日未満かによって取扱いが異なる。

　(a)　183日以上の場合

　ベトナムに入国した月から当該暦年の末日までとされている。

　(b)　183日未満の場合

　入国日からの（暦年とは関係ない）1年間が第1課税年度，（そのまま翌暦年も赴任が継続している場合）入国日の翌暦年が第2課税年度となる。例えば，10月1日から赴任する場合，同日から1年間（10月1日から翌年の9月末日までの期間）が第1課税年度，続いて，入国日の約3か月後である翌年1月1日から1年間（入国日の翌年の1月1日から12月末日まで）が第2課税年度となる。この例であれば，入国日の翌年1月1日から9月末日までの期間は課税年度が重複することとなるが，重複する税額は第2課税期間の税額から控除される。

Ⅲ 現地での事業運営

⑤ その他の留意点

　制度上，ベトナムにおいて1日でも勤務するとベトナムにおける非居住者としての納税義務が発生することになるが，日越租税条約により，短期滞在者免除の恩恵を受けることができる。ただし，ベトナムにおいて短期滞在者免税を受けるためには，免税申請が必要とされており，自動的な免税とはならない点に留意が必要である。

(イ) その他

　上記のほか，ベトナムは，輸入される又は輸出される物品及びサービスに対する税（輸入税及び輸出税），酒，タバコ，カジノ等の消費が奨励されない特定の物品及びサービスに対する税（特別消費税），天然資源に対する税（天然資源税）及び土地に対する税（農地利用税及び非農地利用税）等も課している。なお，輸出入関税に関しては，2019年7月，CPTPPに基づく新たな輸出入関税率表が公布・施行されている。

　資本譲渡又は証券譲渡の際に投資家（外国投資家を含む）にもたらされる利益には，法人所得税又は個人所得税が課される。法人の場合，25％の均一の税率が国籍に関係なく課される。また，個人の場合，適用される個人所得税の税率は，資本譲渡と証券譲渡，居住者と非居住者とで異なる。居住者は，資本譲渡には利益に対して20％の税率，証券譲渡には取引額に対して0.1％の税率がそれぞれ適用される一方，非居住者は，いずれについても取引額に対して0.1％の税率が適用される。

IV

コンプライアンス・危機管理・紛争対応

Ⅳ　コンプライアンス・危機管理・紛争対応

1　コンプライアンス

　ベトナム進出後，日本企業の多くがコンプライアンスの問題に直面する。

　コンプライアンスリスクは，労務管理リスクと並んで，進出前には検討が先送りされていることが多い。しかしながら，ベトナムは法整備状況が先進国と比べれば未だ発展途上であり，法律間の整合性，法律と下位の法律文書との整合性，法律の網羅性，法文の一義的明確性，解釈の安定的な運用のいずれについてもきわめて脆弱な段階にあり，法令解釈自体が流動的であれば，厳密に法令遵守を実現することがきわめて難しい。また，ベトナムにおけるローカルプレイヤーのコンプライアンス意識は，日本におけるそれとは一般的に大きく異なるとも言われており，ベトナムに進出した企業にとって頭の痛い問題の1つと言える。

　ここでは，コンプライアンスの領域のうち，特に問題となることが多い贈賄規制，競争法及び個人情報保護法制について概説する。

> **Column**
>
> ### アジア諸国の汚職指数
>
> 　ベトナムはアジアでも汚職リスクが高い国の1つであり，トランスペアレンシー・インターナショナル（世界各国の汚職の監視を目的として活動している非政府組織）が公表している2019年の腐敗認識指数（CPI = Corruption Perceptions Index）[1]）によれば，ベトナムのCPIスコアは37で，180の国と地域のうち96位となっている。実際，通関手続や税務調査等の様々な局面で，当局の職員から支払根拠が不明瞭な金銭の支払や費用の負担を求められることがあるが，ベトナム法には，いわゆる手続促進費用（facilitation payment）を認める規定はない。現地でのビジネスは，常に汚職リスクという狭義のコンプライアンスの問題に晒されている。
>
> **アジア各国のCPIスコア**
>
> | 順　位 | 国・地域名 | 2019年CPIスコア | 2018年CPIスコア（順位） |
> |---|---|---|---|
> | 4 | シンガポール | 85 | 85（3） |

---

[1]　CPIスコアは0から100で評価される。CPIスコアが低ければ低い程，当該国・地域で汚職がまんえんしていると評価される。

16	香港	76	76 (14)
21	日本	73	73 (18)
39	韓国	59	57 (45)
51	マレーシア	53	47 (64)
80	中国	41	39 (87)
80	インド	41	41 (78)
85	インドネシア	40	38 (89)
96	ベトナム	37	33 (117)
101	タイ	36	36 (99)
113	フィリピン	34	36 (99)
130	ミャンマー	29	29 (132)
130	ラオス	29	29 (132)
162	カンボジア	20	20 (161)

(出典：https://images.transparencycdn.org/images/2019_CPI_Report_EN.pdf 及び https://images.transparencycdn.org/images/2018_CPI_Executive_Summary.pdf）

(1) 贈 賄 規 制

㋐ ベトナム刑法における贈賄防止規制

　ベトナムの刑法（100/2015/QH13)[2]は，以下のとおり贈賄罪を規定しており，日本企業の日本人従業員がベトナムで贈賄行為を行った場合には，ベトナム刑法に規定された贈賄罪による処罰の対象となり得る（刑法364条1項）。

　「次のうち1つ又はいずれかの利益につき，地位及び／又は権限を有する者が，当該利益のために又はその賄賂の提供者の求めに応じて，一定の行為を行い又は行わないようにすることを目的として，地位及び／若しくは権限を有する者又はその他の者若しくは組織に対し，直接又は仲介者を通じて，これを提供し又は提供しようとした者は，贈賄の犯罪行為を行ったものとみなされる。
・200万ドン以上の金銭，資産又はその他の財産的利益
・非財産的利益」

---

[2] 同刑法は2018年1月1日より施行された。それ以前には，旧刑法（15/1999/QH10〔その後の改正を含む〕）が施行されていた。

① 賄賂の対象

金銭や資産といった財産的利益のみならず，非財産的利益も賄賂の対象とされており，あらゆる「利益」が賄賂を構成し得るものと解される。

② 賄賂となる財産的利益の金額等

以下のとおり，財産的利益の場合，賄賂の金額が高くなるのに応じて刑罰の程度も重くなるように規定されており，贈賄の場合，最大で20年の有期懲役刑まで用意されている（刑法364条2項～4項）。加えて，1000万ドン以上5000万ドン以下の罰金の併科があり得る。なお，200万ドン未満の金銭，資産その他の財産的利益を提供することは，贈賄罪の対象にならないと解される。他方，非財産的利益を提供する場合については金額基準が設定されていないことから，価値の多寡にかかわらず，贈賄罪の対象になると考えられる。

財産的利益	刑罰
(i)200万ドン以上1億ドン未満の金銭，資産若しくはその他の財産的利益，又は(ii)非財産的利益を提供し又は提供しようとした場合	2000万ドン以上2億ドン以下の罰金，30年以下の非拘束矯正，又は6か月以上3年以下の有期懲役
1億ドン以上5億ドン未満の財産，資産又はその他の財産的利益を提供し又は提供しようとした場合（又は組織的，詐欺的などの一定の方法を用いた場合や2回以上行われた場合，地位や権限を悪用した場合，国家財産を提供した場合）	2年以上7年以下の有期懲役
5億ドン以上10億ドン未満の財産，資産又はその他の財産的利益を提供し又は提供しようとした場合	7年以上12年以下の有期懲役
10億ドン以上の財産，資産又はその他の財産的利益を提供し又は提供しようとした場合	12年以上20年以下の有期懲役

③ 主観的要件

地位及び／又は権限を有する者が，（賄賂として提供される）当該利益のために又はその賄賂の提供者の求めに応じて，一定の行為を行い又は行わせないようにすることを目的として，賄賂が交付された又はされようとした場合に限り，刑罰の対象となる。かかる目的を有しないと認められれば，200万ドン以上の財物の提供であっても，贈賄罪は成立しない。ただし，提供する財物が高価に

なるほど、かかる目的を有しないこと（単なる社会的儀礼の範囲内であること等）を客観的に示すことが難しくなると考えられるので、慎重な対応が必要である。

④　賄賂の受領者

「地位及び／又は権限を有する者」とは、給与を受領するか否かを問わず、指名、選定、契約又はその他の取り決めに基づき、一定の職務の執行を委託され、且つ当該公務又は職務を執行する権限を有する者をいう、と規定されている（刑法352条2項）。定義が曖昧であるため、公営会社の従業員等も、贈収賄罪の処罰の対象となる地位及び／又は権限を有する者に含まれる可能性がある。

なお、2018年1月1日より前まで施行されていた旧刑法と異なり、現行刑法では、「地位及び／若しくは権限を有する者」に提供した場合だけでなく、「その他の者若しくは組織」に提供した場合にも、刑法364条1項の贈賄罪が成立し得る。「その他の者若しくは組織」に関する具体的な定義や公的な解釈は示されていないが、文脈から考えると、(i)「地位及び／若しくは権限を有する者」以外のあらゆる者又は組織であって、且つ、(ii)かかる利益をその者が受領することにより、「地位及び／又は権限を有する者」が、当該利益のために又はその賄賂の提供者の求めに応じて、一定の行為を行い又は行わないように、「地位及び／又は権限を有する者」に対して影響力を及ぼす又は連絡する者又は組織を意味すると解釈することが可能であろう。

また、改正前の旧刑法下では、民間企業の職員を相手とする場合は贈賄罪の対象とならないとされてきたが、改正後の刑法では、外国公務員、公的な国際組織の職員又は非国営の企業若しくは組織において、地位及び／又は権限を有する者に対し、賄賂を提供し又は提供しようとした場合にも、贈賄罪が成立し得る（刑法364条6項）[3]。具体的な適用場面については今後の運用を待つ必要があるものの、より慎重な対応を求められることに留意すべきであろう。

⑤　自主的報告と刑事責任の免除

賄賂の提供を強要され、発覚前に当該行為につき自主的に報告した者は、刑事責任がないとみなされ、提供した賄賂を全て返還される（刑法364条7項）。

---

[3] 更にいえば、非国営の企業又は組織において、地位及び／又は権限を有する者が賄賂を受領した場合も、収賄罪が成立し得る（刑法354条6項）。

⑥ 法人処罰の可否

　ベトナム刑法では，脱税罪（同200条）や証券市場を操作する罪（同211条）など，一定の罪について法人に対する処罰規定が規定されているが（同76条），贈賄罪はこれに含まれない。そのため，一般的には，贈賄を行った従業員の所属する法人は，処罰対象とならないと考えられる（ただし，下記㋒記載のとおり，日本企業従業員による贈賄は，日本の不正競争防止法をはじめとする外国公務員贈賄防止規制の対象となっており，同法により，処罰対象となる可能性がある点に留意されたい）。

㋑　その他関連法令（汚職防止法，政令59号）

　従前，公務員等が私利を図る目的で，その地位・権限を濫用することを防止する汚職防止法（55/2005/QH11）が存在していたが，2018年11月20日付けで改正汚職防止法（36/2018/QH14）が成立し，2019年7月1日付けで施行された。また，改正汚職防止法のガイドラインとしての性格を有する政令59/2019/ND-CP（以下「政令59号」という）も，2019年8月15日付けで施行された。

　改正汚職防止法では，公務員等のみならず，民間企業の職務権限者であっても，(a)財産の横領，(b)収賄，(c)贈賄又はその仲介を行うことを禁止しており（同法2条2項），実務上，接待贈答などを行う際には，ベトナム刑法と併せて注意を払う必要がある。

㋒　ベトナム以外の国における外国公務員贈賄防止規制

① 日本の不正競争防止法

　日本企業の役員又は従業員が，外国公務員等に対し贈賄等の不正の利益の供与等を行った場合には，当該供与に関与した日本企業自体が，日本の不正競争防止法によって処罰され得る[4]。

---

[4]　2008年8月，日本の建設コンサルタント会社の従業員等が，ベトナムにおけるODA事業にかかるコンサルティング受注に関して，有利な取り計らいを受けることの見返りとして現金を供与することを約束し，ベトナムの同事業幹部職員（外国公務員）に対し2度にわたり多額の現金（60万米ドル及び22万米ドル）を供与したとして，起訴された。2009年1月，不正競争防止法違反でいずれも有罪とする判決が下され，会社に罰金7000万円の納付が命じられ，従業員等3名はいずれも懲役刑（2年，1年6か月，1年8か月）（執行猶予付き）に処せられた。
　また，2014年7月には，鉄道建設コンサルタント会社の従業員等が，ベトナムにおけるODA

不正競争防止法は、「何人も、外国公務員等に対し、国際的な商取引に関して営業上の不正の利益を得るために、その外国公務員等に、その職務に関する行為をさせ若しくはさせないこと、又はその地位を利用して他の外国公務員等にその職務に関する行為をさせ若しくはさせないようにあっせんをさせることを目的として、金銭その他の利益を供与し、又はその申込み若しくは約束をしてはならない。」(同法18条1項)と規定しており、違反者には5年以下の懲役若しくは500万円以下の罰金又はこれらが併科される(同21条2項7号)。さらに、法人の従業者などが、業務に関し、贈賄した場合には、法人に対しても、3億円以下の罰金が科される(同法22条1項3号)。

なお、日本国民がベトナムでベトナムの公務員に対して贈賄した場合も、不正競争防止法による処罰対象となる(同法21条8項、日本国刑法3条6号)。また、同法による法人処罰規定は、日本法人はもちろんのことながら、外国の法令に準拠して設立された外国会社にも適用の余地があるため、理論上、ベトナム子会社も、処罰対象となり得る(日本国会社法2条2号、823条)。

② 米国の海外腐敗行為防止法(FCPA)

FCPAは、大きく分けて米国の証券取引委員会に証券発行登録している企業及び定期的に開示書類を提出している企業(以下「米国上場企業」という)に対して、財産の取引及び処分について合理的に詳細、正確かつ公正に反映する帳簿、記録、勘定を作成・保存することなどを義務づける「帳簿・記録条項(Books and records provision)」と、外国公務員等にその職権行使に影響を与え、又は影響力の行使を誘導する目的をもって、金銭、贈答等を不正に提供し、又は提供の約束、許可をすることを禁じる「贈賄防止条項(Anti-bribery provision)」の2つから構成されている(15 U. S. C. § 78m・78d-1・78dd-2・78dd-3・78ff)。

このうち、贈賄防止条項は、米国の取締当局(米国司法省〔DOJ〕及び証券取引員会〔SEC〕)が、非常に広範な適用を認める解釈を採っているため、ベトナムに進出した企業であっても、留意が必要である。

具体的には、FCPAは、外国企業等が外国政府関係者に贈賄をした場合であ

事業を受注する見返りに、ベトナムの公務員らにリベートを支払ったとして、コンサルタント会社の前社長ら3人が在宅起訴された。2015年2月、不正競争防止法違反で有罪とする判決が下され、前社長ら3人は懲役刑(執行猶予付き)に処せられ、会社には罰金9000万円の納付が命じられた。

っても，行為の一部が米国で行われていれば適用されるところ，DOJ及びSECは，その解釈に当たり，例えば，共謀に関する電話，FAX，メールのやりとり等が米国から又は米国に向けてなされた場合や，贈賄金が米国銀行から又は米国銀行に向けて送金された場合も含むといった，広範な解釈を採っている。

また，FCPAの適用を受ける者の共同正犯・教唆犯・幇助犯であった場合には，米国外で違反行為が行われた場合も含め，FCPAの適用を受けるという解釈を採っている。このように，米国上場企業等ではなくとも，現実にFCPAの適用を受ける可能性がある。

③ 英国の賄賂防止法（Bribery Act 2010）

Bribery Act 2010では，①贈収賄行為を未然に防ぐべき責務を怠った企業による犯罪（Corporate Offence 以下「企業犯罪」という），②「能動的」な贈収賄すなわち贈賄の罪（active bribery），③「受動的」な贈収賄すなわち収賄の罪（passive bribery），④外国公務員に対する贈賄の罪（bribery of a foreign public official）の4種類の構成要件を定めている。

これらのうち，①企業犯罪は，英国において全部又は一部のビジネスを行う企業等の関係者（職員，エージェント，子会社など）が，当該企業のために，ビジネス又はビジネスにおける便宜を獲得／維持する目的で贈賄をした場合に適用されると解されていることから，日本企業であっても英国でビジネスを行っている限りこれに該当する可能性がある。Bribery Act2010では，米国のFCPAでは禁止されていない，民間人に対する贈賄行為も禁止されている点や，米国のFCPAでは一定条件の下で認められているファシリテーションペイメント[5]が禁止されている点で，その適用範囲が米国のFCPAよりも更に広範に亘るといえる。

(エ) 社会的儀礼の範囲内で行われる贈答等

前記(ア)のとおり，ベトナム刑法上は，贈答する財物又は利益の金額・価値が200万ドンを超えたからといってそのことのみで直ちに贈賄罪が成立するものではない。一般に，通常の社会的儀礼の範囲内で行われる利益の供与について

---

[5] 公務員の定例的な業務に関して，その促進又は確保の目的で支払われる金銭のことを指す。典型例としては，空港の税関手続を簡略化する目的で支払われる少額の金銭などが挙げられる。

は、「賄賂の提供者の利益のために公務員等に一定の職務を行わせる（又は行わせない）目的」が認められにくいものと考えられ、その場合はベトナム法上の贈賄罪も成立しないと解釈することが可能と思われる。但し、通常の社会的儀礼の範囲内か否かは、一義的に明白ではなく、個々の事案ごとに、各地の慣習及び貨幣価値の違いにも配慮し、贈答する財物又は利益の内容、必要性、時期、頻度、透明性といった事情を総合的に考慮する必要がある[6]。

実務上は、社内であらかじめ、許される贈答等か否かに関する基準を設けるとともに、実際に贈答等を行う際には、支出内容の正確な記録や、その必要性・相当性に関する検証の記録等を残しておくことが勧められる。

Column

季節的贈答

ベトナムでは、中秋節にはムーンケーキ（月餅）、旧正月には菓子等、女性の日にはバラの花等、そのほか誕生日、結婚式及び記念日といった様々な場面でギフトを送る習慣がある。しかしながら、仮に季節的贈答であったとしても、入札等の手続期間中に当局の担当者等に贈答を行ったり、金銭、貴金属、高級ブランド品など、季節的贈答として不自然である物品を贈ることは、不正目的の存在が疑われる可能性が高まるため、差し控えるべきであろう。また、特定の公務員等のみへの恣意的な贈答や、社内帳簿上、正しい名目での記帳ができないような贈答は避けるべきであろう。

---

(2) 競争法

2019年7月1日に施行されたベトナムの2018年競争法（23/2018/QH14）は、それ以前に有効であった2004年競争法（27/2004/QH11）に代わるものである。2018年競争法の規制対象は、競争制限的協定、経済集中、市場支配的地位及び独占的地位の濫用、不公正な競争行為であり、この点は2004年競争法と変更はない。しかし、後述するように、競争制限的協定及び経済集中について実

---

[6] なお、現地のプラクティスは、対応を判断するに当たって考慮すべき諸事情の1つであるが、それのみが判断基準ではない。刑事リスクというリスクの重大性に鑑み、ベトナム以外の国における外国公務員贈賄防止規制にも留意の上、総合的かつ慎重な検討が必要となる。

質的判断基準が導入される等，2004年競争法の規定を大きく変更する部分もあり，グローバルに事業展開する日系企業にも大きな影響を与える可能性がある。また，2018年競争法は，適用対象に外国の組織及び個人を加えるとともに（2018年競争法2条3項），ベトナムの市場に影響を与え又は与える可能性のある競争制限行為及び経済集中を規定すると規定している（同法1条）。このことから，ベトナム国内で行われる行為だけではなく，例えば，ベトナム領外で外国企業同士で行われたカルテルであるがベトナム市場も合意の対象に含まれているケースのように，ベトナムの領外にて行われた競争制限行為や経済集中であっても，ベトナムの市場に影響を与える場合には，本法の規制対象になり得ると考えられている。

2018年競争法の執行機関は，15名以下のメンバーにより構成される商工省傘下の国家競争委員会（NCC）である。国家競争委員会の下には，競争調査局が設置され，2018年競争法違反の調査にあたっている。

(ア) 競争制限的協定

① 競争制限的協定の類型

以下のうち，(i)から(iii)に該当する水平的協定（競争者間の合意），及び(vi)から(viii)に該当する協定は一律に禁止される。(i)から(iii)に該当する垂直的協定（サプライヤーとの合意等，異なる取引段階に属する者との合意），及び(iv)，(v)及び(ix)から(xi)に該当する協定は市場への著しい競争制限効果が生じるまたはそのおそれがある場合に禁止される（2018年競争法11条・12条）。

(i) 商品又は役務の価格を直接又は間接に固定する協定
(ii) 顧客，消費者市場，商品又は役務の供給源を分配する協定
(iii) 商品又は役務の生産量，購入量又は販売量を，制限又は抑制する協定
(iv) 技能及び技術開発又は投資を制限する協定
(v) 商品又は役務について売買契約を締結する際に，他の企業に条件を課す協定，又は売買契約の対象事項に直接関係しない義務を他の企業に強要する協定
(vi) 他の企業による市場への新規参入又は事業展開を阻止，制限，又は妨害する協定
(vii) 協定に参加していない他の企業を市場から排除する協定

> ⑻ 商品又は役務の供給に関する入札に参加する際，合意に参加する一又は複数の当事者に落札させる協定
> ⑼ 協定に参加しない企業と取引しない旨の協定
> ⑽ 協定に参加しない企業の製品販売市場，商品又は役務の供給源を制限する協定
> ⑾ その他競争制限効果が生じる又はそのおそれのある協定

　⑾の「市場への著しい競争制限効果が生じるまたはそのおそれがある場合」に該当するかについては，市場シェア，新規参入や事業拡大の障壁の有無，研究開発・技術革新等の制限の有無，必要不可欠なインフラへのアクセス等の制限の有無，消費者のコスト増大の有無，産業分野における特別な事項をコントロールすることを通じた競争妨害の有無をもとに判断するとされる（2018年競争法13条1項）。

　また，2018年競争法は，上記の⑴から⑸に該当する協定，及び⑼から⑾に該当する協定については，禁止される協定であっても，当局に個別に申請を行うことで，禁止の適用除外を求めることを認めている。上記の⑹から⑻に該当する協定については，適用除外は認められない。

② 制裁と執行状況

　制裁金（水平的協定について前会計年度の売上総額の10％，垂直的協定について前会計年度の売上総額の5％の金額を上限とする）の対象となる。違反の性質及び重大性により，違反により得た利益の没収等の追加制裁や，契約における違反条項の削除等の是正措置の対象となることもある。

　禁止される競争制限的協定の当事者は，競争当局への自主的な申告を行うことにより，制裁金の減免を受けることができる（いわゆるリニエンシー制度）。すなわち，次の条件を満たし，書面で申告した最初の3社は，制裁金の減免（1番目は100％，2番目は60％，3番目は40％）を受けることができる。

> • 競争制限的協定に関与した又は関与している者による申告であること
> • 管轄当局が違反事件の調査開始決定を下す前に，違反行為を自主申告したこと
> • 誠実に申告し，違反行為に関する全ての情報及び証拠を提供すること
> • 違反行為の捜査及び処理の過程において，管轄当局に積極的に協力すること

- 競争制限的協定の組成に主導的な役割を果たしていないこと

　2004年競争法下ではあるが，競争制限的協定について制裁金を課された例として，外資系を含む保険会社19社による自動車保険の保険料に関する協定が問題となったケース（2008年に調査開始，2010年に終結）がある。このケースでは，各社均等額で，総額17億ドン（前会計年度の全社の売上総額の0.025%）の制裁金が課された。また，学童保険の保険料に関する協定が問題となったケース（2011年に調査開始，2013年に終結）では，制裁金は課されなかったものの，1億ドンが調査費用として徴収された。関係当事者は当該協定を撤回した。

(イ) 市場支配的地位及び独占的地位の濫用
　ベトナムの2018年競争法上，市場支配的地位の濫用の禁止（2018年競争法27条1項）及び独占的地位の濫用の禁止（同2項）が定められており，具体的な濫用行為の類型が規定されている。

① 市場支配的地位の濫用
　関連市場において30%以上の市場シェアを有し，又は著しい市場支配力を有する企業は，市場支配的地位にあるとみなされる。また，競争を制限する活動を共同して行う複数の企業であって，著しい市場支配力を有するもの又は次の各号のいずれかに該当する企業グループは，市場支配的地位にあるとみなされる（ただし，関連市場における市場シェアが10%未満の企業は，当該市場支配的地位を有する企業グループに含めない）。

- 関連市場において2企業の合計市場シェアが50%以上
- 関連市場において3企業の合計市場シェアが65%以上
- 関連市場において4企業の合計市場シェアが75%以上
- 関連市場において5企業以上の合計市場シェアが85%以上

　「著しい市場支配力を有する」か否かは，関連市場における会社の市場シェア間の相互関係，当該企業の財政力及び財政的規模，他の企業が市場に参入し

又は市場を拡大することの妨げになるか,市場における商品・役務の流通及び／又は消費,又はその供給源を保有し,それらにアクセスし,それらを支配する能力の有無,技術的及び技術インフラ上の優位性,インフラを保有し又はインフラにアクセスする権利の所在,知的財産権及びその使用権の所在,他の関連商品・役務に供給源を切り替える又は需要者を切り替える能力の有無,当該企業が事業を営む産業・分野に特有の要素をもとに判断するとされる(2018年競争法26条1項)。

市場支配的地位を有している企業及び企業グループは,以下の行為が禁止される(2018年競争法27条1項)。

> (i) 競争者を排除し又は排除し得る,原価を下回る価格での商品の販売又は役務の提供
> (ii) 顧客に損害を与え又は損害を与え得る,商品若しくは役務に対する合理性のない販売価格又は購入価格の設定,若しくは再販売価格の下限の固定
> (iii) 顧客に損害を与え又は損害を与え得る,商品若しくは役務の生産又は流通の制限,市場の制限,技能及び技術の発展の阻害
> (iv) 他の企業による市場参加・展開の妨害若しくは他の企業の排除となり又はなり得る,同様の取引についての異なる商業的条件の適用
> (v) 他の企業による市場参加・展開の妨害若しくは他の企業の排除となり又はなり得る,商品若しくは役務の売買契約締結に際しての他の企業に対する条件の設定,又は他の企業若しくは顧客に対する,契約の対象事項とは直接には関係しない義務の受け入れの強要
> (vi) 他の企業による市場への新規参入及び市場展開の阻止
> (vii) 他の法律により禁止される市場支配的地位の濫用行為

② 独占的地位の濫用

ある企業の他に,関連市場において当該商品又は役務について競合する企業が存在しない場合,当該企業は独占的地位にあるとみなされる。

独占的地位を有している企業は,以下の行為が禁止される(2018年競争法27条2項)。

Ⅳ　コンプライアンス・危機管理・紛争対応

(ⅰ)　上記①(ⅱ)～(ⅵ)に掲げる禁止行為
(ⅱ)　顧客に不利益な条件を課すこと
(ⅲ)　合理的理由のない一方的な契約内容の変更又は破棄
(ⅳ)　他の法律により禁止される独占的地位の濫用行為

③　制裁と執行状況

　制裁金（前会計年度の売上総額の10％の金額を上限とする）の対象となる。違反の性質及び重大性により，違反により得た利益の没収等の追加制裁や，契約における違反条項の削除，市場支配的又は独占的地位を濫用した事業者の再編等の是正措置の対象となることもある。

　2004年競争法下ではあるが，市場支配的地位の濫用が問題となった例として，旅行代理店であるAnh Duong（調査の時点における市場シェアは51.6％と認定された）が，ニャチャンやフーコック等に所在する複数のリゾートホテルとの間で，Anh Duongの顧客に対して独占的に部屋を割り当てることを義務付ける内容の契約を締結し，当該ホテルが空室があるにもかかわらず他の旅行代理店経由の予約を拒絶した事案において，Anh Duongがその市場支配的地位を濫用したとされたケース（2014年に調査開始，2015年に終結）等がある。Anh Duongと被害を訴えた旅行代理店との間で和解が成立したために，Anh Duongに対して制裁は課されなかったが，Anh Duongは当該旅行代理店に対し，和解金として5000万ドンを支払ったとされている。

(ウ)　経済集中

①　経済集中の禁止

　経済集中（吸収合併，新設合併，企業買収，合弁企業等）により，著しい競争制限効果が生じ又は生じるおそれがある場合は，当該経済集中は禁止される（2018年競争法30条）。「競争制限効果」とは，「市場における競争を消滅，減少，歪曲又は妨害するような効果」を意味する（2018年競争法3条3項）。このように，2018年競争法は，旧競争法の定めていた形式的な基準（合計市場シェア50％以上）を変更し，実質的な基準を導入した。この結果，市場シェアが50％超であることを理由に一律に禁止されることはなくなったが，事案に応

じたケースバイケースの判断が迫られることとなり，予測可能性が低下することとなった。なお，経済集中の類型のうち，企業買収については，2018年競争法上，ある企業による「別の企業の持分又は資産の，全部又は一部の，直接又は間接の」買収であって，「当該対象企業自体又は当該対象企業の事業目的を管理又は支配するのに十分なもの」と定義されている。2018年競争法の施行規則である政令35/2020/ND-CPは，この「管理又は支配」について，以下のいずれかの場合を意味するとしている。

(i) ある企業が，被買収企業の50％を超える定款資本又は議決権付株式の所有権を取得する場合
(ii) ある企業が，対象企業の事業目的のいずれかのうち50％を超える資産の所有権又は使用権を取得する場合
(iii) 買収企業が，(a)過半数又は全ての取締役会メンバー，社員総会議長，又は社長若しくは総社長を，直接又は間接に，選任又は解任する権利を取得する場合，(b)対象企業の定款について変更又は追加を実施する権利を取得する場合，(c)対象企業の事業活動に関する重要な問題，すなわち，事業組織形態の選択，事業目的，事業の地理的範囲及び形態の選択，規模及び事業目的の調整，及び，対象企業の事業資本の調達，分配及び使用に関する形態及び方法の選択を決定する権利を取得する場合

② 事前届出

ある経済集中が，2018年競争法の定める国内資産額，国内売上高，取引価額，市場シェアの4つの基準のいずれかを満たす場合は，事前に国家競争委員会に届け出て，禁止される経済集中に該当しない旨の回答を得る必要がある（2018年競争法33条1項・2項）。4つの基準の具体的な数値の詳細は以下のとおりである。

(i) 対象となる企業が金融機関[7]，保険会社又は証券会社ではない場合（政令35

---

7) 金融機関は，銀行，ノンバンク金融機関，マイクロファイナンス機関及び人民信用ファンドに

号13条1項)
- (a) 経済集中の実施が提案された直前の会計年度において,経済集中に参加する企業又は当該企業が属する関連企業グループのベトナム市場における総資産の合計が3兆ドン以上である場合
- (b) 経済集中の実施が提案された直前の会計年度において,経済集中に参加する企業又は当該企業が属する関連企業グループのベトナム市場における販売又は購入の総取引高の合計が3兆ドン以上である場合
- (c) 経済集中の取引価値が1兆ドン以上である場合
- (d) 経済集中の実施が提案された直前の会計年度において,経済集中に参加する企業の検討対象市場における合計市場シェアが20%以上である場合

(ii) 対象となる企業が金融機関,保険会社又は証券会社である場合(政令35号13条2項)

- (a) (A)経済集中の実施が提案された直前の会計年度において,保険会社若しくは当該保険会社が属する関連企業グループのベトナム市場における総資産,又は,証券会社若しくは当該証券会社が属する関連企業グループのベトナム市場における総資産が15兆ドン以上である場合,又は,(B)経済集中の実施が提案された直前の会計年度において,金融機関又は当該金融機関が属する関連企業グループのベトナム市場における総資産が,同年度のベトナム市場における金融機関システム全体の総資産の20%以上である場合
- (b) (A)経済集中の実施が提案された直前の会計年度において,保険会社若しくは当該保険会社が属する関連企業グループのベトナム市場における販売又は購入の総取引高が10兆ドン以上である場合,(B)経済集中の実施が提案された直前の会計年度において,証券会社若しくは当該証券会社が属する関連企業グループのベトナム市場における販売又は購入の総取引高が3兆ドン以上である場合,又は,(C)経済集中の実施が提案された直前の会計年度において,金融機関又は当該金融機関が属す関連企業グループのベトナム市場における販売又は購入の総取引高が,同年度のベトナム市場における金融機関システム全体の総取引高の20%以上である場合
- (c) (A)保険会社又は証券会社による経済集中に結び付く取引の取引価値が3兆ドン以上である場合,又は(B)金融機関による経済集中に結び付く取引の取引価値が,経済集中の実施が提案された直前の会計年度のベトナム市場における金融機関システム全体の総定款資本金額の20%以上である場合

より構成される(金融機関法4条1項)。

(d) 経済集中の実施が提案された直前の会計年度において，経済集中に結び付く取引への参加を提案している企業の検討対象市場における合計市場シェアが20％以上である場合

なお，(i)(c)及び(ii)(c)に記載の取引価値の基準については，ベトナムの領地外で行われる経済集中には適用されない（政令35号13条3項）。

国家競争委員会は，届出の受理後，30日以内に正式審査を行うべき事例であるか判断するためのスクリーニングとして，簡易審査を行う。正式審査を行うべき事例と判断された場合は，正式審査に移行する。正式審査では，禁止されるべき経済集中に該当するかが審査され，正式審査に移行後，90日以内に判断が行われる（最大60日間は延長可能）。国家競争委員会は，著しい競争制限効果の有無や経済集中による肯定的な影響を考慮して，(i)経済集中の許可，(ii)経済集中の条件付き許可，(iii)経済集中の禁止のいずれかの決定を行う（2018年競争法41条1項）。

③ 制裁と執行状況

必要な事前届出を行わないこと，及び，国家競争委員会による「禁止されるべき経済集中に該当する」との判断に反して経済集中を実行することの双方について，制裁金（前会計年度の売上総額の5％の金額を上限とする）の対象となる。違反の性質及び重大性により，企業登録の取消等の追加制裁や，合併した事業者の分割や，買収した事業の売却といった是正措置の対象となることもある。

2004年競争法下ではあるが，経済集中が問題となった例として，シンガポールのライドシェア大手Grabによる米Uberのベトナム事業の事業譲渡のケース（2018年に調査開始）等がある。Grabは，2018年5月に競争庁に提出した説明資料において，両社の市場シェアの合計は30％未満であり，事前届出は不要であると主張したが[8]，競争庁は，2018年11月30日付の調査結果報告書において，事前届出が必要な事案であり，かつ，競争法上，禁止される経済集中に当たるとの結論を示した。しかし，競争庁が（2004年競争法下でのもう一つの執行機関である）競争評議会に当該調査結果を送付したところ，競争評

---

[8] 2004年競争法下では，合計市場シェア30％以上という形式基準により事前届出の要否が判断されていた。

Ⅳ　コンプライアンス・危機管理・紛争対応

議会は，自らの調査において新たな証拠が発見されたとして，競争庁に事件を差し戻した。再調査の期間は 2019 年 2 月 1 日から 60 日間とされたが，本稿執筆時点で，調査が終結したとの情報は得られていない。

(エ)　不公正な競争行為
①　以下の不公正な競争行為を行うことは禁止されている（2018 年競争法 45 条）。

> (i)　営業秘密の侵害
> (ii)　他の企業の顧客又は事業パートナーが当該取引を行わないようにさせるため又は当該取引をやめさせるために行う，脅迫又は強制的な行為
> (iii)　他の企業の評判，財務状況又は事業活動に悪影響を及ぼすような虚偽の情報を直接又は間接に広めることによる，当該企業に関する虚偽情報の提供
> (iv)　他の企業の適法な事業活動を直接又は間接に妨害し又は邪魔することにより，当該企業の事業活動に混乱を生じさせる行為
> (v)　違法な顧客誘引
> (vi)　同種の商品又は役務に関する事業を行っている他の企業を排除し又は排除し得る，原価を下回る価格での商品の販売又は役務の提供
> (vii)　他の法令に規定するその他の禁止される不公正な競争行為

②　制裁と執行状況

制裁金の対象となる。制裁金の範囲は違反行為ごとに異なり，制裁金額として最大のものとしては，2 つ以上の省にまたがって行われる不当廉売行為について，最高 20 億ドンの制裁金を課すことが認められている。また，違反の性質及び重大性により，違反により得た利益の没収等の追加制裁の対象となることもある。

これまでに，制裁金が課された件数と制裁金総額は，次頁の表のとおりである。2013 年の取扱件数が激減しているのは，2013 年 7 月に施行された「行政上の義務違反に関する法」（15/2012/QH13）において，競争庁に制裁権限があることが明記されておらず，そのため競争庁が一時的に取扱いを控えていたからとのことである。2014 年 7 月 21 日に施行された政令 71/2014/ND-CP において，競争庁長官に制裁権限があることが明記され，かかる事態は解決したが，

2014年は2004年競争法違反に関する取締体制を強化するための立法活動に注力していたため、さらに制裁金の総額等が激減したとのことである。

	2010	2011	2012	2013	2014	2015	2016	2017	2018
不公正な競争を目的とする広告活動	20	33	37	2	1	1	0	0	(内訳は公表されていない)
不公正な競争を目的とする販売促進活動	2	0	0	0	0	0	0	0	
他事業者に対する誹謗	1	2	0	0	0	0	0	0	
不当表示	1	0	0	0	6	18	15	9	
違法な多層式販売	4	1	3	1	0	0	0	0	
他事業者の事業活動を妨害する行為	0	0	1	0	0	4	5	3	
合計件数	28	36	41	3	7	23	20	12	5
制裁金の総額（百万ドン）	1,081	1,425	990	650	150	1,843.5	2,114	2,691	615

(オ) 刑事罰

2018年1月1日より施行されている刑法では、新たに、法人も一定の犯罪の主体として規定されており、法人が競争制限的協定を締結した場合や、市場支配的地位又は独占的地位を濫用した場合は、刑事罰の対象となり得る[9]。

具体的には、法人が競争制限的協定を直接又は間接に締結し、且つ5億ドン以上30億ドン未満の利益を得た場合又は他者に10億ドン以上50億ドン未満の損害を負わせた場合は、10億ドンから30億ドンの罰金の対象となる。また、事件の性質や取得した利益又は損害の大きさによっては、より重い刑事罰が科され得る。すなわち、競争制限的協定を直接又は間接に締結し、且つ、(i)

---

9) 刑法217条。個人が犯した場合も刑事罰の対象となる。

市場支配的地位又は独占的地位を濫用し[10]，(ii) 30億ドン以上の利益を得，又は，(iii) 他者に50億ドン以上の損害を負わせた場合には，30億ドンから50億ドンの罰金，又は6か月から2年の事業活動停止の対象となる。さらにこれらの場合，追加的に1億ドンから5億ドンの罰金（基本刑が事業活動停止の場合）が科されたり，1年から3年の間，一定の事業分野での活動が禁止され又は資金調達が禁止される可能性もある。

(3) 個人情報保護

(ア) 現行制度の概要

ベトナムには，日本の個人情報保護法や個人情報保護委員会のような統一された個人情報保護法令や執行機関は存在せず，個別の法令がそれぞれ個人情報やプライバシーの保護に関する規定を定めている。

しかし，ベトナムには，立法段階において法令相互の矛盾を防ぎ，各法令の適用範囲・役割分担を明確にする機能が十分に備わっていない。そのため，この分野のベトナム法の規定は，適用関係や規制の詳細が不明確であり，データの機動的な利活用が重要となる今日の企業活動を阻害するおそれが否定できないものとなっている。

(イ) 関連法令

ベトナムにおいて個人情報に関する規制を定める主な法令としては，①民法，②サイバー情報保護法，③情報技術法，④消費者権利保護法，⑤電子商取引に関する政令52号（decree 52/2013/ND-CP），⑥サイバーセキュリティ法が挙げられる。

基本的には，①は個人情報を取り扱う場合は常に，②及び③は情報技術を用いて個人情報を取り扱う場合，④は消費者情報を取り扱う場合，⑤及び⑥はオンラインサービスの過程等で個人のデータ等を取り扱う場合に適用されると考えられるが，上記のとおり，各法令において規制対象となる情報や事業者の定義は必ずしも明確ではないので，注意が必要である。上記以外に，特定の業界

---

[10] 刑法217条2項において，市場支配的地位又は独占的地位の濫用は独立した犯罪として規定されておらず，競争制限的協定を締結した場合の加重要件として規定されている。2018年競争法上，これらは別個の違反行為を形成することを考えると，刑法217条の構成には疑問がある。

にのみ適用される個別法に，当該業界特有の個人情報に関する規制（金融業界における金融関連個人情報に関する規制等）が存在することもあるので，実際の案件では，問題となる情報及びビジネスの内容を踏まえて，適用される規制を慎重に検討することが必要である。

(ウ) 規制の概要及び留意点

　上記各法令に基づく規制の概要としては，適用関係や規制の詳細が不明確という問題はあるものの，利用目的の本人通知義務，本人の同意取得義務，安全管理義務，本人の訂正・廃棄請求権等，日本の個人情報保護法と大きく異なるものではない。

　しかし，上記(イ)の各法令には，日本の個人情報保護法のように，利用目的範囲内で第三者に個人情報の取扱いを委託する場合やM&Aに伴って相手方に個人情報を提供する場合に，本人の同意を不要とする例外規定が存在しない。また，オプトアウトによる同意取得について定めた規定も存在しない。そのため，事業者が個人情報を取り扱う場合に，日本法と比べて本人の同意が必要とされる場合が多いことに留意する必要がある。この点，日本企業がベトナムで製品製造等を行い，人事目的で従業員の情報を取り扱う場合，相手は従業員であるため，書面等記録に残る方法で同意を取得しておくことが基本的な対応となる。これに対して，ベトナム市場でビジネスを行い，ベトナム人顧客の情報を取り扱う場合，同意を取得すべき人数が多くなり本人への継続的アクセスも容易ではなくなるため，想定される利用範囲をすべてカバーする同意を取得していなかった場合，同意取得がデータ利活用への障害となり得る点に留意が必要である。

　また，安全管理義務等の個人情報保護体制に関する規制については，ベトナム法には従前，具体的管理方法・管理場所等に関する詳細・厳格な規定は乏しかった。したがって，個人の同意さえとってしまえば，その情報をどこでどのように管理すべきかについては，企業の裁量の余地が大きいものとなっていた。たとえば，現在でも，ベトナムで収集した個人情報を国外に持ち出すことに法令上の制限はなく，実際，ベトナムで収集された個人情報がシンガポール等の国外サーバーで保管されている事例は珍しくない。

　もっとも，近年，サイバー環境におけるデータ保護等を目的としたサイバー

情報保護法が成立し2016年7月1日に施行され，システム開発・運用等を主体的に実施する事業者には一定の具体的安全管理義務が課される等，その状況も変わりつつある。特に，2019年1月から施行されたサイバーセキュリティ法には，以下で述べるとおり広範なデータローカライゼーション義務が規定されているため，留意が必要である。

(エ) 個人情報保護に関する政令制定の動き

2019年12月27日，個人情報保護に関する政令の草案がパブリックコメントのために公表された。同政令は，ベトナムで初めて個人情報保護にフォーカスした法令であり，同草案には，EU（一般データ保護規則）に影響を受けたと思われる管理者・処理者の区別，センシティブデータの定義，個人データ国外移転時の登録義務等が規定されている。同政令制定後は，ベトナムの個人情報保護に関する規制は同政令に依拠することになると思われるので，今後の動向に留意が必要である。

(4) サイバーセキュリティ

2019年1月に施行されたサイバーセキュリティ法は，サイバー空間のセキュリティや秩序の維持を目的としており，ベトナムにおいて電気通信ネットワーク又はインターネット上のサービス・サイバー空間上の付加価値サービスを提供する国内外の企業に対して，様々なセキュリティ確保の義務や，当局への協力義務を課している。例えば，以下のような義務が規定されている（26条2項）。

- 本法の違反について捜査と処分を行うために書面による要請のあった場合には，公安省の下にあるサイバーセキュリティ対策委員会に対して利用者情報を提供する。
- サイバーセキュリティ対策委員会又は情報通信省から要請のあった場合，その要請から24時間以内に，禁止されている情報を削除してそのような情報が共有されることを防止し，本法の違反について捜査と処分を行うために政府の定める期間内はシステム内で履歴を記録しておく。
- サイバーセキュリティ対策委員会又は情報通信省から要請のあった場合，サイ

> バー空間上で禁止されている情報を掲示している電気通信ネットワーク,インターネット及びサイバー空間における付加価値サービスについて,組織又は個人に対する提供を差し控え又は中止する。

　また,同法は,上記のような規制を実効的なものとするため,広範なローカライゼーション義務を定めている。

　具体的には,同法は,ベトナムにおいて電気通信ネットワーク又はインターネット上のサービス,サイバー空間上の付加価値サービスを提供する国内外の企業が,ベトナムにおける個人情報に関するデータ,サービス利用者の関係に関するデータ又はサービス利用者の作成したデータの収集,利用,分析又は加工を行う場合,ベトナム政府の定める一定期間中,そのデータをベトナムで保管しなければならないと規定している(26条3項)。また,当該要件を満たすベトナム国外企業は,従前ベトナムの情報通信省に連絡先を届け出れば足りたところ,本法では,ベトナムに支店又は駐在員事務所を設けることが義務付けられた(同項)。

　ベトナムでは,従前からSNS等の一部のオンラインサービスについては一定のローカライゼーション義務が適用されていたが[11],同法に基づくローカライゼーション義務は,法令の文言上はオンラインサービス一般に広く適用されるように読み得るものとなっているので,留意が必要である。

　もっとも,当該義務は,その施行規則を政令で定めることとされているため(26条4項),適用範囲も当該政令で一定程度限定されることが期待される。この点,2018年10月31日から2019年1月末まで,当該政令案がパブリックコメントに付されていた。同政令案は,①ローカライゼーション義務の適用対象となるデータ及びサービスの内容を具体的に列挙するとともに,②適用される場面を事業者がサイバーセキュリティ法に違反した場合に限定し,③更に事業者に当該義務の履行について一定の猶予期間を与えるものであった。パブリックコメント時の内容から大幅に変更され制定される可能性もあるので,動向を注視する必要があるが,当該政令は本稿作成日時点ではまだ公布されていない。

---

11) 政令72/2013/ND-CP。

2 危機管理対応

(1) 総論

　一般論として，企業にて不祥事が発覚した場合，企業が受ける種々の損害を最小限に留めるために必要なポイントは世界共通である。すなわち，①関係者への事情聴取やメールの保全，解析，証拠化（フォレンジック）等を行い，事実関係を解明すること，②解明された事実関係に基づき，各当事者の負う民事・刑事上の法的責任等の見通しを検討すること，③かかる見通しに基づいて，当局への申告やその他公表措置，マスコミ・取引先・株主・金融機関への対応，再発防止策の策定や，関係者の責任追及などに係る総合的な戦略を立てること，の3点である。

　本章では，特に，ベトナムの文化，法制度，社会制度に照らし，上記①ないし③のうち，ベトナムにおいて特に日系企業が留意すべき論点を説明する。

(2) 社内調査に関する留意点 [12]

(ア) 犯罪非告発罪の存在について

　まず，社内調査実施の是非・範囲を検討するに当たっては，刑法上，犯罪非告発罪が存在することに留意すべきである（刑法390条・19条1項）。犯罪非告発罪とは，一定の犯罪[13]が準備されている，実行されている，又は実行されたことを明白に知りつつ刑事告発しない者に対して成立する犯罪であり，法定刑として，戒告，3年以下の非拘束矯正又は6か月以上3年以下の懲役刑が定められている。

　犯罪の非告発罪は，法人単位ではなく，犯罪の存在等を知った個人毎に成立するため，むやみに調査主体を増やしたり，調査範囲を拡大したりすると，

---

12) 不正調査の進め方に関する一般的な説明は，西村あさひ法律事務所・危機管理グループ編『危機管理法大全』618頁以下（商事法務，2016年）の記載が詳しい。
13) 犯罪非告発罪の対象となる犯罪は多岐に上る（刑法390条・14.2条・14.3条・389条）。企業不祥事に関連する罪名としては，例えば，財産奪取罪，窃盗罪，詐欺罪（以上，同条1項dd），贈賄罪，贈賄を斡旋する罪，財産横領罪，窃盗罪，詐欺罪（以上，同項i）などが挙げられる。

「実行されたことを明白に知」る者が増え，犯罪の非告発罪が成立し得る人数・範囲を増やしてしまうことになりかねない。一般的に，情報管理の観点から，社内調査の調査主体は必要最小限に絞られるべきであるが，特にベトナムにおいては，それと同時に，犯罪非告発罪という，新たな刑事責任を負うリスクを回避する観点からの検討も不可欠となる。

(イ) 第三者（従業員や取引先／探偵や公安）に協力を依頼する際の問題点について

社内調査に当たって，従業員や取引先，探偵や公安に対して協力を依頼することもあろうが，それぞれ，別個の留意点が存在する。

まず，日系企業は，ベトナムにおいては外資系企業という立場に置かれるため，特にベトナム人の責任を追及する可能性がある場合，ベトナム人の従業員や取引先から，協力を得ることが難しい傾向にある。これらに依頼する窓口には，信用のおけるベトナム人（不祥事に関与していないことが明らかなベトナム人従業員やベトナム人弁護士など）を選出するべきである。

次に，探偵や公安に協力を依頼することについては，その依頼が本当に不可欠であるか，慎重な検討を重ねるべきである。まず探偵については，ベトナムにおいて，正式なライセンスを有する探偵が殆ど存在しないと理解されている。中には，政府関係者とのパイプなどを売りにする探偵も存在するところ，そのような探偵を起用した場合，政府への贈賄といった違法な調査が行われるなどして，新たな刑事責任が生じるリスクがある。また，公安に対して協力を依頼すると，企業秘密を含む文書の提出を命じられたり，長時間に及ぶ調査対応を強いられたりといった，諸々のコストを支払わざるを得なくなる事例が散見される。探偵や公安への協力依頼に当たっては，依頼により生じるコスト・リスクと，依頼の必要性について，経験豊富な弁護士等の専門家を交えて比較検討するべきである。

(3) 処分検討における留意事項

(ア) 労働法上の対応

前記Ⅲ5記載のとおり，労働法上，懲戒処分を行うためには，様々な法律

上の制限が課せられている点に留意すべきである。

　また，懲戒解雇を行うに当たっては，懲戒解雇事由を立証できるだけの客観的証拠等を収集する必要があるが，他方で，そのような証拠等を収集した場合，前記(2)㋐記載のとおり，犯罪が「実行されたことを明白に知」ってしまう可能性もあり得，その場合捜査当局への告発義務が生じるリスクもある。しかも，一旦，捜査当局へ告発し，警察又は検察による捜査が開始された場合には，その捜査中には懲戒解雇が法律上認められなくなる（2012年労働法123条4項(c)，2019年労働法122条4項(c)）。

　さらに，使用者の懲戒解雇を行う権利は，違反行為の日から原則として6か月以内に行使しないと時効消滅してしまう（2012年労働法124条1項，2019年労働法125条1項）。

　社内調査により，役員や従業員が不法行為を行った事実が判明した場合，懲戒処分を検討することとなろう。ただし，上記のとおり，懲戒解雇に関しては，短時間のうちに，様々な事由を考慮した上で，その是非を慎重に判断する必要があり，また，懲戒解雇すると決めた場合には，法定された手続を正確に履践しなければならない。前もって，弁護士等の専門家にアドバイスを仰ぐ方が望ましいと考えられる。

㋑　民事上の損害回復等

　裁判所に対して，不法行為者への損害賠償請求訴訟などを提起する場合には，不法行為者による財産隠しなどを防止するため，緊急保全処分の申立てを行うことが多い（民事訴訟法〔92/2015/QH13〕111条）。裁判所により緊急保全処分の適用が認められた場合，労働契約の一方的な解消，紛争のある財産の差押え，債務者の財産の凍結，特定の行為の禁止又は強制，債務者の出国禁止など，暫定的な権利保全に必要な処分が下される（同114条）。

　しかし，緊急保全処分の申立ては，本訴請求の提起以降にしか認められない（＝日本法のような本案提訴前の仮保全処分制度ではない）点に留意が必要である。また，紛争のある財産の差押え，債務者の財産の凍結などの一定の類型に係る緊急保全処分については，債務者が履行すべき債務と同額の担保を提供する必要がある（同136条）。さらに，後記3(2)㋑記載のとおり，判決を得た後の執

行手続については，債務者による濫用的な不服申立てによる強制執行手続の引延ばしが横行していること等，様々な制度上の問題点があることにも留意したい。

(ウ) 刑事告発に関する留意点

刑事告発を行った場合，捜査当局により捜査が開始され，被疑事実に関する証拠が固まり次第，起訴処分となる[14]。刑事告発を行うに当たっては，原則，以下の公訴時効期間が定められていることに留意すべきである（刑法27条2項各号・9条）。

犯罪の類型	公訴時効期間 （犯罪が行われた日から起算）
法定刑の上限が，罰金，非拘束矯正罰，懲役3年以下の犯罪	5年
法定刑の上限が，懲役3年超，7年以下の犯罪	10年
法定刑の上限が，懲役7年超15年以下の犯罪	15年
法定刑の上限が，懲役15年超20年以下，終身刑又は死刑の犯罪	20年

(4) 再発防止策の策定に関する留意点 [15]

(ア) コンプライアンス教育を行うことの重要性

一般論として，ベトナムで任用された役職員は，日系企業の役職員であれば当然に有すると想定される水準とは異なる水準のコンプライアンス意識を持つことが多い。例えば，当職らの経験的な知見による限りでは，ベトナム人には，

---

[14] 2012年の調査によれば，2003年刑事手続法下での8年間で，56万3352件が警察に報告され，そのうち53万5090件（約95％）が捜査対象となり，26万8968件（約50.3％）が起訴された（http://duthaoonline.quochoi.vn/DuThao/Lists/DT_TAILIEU_COBAN/Attachments/1936/B16.07_bc_tong_ket_10_nam_thi_hanh_BLTTHS2003.doc）。

[15] 再発防止策の策定に関する一般的な留意点としては，西村あさひ法律事務所危機管理グループ監修『役員・従業員の不祥事対応の実務——社外対応・再発防止編』236頁以下（レクシスネクシス・ジャパン，初版，2015年）の記載が詳しい。

「お世話になった人にお礼をすることが当たり前である」という感覚を持っている者が多く，それが，贈賄への抵抗感を低くしているようにも見える。

　日系企業で必要とされる水準のコンプライアンス意識を身につけさせるためには，当該ベトナムで任用された役職員に対して，刑法典の条文や，社内規程，過去の他社事例などを基に，具体的に，コンプライアンス違反に該当しうる行為，会社及び当人が受けうる制裁の内容，違反行為を発見した場合の適切な対処法などを説明する必要がある（例えば，贈賄であれば，構成要件，法定刑，具体的な摘発事例，贈賄が「お礼」という形で正当化できないこと，贈賄を求められた場合には速やかに会社に報告すること，などを説明する必要があろう）。

　この際，同人らが英語等の外国語を使えない場合にはもちろん，一定程度使うことができる場合であっても，可能な限り，ベトナム語で説明し，真に，コンプライアンスの重要性を理解してもらうよう努めることが望ましい。

(イ)　社内規程の作成に係る留意点

　再発防止策の一環として，社内規程を見直すこともあろう。適切なガバナンス体制を敷くためには，社内規程において，コンプライアンス違反行為そのものを禁止するのはもちろん，客観的に見てコンプライアンス違反と疑われかねない隣接行為についても禁止する必要がある。しかし，後者の隣接行為については，そもそも極めて多用な事例が想定されることに加え，ベトナム法は，依然として発展途上であり，法解釈が安定していない事例も多い。そうすると，少しでもコンプライアンス違反にも見える隣接行為（例えば，懇意にしている取引先に対して，旧正月に安価な贈答品を送ること）まで一律に禁止した場合には，円滑な業務に必要な日々のやりとりまで禁止されかねず，他方で，かかる隣接行為について逐一，妥当性を確認する場合には，管理コストが膨大なものとなり，いずれにせよ，非現実的な社内規程になってしまう。そして，最終的に，非現実的な社内規程は形骸化し，守られなくなることが多い。

　社内規程を作成するに当たっては，各社の事業内容，今後予定している事業展開，法制度改正，当局の動向などに照らして，注意すべき隣接行為を特定し，必要な限度で管理を行うべきである。具体的に，どのような規程を作成するべきかは，様々なコンプライアンス違反事例に接している弁護士等の専門家のア

ドバイスの下で，責任者が，自ら，どの程度の隣接行為までを管理するか（＝反対から見れば，管理しない隣接行為を決め，リスクを許容すること）を判断するべきであろう。

3　紛争解決

(1)　ベトナムにおける紛争処理手続

　紛争処理手続としては，ベトナム国内の裁判所若しくは仲裁機関による解決，又は外国（日本を含む）の裁判所若しくは仲裁機関による解決が考えられる。

　但し，ベトナム国外の裁判所又は仲裁手続により判決又は仲裁判断を得ても，被告となったベトナム企業の資産がベトナム国内に存在する場合は，当該判決又は仲裁判断をベトナム国内において執行する必要がある。ベトナムは「外国仲裁判断の承認及び執行に関する条約」（いわゆる「ニューヨーク条約」）に加盟しており，外国で得られた仲裁判断をベトナムの裁判所において承認及び執行決定を経て執行することは，理論上は可能である（但し，以下に詳述する問題がある）。しかしながら，外国裁判所の判決に関しては，日本とベトナムとの間には，相互の判決の承認及び執行について規定する二国間条約が締結されておらず，また相互の保証もないことから，日本の裁判所の判決をベトナム国内で執行することは事実上できない[16]。

　また，ベトナム国内の裁判手続についても，第一審では民間から選ばれた人民参審員が裁判官とともに合議体を構成して審理を行うため，法的に見て不合理な内容の判決が出される可能性があるほか，裁判官の経験値や中立性に関する懸念も指摘され，紛争処理手続としては避けられることが多いようである。

　以下では，ベトナムにおける裁判手続及び執行手続に触れた上で，ベトナム国内の仲裁手続及びベトナム国外の仲裁判断の承認・執行について概説する。

(2)　ベトナムにおける民事訴訟手続の概要

　民事訴訟を提起するためには，原告は管轄を有する人民裁判所に，書類及び証拠を添付した訴状を提出する（民事訴訟法 190 条）。裁判所は，法定の記載事項が含まれていない場合は，訴状を補正，補足するためその旨を原告に通知す

---

[16]　ベトナム国内の裁判所の判決も日本国内では執行が難しい（日本国民事訴訟法 118 条 4 号）。

3 紛争解決

る（民事訴訟法193条1項）。裁判所が書類及び証拠を添付した訴状を受領後，当該事件がその管轄下にあると判断した場合には，裁判所は原告に対し，訴訟費用の前払の通告を発する（民事訴訟法195条1項）。訴訟費用の支払がなされた後に，裁判所は正式に当該事件を受理し，審理の準備が開始される（同3項）。

ベトナムでは和解前置主義が採用されており，原則として，裁判所は審理に入る前に，法令の定めるところにより，裁判所主導による訴訟当事者間の和解調停手続を設定し（民事訴訟法205条），そこでは当該事件を担当する裁判官が，当該紛争において訴訟当事者が和解による合意に到達するのを助成すべく，仲介の役割を果たす。和解の場で解決ができなければ，裁判所は審理期日を定める。

標準的な民事事件は，全ての関係者の出席の下，公開される（民事訴訟法15条2項）。

民事裁判の第1審には，簡易手続の場合を除き，人民参審員が参加することとされており（民事訴訟法11条1項），第一審では，裁判官1人，人民参審員2人（場合によっては裁判官2人，人民参審員3人）から構成される合議体により審理が行われる[17]。人民参審員は，その地方の民間組織であるベトナム祖国戦線（Vietnam Fatherland Front）の委員会からの推薦により，人民評議会によって選任される[18]。人民参審員として選任される者は，ベトナム国民であること，祖国及びベトナム国の憲法に忠実であること，優れた道徳的資質及び確固たる政治的姿勢を有し，地域社会で信用を得ていること，公正を守る勇気と決意を有し高潔で誠実であること，法的知識があることなど一定の要件を満たすこととされているが[19]，これらの要件を測る基準は定められておらず，例えば何をもって「法的知識がある」と判断されるのか明確ではない。実際には公務員や教師等が務めることが多いようである。審議は，合議体の多数決に基づいて決定を下すこととされており，人民参審員は裁判官と同等の権限を有する

---

[17]　民事訴訟法63条。控訴審では，裁判官3人による合議体による審理が行われる（民事訴訟法64条）。
[18]　人民裁判所組織法（62/2014/QH13）86条。解任又は解職の場合も，ベトナム祖国戦線の委員会の同意を得てから，当該裁判所の裁判所長官の提案を受けて，人民評議会が解任又は解職する。
[19]　人民裁判所組織法85条。

ことから，判決では，人民参審員の総数の意見が，裁判官の意見に勝ることとなる。

なお，2015 年に成立した改正民事訴訟法により，第一審における簡易手続が新たに導入された。簡易な事実関係，明白な法的構成，充分な証拠が存在する場合等の所定の場合において，人民参審員が参加することなく，一名の裁判官により審理される手続である（民事訴訟法 65 条・317 条）。

第一審裁判所の判決及び決定については，控訴することが可能である（民事訴訟法 17 条 1 項)[20]。控訴されない場合は，第一審の判決及び決定が，控訴期間満了時に法的効力を生じるが，控訴された場合は，控訴審の判決及び決定はその言渡しの日に法的効力を生じる[21]。法的効力が生じたこれらの判決・決定に基づいて，執行が可能となる（民事訴訟法 482 条 1 項）。

もっとも，法的執行力のある裁判所の判決又は決定であっても，司法再審査手続に従って再審査される場合がある。具体的には，矛盾する判決又は決定が存在しており当事者の権利利益に害を及ぼす場合，手続の重大な違反により当事者の訴訟追行の権利が保護されていなかった場合，又は法令適用に過誤があり当事者の権利利益や公共の利益が侵害される場合は，監督審手続において（民事訴訟法 325 条・326 条），また，新たな事実関係が発見されたとの申立てがあった場合には再審手続において審議が行われ（民事訴訟法 351 条・352 条 1 項），当該判決又は決定の破棄が決定されると，差戻審において新たな審理が開始されることとなる[22]。監督審又は再審の申立てには制限がなく，差戻審で出された判決又は決定も，本手続の対象となる。つまり，差戻審で判決又は決定が出されても，本手続により再び破棄・差戻しとなり，かかる差戻審の判決又は決定についても，さらに本手続により破棄・差戻しとなるため，本手続の申立てがなされなくなるまで，判決又は決定の効力が取り消されうることとなる[23]。

---

[20] 簡易手続による判決・決定についても，簡易手続による控訴審での審理が可能である（民事訴訟法 321 条 1 項）。

[21] 民事訴訟法 273 条・313 条 6 項・314 条 6 項。

[22] 但し，確定した判決又は決定に対して監督審手続又は再審手続を行うよう申立てができるのは，一定の者に限られており，最高人民裁判所の所長及び最高人民検察院の院長（最高人民裁判所の裁判官評議会の決定を除く全審級の判決及び決定に対して），並びに省級人民裁判所の所長及び省級人民検察院の院長（省級人民裁判所の判決及び決定に対して）のみとなっている。

[23] 但し，監督審及び再審の申立てには期間制限がある（民事訴訟法 327 条 1 項・355 条）。

これらの再審査の手続があるために，ベトナムの裁判制度は一見三審制のように見えることがあるが，監督審の手続に従って異議を申し立てることができるのはあくまで省級人民裁判所または最高人民裁判所の所長や省級人民検察院または最高人民検察院の院長であることから，(当事者は異議申立てを検討するよう提案はできるものの) ベトナムの裁判制度は二審制度といえる。

　なお，裁判手続中，いかなる関連当事者も，証拠を保全し，回復不能な損害を回避するために現状を保持し，又は法的執行を確保するために，1件又は複数の差止救済措置を裁判所に請求する権利を有する[24]。

(3) 執行手続と問題点

　債務者が債権の任意の履行を行わない場合，債権者は，民事判決執行法(64/2014/QH13) に定める手続に従い，執行機関(民事判決執行局)に対して強制執行を申し立てることができる。一般的な強制執行の主な手続の流れは次頁の図のとおりである。強制執行の手段には，日本と同様，債務者の財産を差し押さえた上で競売することが含まれている。判決等の執行を促進するため，ホーチミン市など一部の地域においてはBailiff制度が実験的に運用され，民間機関であるBailiffが裁判所の判決等の執行業務の一部を担ってきたが，2016年1月1日からは，正式な制度としてBailiff制度が全国的に導入されている[25]。

(ア) 競売開始価格の再評価制度

　民事判決執行法によれば，財産を競売する場合，執行官による財産の差押え後，当事者が財産の価格について合意する場合にはその価格が競売開始価格となるが[26]，当事者が財産の価格について合意することができない場合には，財産評価機関がその財産を評価することになる[27]。但し後者の場合，競売の公示がされる前に関係者が再評価の要請を行った場合[28]には，再評価が行わ

---

[24] 民事訴訟法111条1項。
[25] 2019年9月3日現在，ホーチミン市，ハノイ市，ハイフォン市等の地域において合計81のBailiff事務所が設立されている。
[26] 民事判決執行法98条1項。
[27] 民事判決執行法98条2項a。
[28] その他，執行官が民事判決執行法に違反して，不正確な財産評価がなされた場合にも，再評価が行われる(民事判決執行法99条1項a)。

IV コンプライアンス・危機管理・紛争対応

〈執行手続の流れ〉

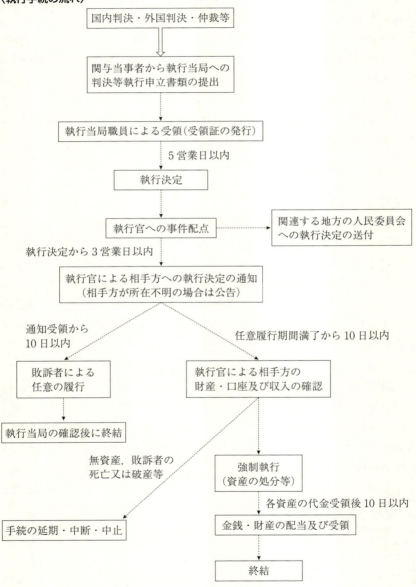

れる（民事判決執行法 99 条 1 項 b）。

　従来，競売開始価格について，債務者が再評価を求めることにより，競売手続が遅延するという問題が生じていた。政令[29]で，再評価を求めることができるのは，当初の評価額が客観的に合理的ではないことを証明できる場合に限られてはいるものの，再評価申立てがなされると，当初の評価額が客観的に合理的か否かを判断する必要が生じるため，強制執行手続が遅延する原因となっていたようである[30]。

(イ)　債務者の不服申立権

　債務者は，執行官の行為が自己の権利を侵害すると信じる場合には，不服申立てをすることができる（民事判決執行法 140 条）。

　この不服申立ては，債務者の濫用により強制執行手続の引き延ばしに使われているようであり，迅速な強制執行手続の障害となっている。

(ウ)　差押財産に訴訟が係属した場合の執行の延期

　強制執行手続において，差押財産に紛争が生じて裁判所に訴えが係属した場合には，執行が延期される（民事判決執行法 48 条 1 項 d・75 条）[31]。

(4)　ベトナムにおける仲裁

　ベトナムにおける仲裁は，商事仲裁法（Law on Commercial Arbitration: 54/2010/QH12。2010 年 6 月 17 公布，2011 年 1 月 1 日施行），民事訴訟法及び民事判決執行法によって規律されている。そのほか，各仲裁機関の定めるルールに従って仲裁手続が進められる。

29）　政令 58/2009/ND-CP（政令 125/2013/ND-CP による改正後のもの）15a 条。
30）　しかし，2014 年の改正後民事判決執行法では，当事者が再評価を求めるための要件として，財産評価機関による評価が規則に反して誤った評価を導いた場合等が要求されており，上記の遅延を解消するための変更が加えられている。
31）　2014 年の改正前の民事判決執行法では，債務者が，この規定を利用して，債務者の関係者による架空の訴訟提起により，強制執行手続を引き延ばすことが可能であり，迅速な強制執行手続の障害となっていた。現行の民事判決執行法では，新たな訴えの根拠となる取引が，強制執行手続を回避するために行われたものであることを示す根拠がある場合には，執行官は，債権者にその旨を通知し，債権者が，裁判所に対して取引の無効を宣言するよう求めるか，その取引の管轄当局に対して関連書類の受領を拒絶するように求めることができるようになっている。

Ⅳ コンプライアンス・危機管理・紛争対応

(ア) ベトナムの仲裁機関

ベトナム国内の代表的な仲裁機関は，Vietnam International Arbitration Centre（「VIAC」）である[32]。VIACのウェブサイトに掲載されている取扱紛争件数の表によれば，1993年の設立時より，VIACの取扱件数は下のグラフのとおり順調に伸びている[33]。もっとも，日本企業を含む外国企業による利用数は，シンガポール等と比べてまだ少数にとどまっている。

〈VIACの取扱紛争件数（1993年～2019年）〉

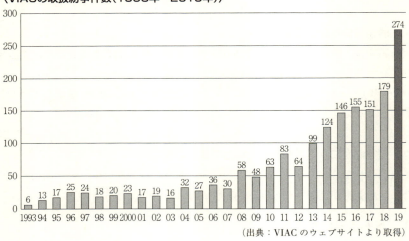

（出典：VIACのウェブサイトより取得）

---

[32] VIACのほか，以下の仲裁機関がある。
　　Asean International Commercial Arbitration Center（ACIAC）（ハノイ）
　　Ho Chi Minh City Commercial Arbitration Center（TRACENT）（ホーチミン）
　　Can Tho Commercial Arbitration Center（CCAC）（カントー）
　　Pacific International Arbitration Center（PIAC）（ホーチミン）
　　Vietnam Finance and Banking Commercial Arbitration Centre（VIFIBAR）（ホーチミン）
　　Finance Commercial Arbitration Centre（FCCA）（ホーチミン）
　　Southern Trade Arbitration Centre（STAC）（ホーチミン）
　　Highland Trade Arbitration Centre（HARCEN）（ダク・ラク）
　　Vietnam Traders Arbitration Centre（VTA）（ホーチミン）
　　Thinh Tri Commercial Arbitration Center（TTCAC）（ホーチミン）
　　South East Asia Arbitration Centre（SEAAC）（ハノイ）
　　Viet Finance Arbitration（VFA）（ホーチミン）
　　Vietnam Lawyers' Commercial Arbitration Centre（VLCAC）（ホーチミン）
　　Thang Long Arbitration Centre（TLAC）（ハノイ）
[33] https://drive.google.com/file/d/1VN96WDrloAWGnwl_y1OHIcglpqEs1yVP/view

また，仲裁人候補者名簿には日本人を含む外国籍の仲裁人も登録されており[34]，「外国的要素（foreign element）」のある紛争や，当事者に外資企業が含まれている紛争については，当事者の合意により，ベトナム語以外の言語での仲裁を選択することができる[35]。

(イ)　国内仲裁判断の執行

　ベトナム国内の仲裁判断は，別途，裁判所の承認がなくとも執行することができる。義務者が適時において自発的に仲裁判断に従った履行をしない場合には，仲裁判断の取消し（後記(ウ)参照）の申立てがなされない限り，権利者は，管轄を有する民事判決執行局に対して，当該仲裁判断を執行するように要求する権利を有する（商事仲裁法66条1項）。

(ウ)　国内仲裁判断の取消し

　裁判所は，紛争当事者からの申立てにより，以下の事由が認められる場合には，仲裁判断を取り消すこととされている（商事仲裁法68条2項）。仲裁判断の取消しの申立ては，仲裁判断の受領日から30日以内に管轄の裁判所に対して行う（商事仲裁法69条1項）。

(i)　仲裁合意がない場合又は仲裁合意が無効とされる場合
(ii)　仲裁廷の構成若しくは仲裁手続が当事者の合意に準拠していない場合又は商事仲裁法の条項に反している場合
(iii)　紛争が仲裁廷の管轄に属さない場合（仲裁判断に当該仲裁廷の管轄に属さない事項が含まれる場合，当該事項にかかる仲裁判断は取り消される）
(iv)　当事者が提出した証拠のうち，仲裁廷が仲裁判断を下す際に依拠した証拠が，偽造されていた場合，仲裁人が紛争の一方当事者から金銭，物的資産その他重要な利益を受領し，仲裁判断の客観性及び公平性に影響する場合
(v)　仲裁判断がベトナム法の基本原則に反する場合

---

34)　http://www.viac.vn/en/list-of-arbitrator/&nationation_id=1350
35)　VIAC仲裁規則（2017年3月1日以降）23条2項。

Ⅳ　コンプライアンス・危機管理・紛争対応

　なお、国内仲裁で外国投資家に有利な仲裁判断を得られても、相手方の裁判所に対する申立てにより、裁判所が仲裁判断を取り消す例もあり、国内仲裁が外国仲裁に比べて執行が容易と言い切れない理由の1つとなっている。裁判所の取消判断については上訴ができず、当事者には、改めて仲裁の申立てを行うか、訴訟を提起する途しか残されていない（商事仲裁法71条8項）。こうした問題を改めようとする動きはあるものの、未だ改善には至っていない模様である。

(5)　ベトナム国外の仲裁判断

(ｱ)　外国仲裁判断の執行

　前記(1)のとおり、ベトナムは、外国仲裁判断の承認・執行に関するいわゆるニューヨーク条約の加盟国であり、一定の手続に従って、外国仲裁判断をベトナム国内で執行することができる。もっとも、ベトナムは、ニューヨーク条約への加盟時に留保事項を付しており、以下の場合及び範囲に限り、ベトナムでの執行が可能であることに留意する必要がある。

(ⅰ) 他の条約加盟国の領域内でなされた仲裁判断であること（相互承認留保）
(ⅱ) 国内法において「商事（commercial）」と考えられる法律関係から発生した紛争であること（商事仲裁留保）
(ⅲ) 非加盟国の領域内における仲裁判断についてのニューヨーク条約の適用は、相互条約の範囲に限られること

(ｲ)　外国仲裁判断が執行できない場合

　ベトナムの民事訴訟法上、外国仲裁判断は、当該判断の承認拒絶を求める申立てに根拠があり、かつ、以下の事由が認められる場合には、ベトナムにおいて承認又は執行が認められない（459条）。

(ⅰ) 仲裁合意の当事者が、各当事者に適用される法令に従い、当該合意に署名をする権限を有していなかった場合

(ii) 準拠法，又は仲裁合意において準拠法の定めがない場合は仲裁判断がなされた国の法律において，仲裁合意が執行不能又は無効である場合
(iii) ある個人又は組織／機関に対して執行が求められている場合の，当該個人，組織／機関に対する，仲裁人の選任又は外国仲裁による紛争解決手続にかかる通知が，適切且つ適時になされなかった場合，又は当該個人，組織／機関が合理的な理由により手続上の権利を行使できなかった場合
(iv) 外国仲裁判断が，関連当事者によって仲裁に付されていない紛争についてなされ，又は仲裁合意をなした当事者の要求する範囲を超えてなされた場合（仲裁判断が分割可能な場合，当事者によって仲裁に付された部分については，ベトナムにおいて承認・執行される）
(v) 外国仲裁の仲裁人の構成若しくは外国仲裁の手続が，仲裁合意の内容に反する場合，又は仲裁合意においてかかる事項が定められていない場合は仲裁判断がなされた国の法律に反する場合
(vi) 外国仲裁判断が，当事者にとって法的拘束力を持つに至っていない場合
(vii) 外国仲裁判断が，仲裁判断がなされた国又は準拠法国の当局によって取り消され，又は執行を停止された場合
(viii) ベトナム法上，仲裁によって解決することが禁止されている場合
(ix) ベトナムにおける外国仲裁判断の承認及び執行が，ベトナム法の基本原則に違反する場合

(ウ) 仲裁合意の内容を検討する場合の留意点

　前記のとおり，外国で有利な仲裁判断を取得した場合でも，ベトナム国内で当該仲裁判断を執行するためには，ベトナムの裁判所において承認される必要があるところ，裁判所は，前記(イ)の(i)から(ix)の事由に該当するかどうかを検討し，該当すると解釈する場合は，仲裁判断の承認を拒絶することが可能となっている。実際，契約の署名者に署名権限が適式に与えられていないと判断されたり，「ベトナム法の基本原則」（上記(ix)）が広く解釈される[36]ことにより，

---

36) ニューヨーク条約において，仲裁判断の承認・執行が求められた国の権限のある機関が「contrary to the public policy of that country」（その国の公の秩序に反する）と認める場合は，仲裁判断の承認・執行を拒否することができるとされている（ニューヨーク条約5条2項b）。もっともベトナムは，ニューヨーク条約加盟にあたり，裁判所及び管轄当局による条約の解釈はベトナムの憲法及び法律に従うことを留保しており，裁判所がベトナムの一般法の規定を参照して「ベトナム法

Ⅳ　コンプライアンス・危機管理・紛争対応

この基本原則に反すると判断され，外国仲裁判断の承認・執行が拒絶された例がある[37]。したがって，外国の仲裁機関を選択する場合は，仲裁合意を含む契約の署名者の権限の確認（上記(ⅰ)に関連）や，ベトナム法規制の遵守を徹底すること（上記(ⅷ)(ⅸ)に関連）などにより，外国仲裁判断の承認・執行が拒否される可能性を可及的に減少させる努力が必要となる。

　相手方がベトナム法人の場合，外国仲裁を紛争解決手段とすることを拒まれることもあろう。しかしながら，手続の安定性や質的なレベルという観点から考えると，少なくとも現時点では，日本や第三国であるシンガポールでの仲裁を選択することが検討されるべきと言い得る。

の基本原則」に反すると判断する傾向にある。
[37]　ベトナムにおいて，外国仲裁判断の承認・執行が認められた事例も存在する。

V

撤　　退

V 撤　退

1　撤退に際して考えられる選択肢

　ベトナムに進出した企業が撤退する方法としては，①持分又は株式の譲渡又は②会社の解散が考えられる。

　①会社の解散の場合には，会社の持分又は株式の買手が見つからない場合であっても撤退することが可能だが，後述するとおり，当局の協力が得にくいため時間を要する場合が多い。一方，②会社の持分又は株式を譲渡する場合には，会社そのものは存続するため，雇用関係は継続し，財産の処分や債務の弁済も不要であり，基本的には買手との間の交渉と，持分又は株式の譲渡に係る手続のみで完了するため，会社の解散の場合と比較するとスムーズであることが多い。

　以下では，まず，冒頭に紹介した持分又は株式の譲渡（後記**2**），ベトナム現地法人の解散（後記**3**），外国法人の駐在員事務所又は支店の閉鎖（後記**4**）について順次述べた上で，続いて撤退に関する労務に関する留意点（後記**5**）について概説し，最後に，撤退に関連するトピックとして，倒産法制（後記**6**）及びその他の倒産・再生手続（後記**7**）についても解説する。

2　持分又は株式の譲渡

2名以上有限会社の持分譲渡については，既存持分権者に先買権が認められていることに留意を要する。すなわち，持分を譲渡したい者は，まず既存持分権者に譲渡の申出を行い，当該申出から30日を経過しても既存持分権者が譲り受けない場合に初めて，既存持分権者以外の者に対して持分の譲渡を行うことが可能となる[1]。

また，株式会社の株式譲渡においては，譲渡を希望する者が発起株主である場合，企業登録証明書の発給から3年間は，他の株主に譲渡することに制約はないものの，既存の発起株主以外の者に譲渡を行う場合には株主総会の承認が必要となる[2]。その他，株式譲渡に関する規制等は，前記Ⅱ5を参照されたい。

---

1) 2020年企業法53条1項。
2) 2020年企業法120条3項。

Ⅴ　撤　退

3　ベトナム現地法人の解散

(1)　法人の解散事由，及び清算手続の主な流れ

　ベトナム法上，全ての債務の完済ができること及び当該法人が裁判所又は仲裁機関における紛争解決手続中でないことを前提として，下記の場合に法人の清算手続が開始する[3]。

> (i)　定款に定める事業期間が延長されずに満了した場合
> (ii)　解散の決定・決議がなされたとき
> 　　　個人事業（Private Enterprise）の場合は会社所有者，組合法人（Incorporate Partnership）の場合は全ての無限責任組合員，有限会社の場合は会社所有者又は社員総会，そして株式会社の場合には株主総会により決定される。
> (iii)　社員又は株主の数が法令の定める最低人数を満たさず，且つ，その状態が6か月間継続しているが他の形態の法人への変更手続を行っていないとき
> (iv)　企業登録証明書が回収されたとき（別途税務管理法に定めがない限り）

　なお，解散の登録手続[4]を行う前に，支店，駐在員事務所や営業所の事業を停止すること[5][6]，また，警察により発行された会社印，支店，駐在員事務所や営業所の代表者印を使用している場合，印影の登録書と合わせて当該会社印又は代表者印を返却すること[7]が要求されている。

　また，法人が投資プロジェクトを行っている場合には，投資プロジェクトの終了を決議し，プロジェクトの終了について管轄当局へ通知し，投資登録証明書を提出する必要がある[8]。

---

3)　2020年企業法207条。
4)　後記(2)②の経営登記機関への解散決議の通知を意味すると考えられる。
5)　政令78号59条1項。
6)　計画投資省のウェブサイトによれば，支店等の事業の停止は解散の決議を行う前に行われるとの記載があるため，当局に手続を確認した上で解散手続を行うことが望ましい（http://www.mpi.gov.vn/Pages/tinbai.aspx?idTin=31641&idcm=368）。
7)　政令78号59条5項。

(2) 期間満了，解散決議又は出資者数要件を満たさない場合（上記(1)の(ⅰ)～(ⅲ)）の清算手続

清算手続の具体的な流れは，概要，以下のとおりである[9]。

① 法人の解散決定（決議）を行う。

2名以上有限会社の社員総会において解散の決議を行うためには，定款で別段の定めがない場合，出席社員の合計資本の75%以上の賛成が必要となる（特別決議）[10]。株式会社の株主総会においては，出席株主の総議決権の65%以上で定款で定めた割合の賛成が必要となる（特別決議）[11]。

解散決議には，(a)法人名及び主たる事務所の所在地，(b)解散の理由，(c)契約の履行及び債務の弁済に関する期限及び手続，(d)労働契約から生ずる債務の処理計画，(e)法定代表者のフルネーム及び署名，が記載される[12]。

解散決議後，法人は下記の行為を行うことが禁止される[13]。

> (ⅰ) 財産の隠匿・分散
> (ⅱ) 債権放棄及び債権の減額
> (ⅲ) 無担保債務に対する担保の提供
> (ⅳ) 法人の解散を目的とする契約以外の，新たな契約の締結
> (ⅴ) 資産に対する質権・抵当権の設定，並びに資産の寄付，贈与及び賃貸
> (ⅵ) 効力が生じている契約の履行を止めること
> (ⅶ) 増資

② 経営登記機関等への解散決議に関する通知[14]。

解散決議から7営業日以内に，経営登記機関，税務当局及び従業員に対して，解散決議及び議事録を添付して解散について通知しなければならない。ま

---

8) 政令118号41条2項及び41条4項。
9) 2020年企業法208条。
10) 2020年企業法59条3項。
11) 2020年企業法148条1項。
12) 2020年企業法208条1項。
13) 2020年企業法211条。
14) 2020年企業法208条3項及び4項，政令78号59条2項。

た，解散決議及び議事録は，国家企業登記ポータルに公示するとともに解散する法人の本社，支店及び駐在員事務所においても公示する必要がある。当該法人が，未払の金銭債務を有している場合には，債権者に対して解散決議とともに返済計画を添付して解散について通知する必要がある。かかる返済計画には，(a)債権者の氏名及び住所，(b)債務額，(c)債務の弁済に関する期限・場所・方法，並びに(d)債権者の不服申立てに関する期限及び方法が記載されている必要がある。

経営登記機関は，解散決議を受領した後直ちに，国家企業登記ポータルにおいて清算手続中である法人の状況並びに解散決議及び返済計画を公表しなければならないとされている。

③ 財産を処分する[15]。

定款で定められた清算委員会を組織する場合を除き，会社所有者若しくは社員総会（有限会社の場合），又は取締役会（株式会社の場合）が法人の財産の処分を行う。

④ 債務の弁済を行う[16]。

まず，(ⅰ)法令に基づく未払賃金，解雇手当，社会保険，医療保険，失業保険，並びに労働協約及び労働契約に基づくその他の従業員の利益について弁済する。続いて，(ⅱ)税金，(ⅲ)その他の債務の順番で残債務の処理を行う。

⑤ 税務処理等の手続を行う。

清算する会社の法人税及び従業員の個人所得税の確定申告，税務当局による税務調査，税コードの削除といった税務に関する諸手続を行う必要がある。

税務手続を含め，これらの手続に必要な書類や手続を行うタイミングなどについては法令上明確になっていないものも多いため，法律事務所や会計事務所又は関連当局に相談しながら手続を進めることが望ましい。

⑥ 残余財産の分配を行う[17]。

解散手続に関する費用を支払い，債務の弁済を行ってもなお財産が残った場合には，当該残余財産は会社所有者や出資者（株主）等に分配されることにな

---

15) 2020年企業法208条2項。
16) 2020年企業法208条5項。
17) 2020年企業法208条6項。

⑦　経営登記機関に対して解散申請書を提出する。

全ての債務を弁済した後5営業日以内に，法人の法定代表者は，解散申請書を経営登記機関に提出する[18]。

解散申請書には以下の書類が含まれる[19]。

> (i) 解散通知
> (ii) 会社財産の清算に関する報告書，債権者及び支払済の債務額（税金，社会保険料，医療保険料及び失業保険料も含む）に関するリスト，解散決議後における従業員リスト（もしいれば）

⑧　国家企業登記データベースの更新

事業登録局は，⑦の書類受領後5営業日以内に，又は，解散通知を受領した日から180日の期間が満了した時点において関係者から特段の異論が出ていない場合，国家企業登記データベースにおいて，当該法人が解散した旨を記録する[20]。下記(3)も同様。

(3) 企業登録証明書が回収された場合（上記(1)の(iv)）の清算手続[21]

①　国家企業登記ポータルでの通知[22]

経営登記機関は，企業登録証明書の回収を決定した場合，又は法人を解散する旨の裁判所の決定を受領した場合，国家企業登記ポータルにおいて，解散手続中の企業の状況を通知する。

②　解散の決議[23]

法人は，企業登録証明書の回収決定又は裁判所の決定を受領した日から10日以内に解散決議を行うための総会を招集しなければならない。

---

18) 2020年企業法208条7項。
19) 2020年企業法210条1項。
20) 2020年企業法208条8項。
21) 2020年企業法209条。
22) 2020年企業法209条1項。
23) 2020年企業法209条2項。

Ⅴ 撤　　退

③　解散決議の経営登記機関等への送付[24]

法人が解散決議を行った後，かかる決議は企業登録証明書の回収決定とともに，経営登記機関，税務当局及び従業員に対して，送付される。また，解散決議及び企業登録証明書の回収決定若しくは裁判所の決定は，解散する法人の本社及び支店においても公示する必要がある。当該法人が，未払の金銭債務を有している場合には，債権者に解散決議とともに返済計画を送付する必要がある。かかる通知には，(a)債権者の氏名及び住所，(b)債務額，(c)債務の弁済に関する期限・場所・方法，並びに(d)債権者の不服申立てに関する期限及び方法が記載されている必要がある。

④　財産の処分，債務の弁済，税務処理等の手続，残余財産の分配については，期間満了，解散決議又は出資者数要件を満たさない場合（(2)③〜⑥）と同様であると考えられる。

⑤　解散申請書の提出[25]

全ての債務の支払が完了した後5営業日以内に，法人の法定代表者は，解散申請書を経営登記機関に提出する。

⑥　国家企業登記データベースの更新[26]

経営登記機関は，解散申請書類の受領後5営業日以内，又は，①の通知から180日の期間が満了した時点において関係者から特段の異論が出ていない場合，企業登録を抹消する。

(4)　実務上の留意点

(ア)　増資のタイミング

法人を解散するためには債務の完済が求められるため，法人の資金がその債務の完済に不足する場合，親会社等から資金を注入した上で債務を完済し，解散を行うケースがある。但し，実務上，債務の弁済に必要な資金の金額については解散決議の段階にならないと判明しないことがある。一方で，上記(2)①(vii)にあるとおり，法人は解散決議の後に増資を行うことができないため，法人を

---

[24]　2020年企業法209条2項。
[25]　2020年企業法209条4項。
[26]　2020年企業法209条5項。

解散するに際しては，増資の範囲及びタイミングを慎重に検討し，関係機関への確認を尽くしておく必要がある。

Column

解散決議と増資

　ベトナムに進出した日系企業がその現地法人を清算させるに際し，当該現地法人の資金が債務の完済に不足することが予想される場合，解散決議と増資決議を同時に行い，解散決議後に増資資金を受領して債務を完済させる必要が生じるケースもある。解散決議後に増資を行うことを禁じている企業法に抵触する可能性を考慮すれば，当該法人が所在する工業団地管理委員会やその上級機関である計画投資省等と面談を行い，解散決議と同時に行う増資の有効性に関する確認を得た上で増資を実行する等の慎重な対応が望ましい。

(イ)　解散解雇のタイミング

　後記 5(1)を参照されたい。

(ウ)　不動産（土地使用権）の処分

　ベトナム現地法人がベトナム国内に工場等を設置する場合，工業団地から土地の（サブ）リースを受け，リース料は一括前払しているケースが多い。当該法人を解散するに際し，工業団地とのリース契約を解約し，リースの残存期間分のリース料を返還してもらう処理が望ましいものの，実務上，工業団地が支払に応じず，返還には困難が伴う場合も多い。

　そこで，前払したリース料を回収するため，リースを受けた土地使用権を第三者に譲渡する（残存期間分のリース料金を，第三者から譲渡代金として受領する）という対応も考えられるが，外国投資企業に直接土地使用権を譲渡することは認められていないため[27]，工業団地を交えた権利関係の調整手続に時間を要することもある。また，同じ工業団地に新たに進出する外国企業の現地法人に譲渡を行おうとする場合，ベトナムにおける会社（外資企業）の設立手続自体

---

27)　土地法 169 条 1 項(g)(h)(k)参照。

Ⅴ 撤　退

に時間を要することから，結果として不動産の処分（換金）までに相当程度の時間を要する可能性もある。

　ベトナムの不動産関連法制に関する情報は，前記Ⅱ6を参照されたい。

4　外国法人の駐在員事務所又は支店の閉鎖

　外国法人がベトナムに設立した駐在員事務所又は支店は，下記の場合にその事業を終了する（以下，下記(i)から(iv)を「終了事由」という）[28]。

> (i)　外国法人の要請に基づく場合。
> (ii)　外国法人が，設立国又は事業登録している国の法律に従ってその事業を終了した場合。
> (iii)　駐在員事務所又は支店の設立許可証における事業期間が満了し，外国法人が期間の延長を求めなかった場合。
> (iv)　駐在員事務所又は支店の設立許可証が法定の事由に基づき取り消された場合。取消事由は，ベトナムに所在する外国法人の駐在員事務所又は支店に関して商法を実施するための細則を定めた政令7号（Decree 07/2016/ND-CP）44条に規定されており，例えば，1年間事業を行わず，当局との間でやりとりがない場合などが挙げられている。

　閉鎖のための具体的な手続の流れは，概要，以下のとおりである。

(1)　通　知

　外国法人は，設立許可証発給機関に事業終了の通知を送付しなければならない[29]。

(2)　公　告

　終了の通知は駐在員事務所又は支店において公示する必要がある[30]。

---

28)　政令07/2016/ND-CP（以下，「政令07号」という）。
29)　政令7号37条1項。
30)　政令7号38条1項・2項。

Ⅴ 撤退

(3) 義務の履行

外国法人，及び駐在員事務所又は支店は，契約の履行及び全ての債務の弁済（租税債務の支払及び従業員に対する合法なベネフィットの支払を含む）につき責任を負う[31]。また，Ⅳ1(2)⑤と同様，税務手続等も行う必要がある。

(4) 設立許可証発給機関に対する最終手続書類の提出

全ての債務を弁済した後，駐在員事務所又は支店は設立許可証発給機関に対して最終手続書類を提出する。

提出すべき書類として，以下のような書類が挙げられる。

(i) 事業の終了の通知（様式あり）[32]
(ii) 駐在員事務所又は支店の事業期間の延長を求めない旨の書面（終了事由(iii)の場合）又は駐在員事務所又は支店の設立許可証を取り消す決定（終了事由(iv)の場合）の写し
(iii) 債権者，債務の残高（未払の租税債務及び保険料を含む）のリスト
(iv) 従業員及び従業員に支払うベネフィットのリスト
(v) 設立許可証

(5) 設立許可証発給機関による事業の終了についての公表

上記(4)の書類を受領した日から5営業日以内に，設立許可証発給機関は，そのウェブサイト上で，当該駐在員事務所又は支店が事業を終了したことを公表しなければならない[33]。

---

31) 政令72号23条3項。
32) 通達11/2006/TT-BTM 5条1項(b)号参照。
33) 政令7号37条3項。

5 労務に関する留意点

(1) 解散解雇

　使用者が法人の場合，解散したとき又はその事業を終了したときに労働契約も終了する（労働法36条7項。以下，「解散解雇」という）。

　解散又は事業終了に伴って労働契約が終了した場合，使用者は，12か月以上の勤務を行ってきた労働者に対し，勤務期間1年につき半月分の賃金相当額の退職手当（勤務期間が10年であれば5か月分の賃金相当額）を支払う必要がある[34]。算定の根拠となる賃金については，退職する直前の連続6か月間における平均賃金を用いる。

　算定の根拠となる勤務期間年数については，失業保険に加入している期間を除くことになる点は整理解雇と同様である（前記Ⅲ5を参照されたい）。

　また，法令上の要請は上記のとおりであるが，整理解雇の場合と同様，実務上は，労働者に対して（ケースバイケースではあるが）1か月から3か月程度の給与額を上乗せした退職手当を支給の上，念のため，労働契約の終了に関する合意書を労働者から取得して未然に紛争を防ぐケースも見られる。当該合意書には，解雇に合意することのほか，未払残業代など，企業の従業員に対する未払債務がないことを確認する内容が盛り込まれることになる。

(2) 労働許可証に関する手続

　会社の解散により，外国人労働者の労働許可証は無効となり，会社は労働許可証を発行した当局に対して労働許可証が無効となったことについて通知しなければならない[35]。

---

[34] 労働法48条1項。
[35] 労働法174条7項。

Ⅴ 撤　退

6　倒　産　法　制

(1)　ベトナムの破産法の特徴

　ベトナムの破産法（51/2014/QH13。以下,「破産法」という）は，日本における倒産法制とは異なり，1つの法律の中で，再建型手続と清算型手続の双方について規定している（以下，双方の手続を指す場合を「倒産手続」という）。債権者集会における債権者の決議によって，再建するか，清算するかが決定される仕組みとなっており，倒産手続の申立段階で，申立人が再建するか清算するかを選択できない点に特徴がある。また，破産法は企業，合作社（cooperative）及び合作社連合（alliances of cooperatives）を対象とした倒産手続を規定しているのみであり，ベトナムにおいて，個人を対象とした破産手続が存在しないことも大きな特徴である（会社所有者や取締役といった個人が会社債務を保証している場合，ベトナムでは個人が免責される制度がないため，会社についてのみ破産を申し立てることに躊躇するケースも多いように思われる）。

(2)　破産法の概要

　以下，破産法が定める倒産手続の概要を述べる（354頁の図参照）。

㋐　管轄裁判所[36]

　中央当局の下にある市・省の人民裁判所（以下,「省級人民裁判所」という），又は県級人民裁判所が管轄裁判所となる。省級人民裁判所が管轄権を有する場合は破産法によって限定されており，当該省に企業登録をしている企業であって，(a)破産手続が海外の資産に関係している場合又は海外の利害関係人がいる場合，(b)企業が省級未満の複数の行政区域にまたがって支店や駐在員事務所を保有している場合，(c)法人が複数の省にまたがって不動産を所有している場合，(d)事案の複雑性により，省級人民裁判所が直接扱うべき事案と判断した場合に，

---

36)　破産法8条。

省級人民裁判所が当該企業にかかる倒産事件を扱うこととなる。

　県級人民裁判所が管轄を有するのは，当該企業の本店がその管轄内の行政区域に所在しており，且つ破産手続が省級人民裁判所の管轄に服さない場合である。

(イ)　適用対象[37]

　企業（国営企業を含む），合作社及び合作社連合。

(ウ)　申立権者及び申立義務者[38]

　倒産手続の申立権者は，(a)支払期限から3か月を経過してもなお弁済を受けていない無担保債権者及び一部無担保債権者，(b)期限到来後3か月を経過した賃金その他雇用に基づく従業員の債権について，不払がある場合の従業員又は労働組合，(c)株式会社が支払不能となったときは，少なくとも継続して6か月間，申立対象企業の普通株式の20％以上（定款で20％未満の比率を定めている場合には当該比率）を保有している株主又は株主グループ，(d)合作社又は合作社連合が支払不能となったときは，合作社の構成員又は合作社連合の構成合作社の法定代表者とされている。

　一方で，(e)法定代表者，個人事業体の所有者，株式会社の取締役会議長，2名以上有限会社の社員総会議長，1名有限会社の所有者及び組合法人の組合員には，申立権ではなく，企業が支払不能に陥った場合に倒産を申し立てる義務がある。

(エ)　倒産手続開始原因

　倒産手続開始原因は，企業が支払不能になることである。支払不能とは，弁済期が到来した債務の支払を3か月間弁済していないことをいう[39]。

---

37)　破産法2条。
38)　破産法5条。
39)　破産法4条1項。

V 撤　退

〈倒産手続の主な流れ〉

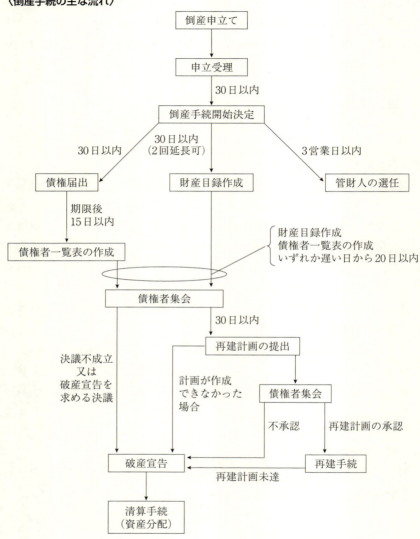

6 倒産法制

(オ) **申立て**

　債権者，従業員又は労働組合の代表者が倒産手続の申立てを行う場合，申立人は，日付・管轄裁判所名・申立人の氏名及び住所・申立てをされる法人（以下，「対象企業」という）の名称及び所在地・債権額を記載した申立書（後述する管財人について要望がある場合にはその旨も記載する。以下，申立書については同様）とともに，債権の証拠を提出する必要がある（以下，申立書と提出書類を併せて「申立書類」という）[40]。

　経営陣が倒産手続の申立てを行う場合，申立人は，日付・管轄裁判所名・申立人の氏名及び住所・対象企業の名称・所在地・申立てを行う根拠を記載した申立書を提出する必要があるほか，下記の書類を添付する必要がある[41]。

> (i) 対象企業の直近3か年の財務諸表（事業期間が3年未満の場合には，全ての事業期間における財務諸表）
> (ii) 支払不能の説明・支払不能を是正する試みに関する報告書
> (iii) 資産リスト及び資産の場所
> (iv) 債権者リスト・債務者リスト（氏名，住所，担保付・一部担保付・無担保の債権債務，弁済期到来の有無）
> (v) 対象企業の設立関連書類
> (vi) 残余財産の評価結果

　株主又は合作社の構成員又は合作社連合の構成合作社が倒産手続の申立てを行う場合にも，上記の経営陣の申立てと同様の申立書類を提出する必要がある[42]。

(カ) **申立受理**[43]

　申立書類が提出されると，1人の裁判官又は3人の裁判官からなる合議体

---

[40] 破産法26条及び27条。
[41] 破産法28条。
[42] 破産法29条。
[43] 破産法31条以下。

Ⅴ 撤　退

(以下,「裁判官」という) が任命され，当該裁判官によって申立てを受理するか否かが判断される。申立書類が要件を満たしている場合，裁判官から申立人に対し，申立費用や訴訟費用（予納金）が通知され，申立人は原則としてこれを支払う必要がある。申立書類に不備がある場合には訂正が求められる。

　次の場合には，申立てが却下される。①申請書類の不備を訂正しなかった場合，②上記(ウ)の申立権を欠く申立ての場合，③（支払能力があるにもかかわらず）申立費用を支払わなかった場合，④別の省級人民裁判所が同一の対象企業について破産手続を開始している場合，⑤債権者が申立てをした場合において，当該債権者が対象企業と合意して申立てを取り下げた場合。

　申立てが却下された場合，申立人は，却下決定を受領した日から3営業日以内に不服申立てを行うことができる。この場合，裁判所は，不服申立てを受領した日から3営業日以内に，不服申立てを却下するか，却下決定を覆して申立てを受理するかの決定を行うことになる。不服申立てを却下する決定に対しては，上級裁判所に対して，再度の不服申立てが許容されている。

　申立受理がされると，対象企業の資産に対する執行・訴訟・担保権の行使が停止される[44]。

(キ)　申立取下げに向けた交渉手続[45]

　要件を充足した申立書類が提出された場合，対象企業及び申立てを行った債権者は，申立てを取り下げるための交渉を行うことにつき，裁判所に許可を求めることができる。これを受け，裁判所は，20日を超えない交渉期間を定め，当該期間内に申立人と合意できれば，裁判所は申立てを却下する。但し，合意に至らなかった場合には，裁判所は申立てを受理し，上記(カ)に記載したとおり，申立人に対して申立費用等の支払を求め，手続を進行させることとなる。

(ク)　倒産手続開始決定[46]

　裁判所は，申立てを受理した後30日以内に，倒産手続の開始原因の有無を

---

[44]　破産法41条。
[45]　破産法37条。
[46]　破産法42条以下。

判断し（すなわち，対象企業が支払不能状態にあるかどうかを判断し），倒産手続開始又は不開始の決定を行う。不開始の決定がなされた場合，不開始の決定は申立人，対象企業，同級の人民検察院（People's Procuracy）に通知しなければならず，申立人に訴訟費用（予納金）は返金され，停止されていた執行手続等（上記(力)参照）が進行することになる。

倒産手続開始決定がなされた場合，申立人，対象企業，債権者，税務当局，同級の人民検察院等に通知がなされるほか，企業ポータル，人民裁判所のウェブサイトで公表され，及び対象企業の本店が所在する省の地元紙において2回連続で公示されることになる。

倒産手続開始決定又は不開始決定に対しては，関係当事者（対象企業・債権者・対象企業の従業員や株主等）は不服申立てを行うことができる。倒産手続開始決定又は不開始決定を行った裁判所の上級裁判所が当該不服申立てに関する判断を行うが，当該上級裁判所の決定が最終判断であり，再度の不服申立ては許容されていない[47]。

倒産手続開始決定がなされても，対象企業は，通常のとおり営業活動を行うことができる[48]。また，原則として，従来の経営陣が退陣することは強制されていないため，従来の経営陣が引き続き会社の経営を続けることになる。但し，一定の財産処分行為は禁止される[49]。

(ケ) 管財人の設置[50]

倒産手続開始決定後3営業日以内に，管財人が裁判官によって選任される。

管財人には，認可を受けた個人管財人又は管財機関が選任される。前者の個人管財人については，弁護士，監査人，法律・経済・会計・バンキング・金融分野における学位を持ち，当該分野で5年の経験を有する者に資格が認められる[51]。後者の管財機関とは，①組合（partnership）であって，少なくとも2

---

47) 破産法44条8項。
48) 破産法47条。
49) 破産法48条。
50) 破産法45条。
51) 2014年に破産法が改正され，このような専門家を管財人に選任することができるようになり，従前と比較して管財人がより機能するようになったため，破産申立件数が増加したと言われている。

Ⅴ 撤 退

人の管財人である無限責任組合員を有し，当該組合の会長又は社長が管財人である場合又は②個人事業体（private enterprise）であって，個人管財人が所有者且つ取締役である場合に資格が認められている[52]。

管財人の業務は破産法 16 条に列挙されており，財産の保全，事業の監視，財産目録等の作成，資産評価など多岐にわたる。

㈡ **財産目録作成・債権届出・債権者一覧表作成**[53]

倒産手続開始決定を受領してから 30 日以内に，対象企業は財産目録を作成し，財産の価値を評価する必要がある。また，同期間内に，債権者は，管財人に対して債権届出を行う必要がある。

管財人は，上記債権届出期間の満了後 15 日以内に，債権者一覧表を作成しなければならない。当該一覧表は破産手続を担当する人民裁判所，対象企業の本店，国家企業登記ポータル及び人民裁判所のウェブサイトで公表されるほか，債権届出を行った債権者に対して送付される。当該一覧表に対しては，対象企業及び債権者からの不服申立ての機会が与えられている。

㈥ **無効とみなされる取引（日本法でいう否認権に相当するもの）**[54]

倒産手続開始決定前の 6 か月間においてなされた対象企業の下記行為が無効とみなされる。

> (i) 市場価格によらない資産譲渡
> (ii) 無担保債務に対する全部又は一部の担保提供
> (iii) 弁済期が未到来で債権者の利益となる債務の弁済若しくは相殺
> (iv) 資産の贈与
> (v) 通常の事業に資するものではない取引
> (vi) 資産を処分する取引

---

52) 破産法 11 条から 13 条。
53) 破産法 65 条から 67 条。
54) 破産法 59 条及び 60 条。

対象企業が上記行為を関連会社等（親会社，子会社，対象企業の経営陣など）との間で行う場合には，倒産手続開始決定前の18か月間になされた行為が無効とみなされる取引の対象となる。

管財人は，裁判所に対し上記行為を無効と宣告するよう求め，当該請求から10営業日以内に裁判所は判断を行う。無効宣告がなされた場合，対象企業及びその契約相手方には不服申立ての権利が認められている。

(シ) **債権者集会**[55]

財産目録の作成又は債権者一覧表の作成のいずれか遅い方から20日以内に，裁判官は債権者集会を開催する。倒産申立てを行った申立人，及び対象企業の所有者又は法定代表者は，債権者集会に出席しなければならない。

債権者集会の定足数は全無担保債権額の51%以上を保有する債権者の出席である。債権者集会の決議は，出席した無担保債権者の過半数且つ全無担保債権額の65%以上の賛成があった場合に成立する。

債権者集会の決議は，全ての債権者を拘束する。但し，決議に不賛成の債権者に対し，不服申立ての機会が与えられている。

債権者集会においては，対象企業が支払不能となっていない場合には破産手続の停止を求めるか，対象企業について再建手続を行うか，破産宣告を求めるか等が議論されることになる。

(ス) **再建手続**[56]

債権者集会で再建手続を申し立てることが可決された場合，可決された時から30日以内に，対象企業は，裁判官・債権者・管財人に対して再建計画を提出しなければならない。債権者及び管財人は，計画受領後10営業日以内に，再建計画に対する意見を述べることとなる。

その後再建計画は裁判所の確認を得た上で債権者集会に提出され，債権者集会において当該計画を承認するか否かを決議することとなる。当該債権者集会の議事進行については破産法91条に法定されている。

---

55) 破産法75条以下。
56) 破産法87条以下。

Ⅴ　撤　退

　再建計画の承認のための決議要件は上記(シ)で述べたものと同様であり，出席した無担保債権者の過半数且つ全無担保債権額の65％以上の賛成があった場合に再建計画は承認され，全債権者を拘束する。

　債権者集会での承認を受け，裁判所が当該計画の承認決定を発出したとき，当該再建計画は関連当事者を拘束することとなる。

　再建計画には，債務者の事業再生の方法，債務の弁済計画等が記載されるが，債権者集会において再建計画の実施期間について特段の決議がない場合には，再建計画は可決された日から3年以内に終了することを要する。債権者集会において期間について決議がある場合には3年を超える再建計画も許容されるため，長期的な視点に立った再建が可能である。

(セ)　破産宣告[57]

　倒産手続申立てを受けた対象企業が破産宣告されるのは，以下の場合となる。

(ⅰ) 倒産申立てが行われたが，対象企業に，申立費用及び訴訟費用（予納金）を支払う経済的余裕がない場合。
(ⅱ) 倒産申立てが受理されたが，対象企業に，訴訟費用を支払う経済的余裕がない場合。
（上記2つの場合，裁判所は，債権者集会等の手続を経ることなく破産宣告するか，通常の破産手続を継続するかを検討する）
(ⅲ) 債権者集会が開催できなかった場合，又は債権者集会で決議がなされなかった場合（当該結果の報告を受けてから15日以内に破産宣告する必要がある）。
(ⅳ) 債権者集会において破産宣告を求める決議がなされた場合（決議を受領してから15日以内に破産宣告する必要がある）。
(ⅴ) 期限までに再建計画が作成できなかった場合，債権者集会において再建計画が承認されなかった場合，又は再建計画が未達な場合。

　破産宣告がなされた場合，申立人・対象企業・債権者・税務当局等に通知が

---

57) 破産法105条以下。

なされるほか，人民裁判所のウェブサイトでの公表，及び対象企業の本店が所在する省の地元紙において2回連続で公示されることになる。また，対象企業の事業登録を抹消するため，経営登記機関にも通知される。

上記通知を受けた者には，破産宣告に対する不服申立てを行う機会が与えられており，重大な法律違反や事情変更があった場合における特別手続も定められている。

(ソ) 財産分配命令 58)

破産宣告後，民事執行機関が執行決定を発出し，執行官が選任される。執行官は管財人による資産の清算手続の監督や，破産宣告に基づく配当等を行うこととされている。

資産の清算に際し，不動産及び一定の価値以上の動産を処分する場合には，競売にかける必要がある。

資産の配当は以下の順で行われる 59)。

> (i) 訴訟費用
> (ii) 未払賃金，未払となっている退職手当，社会保険，医療保険その他の労働契約に基づく労働者の利益
> (iii) 事業再建のために用いられた，倒産手続開始決定後に生じた債務
> (iv) 政府に対する債務，無担保債務，担保によって完済されなかった担保付債務

配当原資が上記の優先順位に基づく支払に満たない場合には，同一順位の優先債権を有する債権者に対してプロラタ（平等割合）により支払がされる。

対象企業の残余財産が上記の全ての優先債権を支払って余剰が出る場合には，当該余剰は，1名有限会社における所有者，2名以上有限会社における社員，株式会社における株主といった各事業体の出資者に配分される。

---

58) 破産法120条以下。
59) 破産法54条。

Ⅴ 撤 退

⑼ その他[60]

　100％国営企業が破産宣告された場合，当該企業の取締役，社長等は，以後，国営企業で同様のポジションに就任することはできない（期間の限定はない）。

　また，破産宣告を受けた企業の管理職（manager）が破産法上の一定の行為に故意に違反した場合（例：倒産手続開始決定後に禁止されている財産処分行為を行う等），破産宣告から3年以内の期間において，新たな会社を設立すること及び同様のポジション（管理職）に就任することが禁止される可能性がある。

　但し，これらの制約は不可抗力によって会社が倒産した場合には適用されない。

---

60) 破産法130条。

7　その他の倒産・再生手続

　ベトナムにおいて，現在，破産法以外の法的再生手続は存在せず，私的整理手続も実務上あまり行われていない。経営難に陥った企業の再建には，優良企業との合併や資産譲渡等（前記Ⅱ5）の組織再編が用いられている。

VI

終わりに

Ⅵ　終わりに

(1) 節目の年を迎えるベトナム

　2020年のベトナムは，独立宣言から75年，南北統一から45年，ASEAN加盟から25年という節目の年を迎えている。2019年の統計によれば人口は9600万人を超え，世界15位（東南アジアで第3位）に位置付けられる。経済規模はドイモイ政策開始時の9.7倍となる29.6兆円まで到達，2025年には人口も1億人に達する見込みであり，高所得国の仲間入りをすることが期待されている。国内では，2021年1月の第13回党大会（全国代表者大会）を控え，次期リーダーの選出と2021年以降の方向性に注目が集まっている。

(2) 米中貿易摩擦，TPP11とCOVID-19

　中国はベトナムにとって最大の貿易国であり，2018年の双方向貿易額は1069億米ドルであった（ベトナムの大幅な輸入超過）。輸出では，米中貿易摩擦の恩恵により，ベトナムからの対米輸出が大きく伸びているが，米国は貿易不均衡を理由にベトナムを監視対象国に指定し，中国からのベトナム経由での迂回輸出への厳しい対応を求めた。

　そのようなタイミングで発生したCOVID-19（新型コロナウィルス）の影響により，2020年第1四半期の実質GDP成長率（推計値）は3.8％まで落ち込み第1四半期としては過去10年間で最も低い成長率となった。中国経済への依存度を低減するよい契機とできるかが試されている。

　他に目を向ければ，ベトナムではTPP11が2019年1月14日に発効し，日本との関係では発効後3年で日越EPAと同水準の関税削減効果が見込まれる。2019年6月に署名されたEUとのFTAも2020年2月に欧州議会で承認され，2020年8月に発効した。TPP11締約国及びEU諸国との貿易の増加が期待される。

(3) 人の移動

　新型コロナウィルスの問題が発生する直前まで日越間の人の移動も近年益々増加していた。2018年末時点の法務省在留外国人統計によれば在日ベトナム人の数は33万人を超える。また，2019年にベトナムから日本へ派遣された

労働者は 8 万 2702 人（前年比 20.3％ 増，ベトナム人海外派遣労働者全体の 54.2％）にのぼり，昨年に続き日本は最大の派遣先となっている（台湾 35.7％，韓国 4.7％ 及びルーマニア 2.3％ と続く）。2019 年 7 月，日越間で在留資格「特定技能」を有する外国人に係る制度の適正な運用のための基本的枠組みに関する協力覚書も締結され，悪質な仲介業者の排除等への対策等も盛り込まれた。人の移動は，現時点で新型コロナウィルスの影響を大きく受けている領域であるが，そのような状況だからこそ，二国間の長期安定的な関係に向け，双方国，関連企業，労働者自身にとり，より健全な仕組みとして（受入国側での様々な体制整備と合せて）発展させることが期待される分野である。

(4) 内需に向けた海外からの M&A，農業分野への期待

2019 年 12 月 20 日現在，新規外国投資（登録）は前年から 7.2％ 増加し，382 億米ドルに達した。外国直接投資プロジェクト実行額は前年比 6.7％ 上昇の 203.8 億米ドルとなった。国別では韓国が 20.8％ で首位，香港，シンガポール，日本，中国が続く。セクター別では，製造業（64.6％）と不動産事業（10.0％）で全体の 3 分の 2 を占める。規制緩和や内需へのアクセスを早める意味合いもあり，2017 年頃から新設型の投資から M&A へ外国投資が移行しているが，構造改革（2017 年に開始された国営企業の民営化プログラム）が計画より遅れており，適切なタイミングで改革を実行できるか，次の 5 年間が重要となる。

2019 年，GDP 成長率は 7.2％ を超え，セクター別では，全体の 50.4％ を占める建設関連が 8.9％，全体の 45.0％ を占めるサービスセクターが 7.3％ と全体をけん引する一方，全体の 4.6％ にあたる農林水産業は 2.0％ 成長にとどまった。衛生面の課題や天候不順もあり伸び悩んだ農業分野について，ベトナム政府は「スマートでクリーンな有機農業モデルへの転換」を図り，農業製品の輸出を増やす方針を打ち出している。

(5) インダストリー 4.0，ESG 対応と今後の展望

2017 年に首相府から発出された第 4 次産業革命（インダストリー 4.0）に向けた対応能力強化に関する指令によれば，デジタルインフラの発展，サイバーセ

Ⅵ 終わりに

キュリティーの確保，デジタル技術産業やスマート農業，スマート観光，スマート地区の開発，電子政府構築，開発・科学技術を振興するような革新的なスタートアップ企業支援及びIT人材の開発促進が打ち出されている。関連分野における様々な指針がその後も多く発出されている。

　経済発展を飛躍させるため，エネルギーの確保，高度な人材育成，裾野産業の拡大，イノベーションの促進といった様々な施策が必要となる一方，環境等の持続可能性（ESG）への配慮も更に重要な局面を迎える。

(6) 新型コロナウィルスの先の世界へ

　新型コロナウィルスによる世界の分断各国の保守化が進行する中で，いかに変革をとげた形でコロナ後の世界を迎えることができるかが問われている。特に国際的な人・物・サービス・財の動きに大きな制約がかかる時代において，これまでのWTO・地域連携協定とは異なる更に戦略的な二国間の役割も重要性を増すものと思われる。

　このような重要局面において，バランスの取れた強いリーダーシップの下，ベトナムが更なる飛躍に向かい，日本も変革を遂げながら，周辺国とともに新しい発想の下で成長していくことができれば幸いである。

事項索引

【欧　文】

Build-Lease-Transfer（BLT） ……………128
Build-Operate-Transfer（BOT） …………127
Build-Own Operate（BOO） ………………128
Build-Transfer（BT） ………………………128
Build-Transfer-Lease（BTL） ……………128
Build-Transfer-Operate（BTO） …………127
Business Corporation Contract（BCC）………30
Corporate Income Tax ……………………292
CPTPP …………………………………5, 51
DOLISA ……………………………………238
ENT …………………………………………51
Enterprise Registration Certificate　→企業登録
　証明書
Foreign Contractor Tax ……………………295
Incorporate Partnership ……………………23
Investment Certificate　→投資証明書
Investment Registration Certificate　→投資登録
　証明書
MOLISA ……………………………………238
NOIP …………………………………277, 282
NRAST ……………………………………231
Operation and Management（O&M）………128
PMI …………………………………………105
PPP法 ……………………………………127
Private Enterprise ……………………………24
Red Book …………………………………116
Value Added Tax …………………………294
VIAC ………………………………………334
WTO加盟 ……………………………………3
WTOコミットメント ………………………36

【あ　行】

アポスティーユ ………………………………71
意　匠 ………………………………………278
１名有限会社 ……………………19, 20, 154
一括払賃料を伴う土地リース ……………109
委任代表者 …………………………20, 156
違法解雇 ……………………………………261

医療機関 ……………………………………62
医療機器 ……………………………………62
インサイダー取引規制 ………………………89
インセンティブ ……………………………143
営業秘密 ……………………………279, 288
英米法の影響 ………………………………15
エコノミックニーズテスト（ENT） ………51
エスクロー口座 ………………………95, 101
欧州大陸法の影響 …………………………15
汚職防止法 …………………………………304

【か　行】

外国契約者税（Foreign Contractor Tax） ……295
外国人子弟向け学習塾 ……………………57
外国人労働者 ……………………………263
外国戦略的投資家 ……………………39, 41
外国仲裁判断 ……………………………336
解雇手当 …………………………………261
解散解雇 …………………………………351
解散決議 …………………………343, 346
解散事由 …………………………………342
外資企業の範囲 ……………………………50
会社印 ………………………………………73
会社の新規設立 ……………………………67
会社分割 ……………………………………83
外食産業 …………………………………24, 52
会　長 ………………………………………157
買取請求権 ………………………………185
回路配置利用権 …………………………278
合　併 ………………………………………83
株　券 ………………………………180, 183
株　式 ………………………………………173
　――の取得 ………………………………81
株式会社 …………………………19, 21, 173
株式譲渡 ……………………………183, 315
　――制限 ……………………………178, 183
　――代金の一部後払 ……………………101
株式譲渡契約書 …………………………102
株主間契約 ………………………………184
株主間契約書 ……………………………105

369

株主総会 …………………………………… 188	金融機関に対する出資規制 …………… 39
──議事録 ……………………………… 196	偶発債務の遮断 ………………………… 82
──議長 ………………………………… 193	組合法人（Incorporate Partnership）… 23
──決議 ………………………………… 195	グループA，B，Cプロジェクト ……… 129
──の招集 ……………………………… 190	経営権移動のタイミング ……………… 99
株主名簿 …………………………… 98, 182	経営陣・従業員の維持 ………………… 106
貨物運送代理サービス（CPC748） …… 60	経済関連法の改正 ………………………… 6
為替管理 …………………………………… 221	経済集中 ………………………………… 312
簡易手続 ………………………………… 330	刑事告発 ………………………………… 325
関係者間取引 ………………… 159, 173, 202	刑事罰 …………………………………… 317
監　査 …………………………………… 206	慶弔休暇 ………………………………… 252
管財人 …………………………………… 357	競　売 …………………………………… 331
監査役 …………………………… 158, 208	契約終了事由 …………………………… 104
──の報酬 ……………………………… 210	契約の準拠法 …………………………… 219
監査役会 ……………………… 165, 172, 205	経理処理 ………………………………… 108
間接投資 …………………………………… 73	兼業禁止 ………………………………… 246
間接投資資本口座 ……………………… 101	現在の株主に対する引受募集 ………… 211
間接投資ストラクチャー ……………… 83	建設許可書 ……………………………… 121
監督審 …………………………………… 330	公開会社 ………………………………… 85
企業結合規制 ……………………………… 91	公開買付規制 …………………………… 86
企業所得税 ………………………………… 68	工業所有権 ………………………… 277, 282
企業登録証明書（Enterprise Registration	工業団地 ………………………………… 112
Certificate）………………… 33, 71, 97	広告業 …………………………………… 65
企業買収登録手続 ………………………… 96	公証役場 ………………………………… 71
企業法 …………………………………… 152	合弁会社からのエグジット …………… 80
議決権優先株式 ………………… 174, 179	合弁契約書 ……………………………… 76
技術移転 ………………………………… 289	小売業 ……………………………… 24, 49
技術移転法 ………………………… 32, 289	小売店設置許可 ………………………… 50
技能実習生送出し事業 ………………… 56	国内仲裁判断 …………………………… 335
旧ソ連法の影響 …………………………… 14	国内不動産バブルの崩壊 ………………… 4
教育分野 …………………………………… 55	個人事業（Private Enterprise）……… 24
共益権 …………………………………… 175	個人情報保護 …………………………… 318
競業禁止 ………………………………… 245	個人所得税（Personal Income Tax）… 68, 296
──規定 ………………………………… 103	国家からの土地使用権割当て ………… 109
強制執行 ………………………………… 331	国家からの土地リース ………………… 109
競争制限的協定 ………………………… 306	コールオプション ……………………… 79
競争法 …………………………………… 307	コンテナ積降サービス（CPC7411）…… 59
業務改善提案権 ………………………… 207	コンプライアンス教育 ………………… 325
居住用建物 ……………………………… 114	
拒否権 …………………………………… 78	【さ　行】
緊急保全処分の申立て ………………… 324	債権回収業者（サービサー）………… 234
銀　行 …………………………………… 41	債権者集会 ……………………………… 359
勤勉で優秀な若年労働者の存在 ………… 7	再建手続 ………………………………… 359

事項索引

債権届出	358
財産分配命令	361
再　審	330
最低賃金	274
サイバーセキュリティ	320
先買権	163
差止請求	206
サブリース	109
残余財産分配優先株式	179
自益権	175
時間外労働	249
──手当	250
事業目的	67
自己株式の取得	185
資産譲渡	82
市場支配的地位	310
実用新案	279
支　店	22
──の閉鎖	349
私　募	212
私募規制	88
社　員	160, 162
社員総会	156, 166
──議事録	170
──議長	156, 167, 170
──決議	168
──の招集	167
──の定足数	168
社員名簿	161
社　債	160, 213
社　長	157, 170, 204, 205
社内規程の作成に係る留意点	326
週休日	251
就業規則	245
住宅開発プロジェクト	124
住宅法	114
終了事由	104, 349
祝　日	251
出産休暇	253
出資金未払	92
出資の期限	72
出資払込期限の徒過	75
出資割合の上限規制	86

償還優先株式	174, 180
試用期間	243
商業仲介業	66
商業不動産（オフィスビル・商業施設等）開発プロジェクト	124
証券会社	45
条件付投資分野	35
証券投資会社	47
商　号	279, 288
商事仲裁法	307
招集通知	190, 199
少数株主	191
消費者契約	225
商　標	278
商　法	218
情報管理体制	248
情報受領権	207
情報提供請求権	207
使用目的	113
職場における民主主義	273
女性労働者	268
書面性・形式性の重視	15
書面投票	170, 196
新株発行	210
人材の質の良さ，豊富さ	7
人材派遣業	52
人民参審員	329
水上貨物輸送サービス（CPC7212 及び 7222）	58
スクイーズアウト	90, 174
裾野産業の未発達	12
ストライキ	271
税　関	285
政権の安定	9
清算手続	343, 345
製造物責任	224
政府提案 PPP プロジェクト	134
税務問題	95
製薬・医薬品の流通	64
誓約事項	103
誓約条項	102
整理解雇	258, 351
設立前の諸経費の支払	74

371

1990年初頭の第一次ベトナム投資ブームとその終焉	2
潜在的なマーケットの大きさ	8
前提条件	102
倉庫サービス（CPC742）	59
贈収賄	11, 93
贈賄罪	301
速配（クーリエ）サービス（CPC7512）	60

【た 行】

対価の支払	99
退職手当	351
太陽光発電	147
大量保有報告規制	90
建物所有権	114
治安の良さ	9
知的財産権	277
中間持株会社	83
仲　裁	333
──機関	334
駐在員事務所	23
──の閉鎖	349
懲戒解雇	324
──事由	259
懲戒処分の種類	259
懲戒手続	260
直接投資	73
直接投資資本口座	100
著作権	280, 284
著作隣接権	281, 284
地理的表示	279, 288
賃金テーブル	274
定款資本の払込み	73
定時株主総会	188
ディスカウント	79
定足数	193, 199
デューデリジェンス	81, 91
転換社債	215
転職禁止	106, 246
ドイモイ政策	2
動産担保	116
倒産手続開始決定	356
倒産手続開始原因	353

投資家提案PPPプロジェクト	136
投資家の選定	138
投資環境の改善に対して外資の意見を聞き、それを反映する姿勢	9
投資関連法令の制定，改正	2, 5
投資禁止分野	38
当事者間のコンセンサスの重視	16
投資証明書（Investment Certificate）	33
投資登録証明書（Investment Registration Certificate）	35, 67, 69, 97
道路貨物運送サービス（CPC7123）	58
独占的地位	311
特別決議事項	168, 189
独立取締役	206
土地公有制	11
土地使用権	109
──の取得	111
──の存続期間	113
土地使用権証書	116
土地使用料	111
──を伴う土地使用権割当て	109
──を伴わない土地使用権割当て	109
土地のリース	109
土地割当て	109
特　許	279
取締役	200
──の報酬	202
取締役会	197
──議長	199, 205
──決議	199
トレーディングライセンス	50

【な 行】

二重帳簿問題	94
2014年末の国会における投資関連法の大改正	5
日本語教育事業	55
2名以上有限会社	19, 21, 160
ニューヨーク条約	328
認　証	71
年次有給休暇	252
年払の賃料を伴う土地リース	109

事項索引

【は　行】

配　当 ……………………………………186
配当優先株式 ………………………174, 179
ハーグ条約 ………………………………71
破産宣告 …………………………………360
破産法 ……………………………………352
払込通貨 …………………………………73
犯罪非告発罪 ……………………………322
非居住用建物 ……………………………115
否認権 ……………………………………358
秘密情報管理体制の構築 ………………107
秘密保持義務 ……………………………247
ファイナンスカンパニー ………………42
ファイナンスリース会社 ………………43
ファンド …………………………………47
フィージビリティ調査報告書 …………137
フィンテック ……………………………48
風力発電 …………………………………148
付加価値税（Value Added Tax）………294
複合目的不動産プロジェクト …………125
不公正な競争行為 ………………………316
普通株式 …………………………………173
普通株主 …………………………………175
普通決議事項 ……………………………188
プットオプション ………………………80
物流業 ……………………………………57
不動産開発プロジェクト ………………123
不動産事業法 ……………………………121
不動産登記 ………………………………116
不服申立権 ………………………………333
不法行為者への損害賠償請求 …………324
フランチャイズ …………………………24
プロジェクト契約書（PPP）……………140
プロジェクト実施の財源（PPP）………132
紛争解決（PPP）…………………………144
ベトナムの投資環境 ……………………2
ベトナム標準産業分類 …………………68
法人所得税（Corporate Income Tax）…292
法制度の特徴 ……………………………14
法定代表者 …………………………153, 156
法律の規定のあいまいさ ………………10
法令違反 …………………………………92

法令相互の矛盾 …………………………10
保険会社 …………………………………44
発起株主 …………………………………177
ホテルプロジェクト ……………………125
本店社所在地の決定 ……………………68
翻訳公証 …………………………………71

【ま　行】

マイノリティ出資 ……………………77, 80
マジョリティ出資 ……………………77, 79
マスターリース …………………………121
水際対策 …………………………………285
民事訴訟手続 ……………………………328
民　法 ……………………………………217
持分買取請求 ……………………………164
持分譲渡 ……………………………163, 315
持分譲渡契約書 …………………………102
持分譲渡代金の一部後払 ………………101
持分の取得 ………………………………81
問題点 ……………………………………10

【や　行】

優位性 ……………………………………7
有期契約の更新 …………………………242
有限会社 …………………………………154
優先株式 …………………………………173
優先株主 …………………………………179
優先言語 …………………………………104

【ら　行】

ライセンス …………………………287, 288
リテンションプラン ……………………106
リーマンショック ………………………4
旅行業 ……………………………………65
旅行仲介業 ………………………………65
履行保証 …………………………………142
臨時株主総会 ……………………………188
累積投票 …………………………………196
労働許可証 …………………265, 266, 325
労働組合 …………………………………269
労働契約 …………………………………240
　――の解除 ………………………253, 256
　――の自動終了事由 …………………253

373

──の種類 ……………………………241
労働時間 ………………………………248
労働者の保護制度 ……………………11
労働者派遣 …………………………52, 273
労働紛争 ………………………………269
労働法 …………………………………238

──違反の罰則 ……………………275
──の適用範囲 ……………………239

【わ 行】

賄　略 …………………………………302
割当土地使用権 ………………………109

ベトナムのビジネス法務(第2版)

2016年8月31日 初 版第1刷発行
2020年12月20日 第2版第1刷発行

編 者　　西村あさひ法律事務所

発行者　　江　草　貞　治

発行所　　株式会社　有　斐　閣

郵便番号 101-0051
東京都千代田区神田神保町 2-17
電話 (03)3264-1314〔編集〕
　　 (03)3265-6811〔営業〕
http://www.yuhikaku.co.jp/

印刷・株式会社理想社／製本・牧製本印刷株式会社
© 2020, 西村あさひ法律事務所. Printed in Japan
落丁・乱丁本はお取替えいたします。

★定価はカバーに表示してあります。

ISBN 978-4-641-04827-0

|JCOPY| 本書の無断複写(コピー)は，著作権法上での例外を除き，禁じられています。複写される場合は，そのつど事前に，(一社)出版者著作権管理機構(電話03-5244-5088, FAX03-5244-5089, e-mail:info@jcopy.or.jp)の許諾を得てください。

本書のコピー,スキャン,デジタル化等の無断複製は著作権法上での例外を除き禁じられています。本書を代行業者等の第三者に依頼してスキャンやデジタル化することは,たとえ個人や家庭内での利用でも著作権法違反です。